中华人民共和国法律释义丛书

全国人民代表大会常务委员会法制工作委员会　编

中华人民共和国
残疾人保障法释义

主　编：黄　薇

法律出版社

图书在版编目(CIP)数据

中华人民共和国残疾人保障法释义 / 黄薇主编 ; 全国人大常委会法制工作委员会编. -- 北京 : 法律出版社, 2008.6(2018.11 重印)

(中华人民共和国法律释义丛书)

ISBN 978-7-5036-8507-1

Ⅰ. ①中… Ⅱ. ①黄… ②全… Ⅲ. ①残疾人保障法—法律解释—中国 Ⅳ. ①D922.182.35

中国版本图书馆 CIP 数据核字(2008)第 067142 号

中华人民共和国残疾人保障法释义
ZHONGHUA RENMIN GONGHEGUO CANJIREN BAOZHANGFA SHIYI

黄薇 主编
全国人大常委会法制工作委员会 编

责任编辑 麦 锐
装帧设计 李 瞻

出版 法律出版社
总发行 中国法律图书有限公司
经销 新华书店
印刷 北京玺诚印务有限公司
责任印制 吕亚莉

编辑统筹 法规出版分社
开本 850 毫米×1168 毫米 1/32
印张 10.5
字数 216 千
版本 2008 年 6 月第 1 版
印次 2018 年 11 月第 2 次印刷

法律出版社/北京市丰台区莲花池西里 7 号(100073)
网址/www.lawpress.com.cn
投稿邮箱/info@lawpress.com.cn
举报维权邮箱/jbwq@lawpress.com.cn
销售热线/010-83938336
咨询电话/010-63939796

中国法律图书有限公司/北京市丰台区莲花池西里 7 号(100073)
全国各地中法图分、子公司销售电话:
统一销售客服/400-660-6393
第一法律书店/010-83938334/8335 西安分公司/029-85330678 重庆分公司/023-67453036
上海分公司/021-62071639/1636 深圳分公司/0755-83072995

书号:ISBN 978-7-5036-8507-1 **定价**:46.00 元
(如有缺页或倒装,中国法律图书有限公司负责退换)

总　　序

人类文明的历史上，还没有哪一个时代像中国的改革开放40年一样，在历史长河中掀起如此巨大的浪花——它不仅深刻改变了一个国家的面貌与精神气质、使数亿人摆脱贫困，还极大地改变了世界格局。

1978，在那一年的年底，中共中央一次全体会议——十一届三中全会扭转了中国的前进方向，开辟了一个时代。回首过去，我们发现，一些观念从那时开始在中国出现，一些声音从那时开始逐渐响起，一些人物开始登上历史舞台。从这一年开始，随着“加强社会主义民主，健全社会主义法制”历史性任务的提出，“法制”两个字进入了人们的视野；政法机关开始恢复重建；法律院系开始蓬勃发展。一部部法律从庙堂走进了人们的生活，一次次裁决推动着国家前进的脚步。从“有法可依、有法必依、执法必严、违法必究”到“科学立法、严格执法、公正司法、全民守法”；从“法制”到“法治”；从法治观念的形成到“依法治国，建设社会主义法治国家”写进宪法，再到“法治国家、法治政府、法治社会一体建设”，人们对法治的认识步步深入，中国的改革不断向前推进，结出丰硕的果实。在中国共产党的带领下，这个励精图治的古老国度，再一次创造了改革的奇迹。

40年发生了无数故事,40年产生了许多事物。为了纪念这难忘的40年,本社组织编辑出版了一批“纪念改革开放40周年”主题图书。这些图书,将40年来颁布的重要法律及其释义甄选汇集,将法学领域有代表性的学术论文萃取精编,把有关政法机关的重建、法律院系的重生与发展进行展现,将一批被时代改变命运的人物再次唤起。我们希望从法律与法律人的视角,重新审视过去的40年,认真体会这不平凡的40年。

如江河东下,逝者如斯。岁月总会过去,人事总有代谢,但一个不平凡的时代留下的深刻痕迹,永远不会磨灭。“不忘初心,牢记使命”,习近平总书记在党的十九大报告中向全党发出的号召,使我们有理由期待,下一个40年,中国将更加惊艳!

法律出版社编辑委员会

2018年10月

出 版 前 言

《中华人民共和国法律释义丛书》是由全国人大常委会法制工作委员会组织编辑的一套系列丛书。

该套丛书由一系列法律释义组成。邀请有关专家、学者和部分参与立法的同志编著。该丛书坚持以准确地反映立法宗旨和法律条款内容为最基本要求,在每部法律释义中努力做到观点的权威性和内容解释的准确性。

我们相信,该套丛书的陆续出版,将会给广大读者进一步学好法律提供有益的帮助。

重 印 说 明

本次重印，是为改革开放40周年制作的特别纪念版，为了保持内容原貌，未对正文和附录作实质修改。个别法条内容有修订或修正的，以脚注形式作了标注。特此说明。

2018年10月

目　录

第一部分　释　义

第二部分 附 录

第一部分　释　　义

第一章　总　　则

第一条　为了维护残疾人的合法权益，发展残疾人事业，保障残疾人平等地充分参与社会生活，共享社会物质文化成果，根据宪法，制定本法。

【释义】　本条是关于立法宗旨和立法依据的规定。

关心残疾人是社会文明进步的重要标志。以保障残疾人"平等、参与、共享"社会生活为核心内容的现代文明社会的观念已逐步形成，并不断丰富和发展。社会主义的中国以实现全体人民的富裕幸福为建设的根本目的，更应理解、尊重、关心、帮助残疾人，通过发展残疾人事业，使他们的权利得到更好的实现，平等地充分参与社会生活，共享社会物质文化的成果。本条开宗明义，从立法宗旨和立法依据两个方面体现了我国在残疾人保障方面的基本原则和立场。

（一）立法宗旨

1. 维护残疾人的合法权益

《世界人权宣言》规定，人人生而自由，在尊严和权利上一律平等。我国宪法第三十三条第三款规定："国家尊重和保障人权。"20 世纪 70 年代，残疾人的人权问题在全世界开始得到广泛认同。联合国大会分别在1971年通过了《智力迟钝者权利宣言》和1975年通过了《残疾人权利宣言》,制定了平等对待和平等权利的标准。国际残疾人年(1981年)最终促进通过《关于残疾人的世界议程》。1993年通过了《残疾人机会均等标准规则》。在同一个十年,联合国人权委员会承认,国际社会有责任建立保护残疾人权利的法律框架。随着社会的发展和文明程度的日益提高,残疾人的人权保障日益受到重视。2006年12月13日,第61届联大审议并通过了《残疾人权利公约》,2007年我国签署了该公约。公约规定,一切人权和基本自由都是普遍、不可分割、相互依存和相互关联的,必须促进和保护所有残疾人的人权,必须保障残疾人不受歧视地充分享有权利和自由,并促进对残疾人固有尊严的尊重。在一切政策和方案中考虑保护和促进残疾人的人权。

我国有8300多万残疾人,涉及2.6亿家庭人口。残疾人是我国社会大家庭的重要成员,是一个数量众多、特性突出、特别需要帮助的社会群体。切实保障残疾人人权,维护残疾人的合法权益,是促进社会主义和谐社会建设的重要内容。

本法关于维护残疾人合法权益的内容主要体现在六个方面:一是国家保障残疾人享有康复服务的权利;二是国家保障残疾人享有平等接受教育的权利;三是国家保障残疾人劳动的权利;四是国家保障残疾人享有平等参与文化生活的权利;五是国家保障残疾人享有各项社会保障的权利;六是国家和社会应当采取措施,逐步完善无障碍设施,推进信息交流无障碍,为残疾人平等参与社会生活创造无障碍环境。

2. 发展残疾人事业

党的十七大报告中明确提出,“发扬人道主义精神,发展残疾人事业”。残疾人事业是文明、进步、崇高的事业,是中国特色社会主义事业的重要组成部分。加快残疾人事业发展是构建社会主义和谐社会的本质要求。

新中国成立特别是改革开放以来,我国残疾人事业不断发展,残疾人状况明显改善,残疾人生活水平和质量不断提高,我国残疾人事业发展在国际上赢得广泛赞誉。同时,我国残疾人社会保障措施还不够完善,残疾人事业基础还比较薄弱,残疾人总体生活状况与社会平均水平存在较大差距。促进残疾人事业发展,改善残疾人状况,已成为全面建设小康社会和构建社会主义和谐社会一项重要而紧迫的任务。

推动残疾人事业继续发展的整体思路,主要体现在三个层面:一是在战略目标层面,要紧紧围绕全面建设小康社会奋斗目标,着眼于解决残疾人最关心、最直接、最现实的利益问题;二是在制度建设层面,要完善促进残疾人事业发展的政策和法律,健全残疾人社会保障制度,加强残疾人服务体系建设,营造残疾人平等参与的社会环境,缩小残疾人生活状况与社会平均水平的差距,实现残疾人事业与经济社会协调发展;三是在具体工作层面,要加强残疾人医疗康复和残疾预防工作、保障残疾人享有基本医疗卫生服务,要保障残疾人基本生活、做好残疾人生活救助工作、发展残疾人社会福利和慈善事业,要发展残疾人教育、促进残疾人就业、繁荣残疾人文化体育事业,要改善对残疾人的服务、加快无障碍建设,发展残疾人服务业。

残疾人事业是各级政府和全社会义不容辞的责任。各级政府要从坚持立党为公、执政为民的高度,充分认识发展残疾人事业的重要意义,进一步增强责任感和使命感,切实采取有力措施,促进残疾人事业加快发展。国家机关、社会团体、企业事业单位和城乡基层群众性自治组织,应当做好所属范围内的残疾人工作。

总之,要营造残疾人平等参与的社会环境,缩小残疾人生活状况与社会平均水平的差距,实现残疾人事业与经济社会协调发展。

3. 保障残疾人平等地充分参与社会生活

《残疾人权利公约》将残疾人充分和切实地参与和融入社会作为一般原则加以规定。

残疾人只有参与社会生活,才能使残疾人的各项权利得以实现,才能使残疾人真正地融入社会。因此,必须保障残疾人参与社会生活。残疾人参与社会生活包括两个方面的含义:一是平等参与。本法规定,残疾人在政治、经济、文化、社会和家庭生活等方面享有同其他公民平等的权利。禁止基于残疾的歧视。禁止侮辱、侵害残疾人。《残疾人权利公约》中规定,本公约的宗旨是促进、保护和确保所有残疾人充分和平等地享有一切人权和基本自由,并促进对残疾人固有尊严的尊重。二是充分参与,是指残疾人有完整而全面参与社会生活的权利。政府应当保证残疾人参与各方面社会生活,任何非法限制都是对残疾人合法权益的侵害。

本法在康复、教育、劳动就业、文化生活、社会保障、无障碍环境六个方面作出了具体规定,以确保残疾人平等地充分参与社会生活。其中康复和教育是残疾人平等地充分参与社会生活的基础。劳动就业和文化生活是残疾人平等参与社会生活的主要标志。社会保障是残疾人平等参与社会生活的保证。无障碍环境是残疾人参与社会生活的基本条件。

4. 共享社会物质文化成果

所谓物质文化成果,是指人类社会改造客观世界的成果。社会主义的本质是解放生产力、发展生产力,消灭剥削、消除两极分化，最终实现共同富裕。这必然要求社会物质文化成果由人民共享。社会主义的基本任务是满足人民日益增长的物质文化生活需要。一方面，要认识到人民日益增长的物质文化需要同落后的社会生产之间的矛盾是社会主义社会的主要矛盾；另一方面，随着社会物质文化的不断积累，同时也要处理好分配问题。这就要求体现社会公平，要避免出现牺牲一些人的利益来满足另一些人的需要的情况，要使所有人共同享受大家创造出来的财富。残疾人是一个数量众多、特别需要帮助的社会群体，只有使他们共享社会物质文化成果，才能真正体现社会公平，实现共同富裕。

（二）立法依据

宪法是根本法或母法，具有最高的法律效力，一切法律、行政法规、地方性法规、自治条例和单行条例、规章都不得同宪法相抵触。

本法依据宪法制定。我国宪法第三十三条第三款规定："国家尊重和保障人权。"第四十五条规定："中华人民共和国公民在年老、疾病或者丧失劳动能力的情况下，有从国家和社会获得物质帮助的权利。国家发展为公民享受这些权利所需要的社会保险、社会救济和医疗卫生事业。国家和社会保障残疾军人的生活，抚恤烈士家属，优待军人家属。国家和社会帮助安排盲、聋、哑和其他有残疾的公民的劳动、生活和教育。"

第二条　残疾人是指在心理、生理、人体结构上，某种组织、功能丧失或者不正常，全部或者部分丧失以正常方式从事某种活动能力的人。

残疾人包括视力残疾、听力残疾、言语残疾、肢体残疾、智力

残疾、精神残疾、多重残疾和其他残疾的人。

残疾标准由国务院规定。

【释义】 本条是关于残疾人概念、残疾人类别和残疾标准的规定。

从各国立法实践来看,残疾人概念、残疾人类别和残疾标准都是十分重要和首先要解决的问题,明确了这三个问题,就明确了法律所调整的主体范围。因此,有必要根据我国的具体国情,在残疾人保障法中对这三个问题加以规定。

(一)残疾人概念

本法规定的残疾人概念具有医学和社会的双重属性。从医学角度看,残疾人是指在心理、生理、人体结构上,某种组织、功能丧失或者不正常的人;从社会角度看,残疾人是指全部或者部分丧失以正常方式从事某种活动能力的人。这里的医学属性和社会属性互相作用,缺一不可。

本法规定的残疾人的概念,与《残疾人权利公约》中规定的残疾人概念非常接近。《残疾人权利公约》中规定的残疾人是指,包括肢体、精神、智力或感官有长期损伤的人,这些损伤与各种障碍相互作用,可能阻碍残疾人在与他人平等的基础上充分和切实地参与社会。

(二)残疾人类别

根据本法规定,残疾人共分为八类:(1)视力残疾人,是指由于各种原因导致双眼视力低下并且不能矫正或视野缩小,以致影响其日常生活和社会参与的人;(2)听力残疾人,是指由于各种原因导致双耳不同程度的永久性听力障碍,听不到或听不清周围环境声及言语声,以致影响日常生活和社会参与的人;(3)言语残疾人,是指由于各种原因导致的不同程度的言语障碍(经治疗一年以上不愈或病程超过两年者),不能或难以进行正常的言语交往活动的人；（4）肢体残疾人，是指人体运动系统的结构、功能损伤造成四肢残缺或四肢、躯干麻痹（瘫痪）、畸形等而致运动功能不同程度的丧失以及活动受限的人；（5）智力残疾人，是指智力显著低于一般人水平，并伴有适应行为的障碍的人，此类残疾人由于神经系统结构、功能障碍，使个体活动和参与受到限制，需要环境提供必要的支持；（6）精神残疾人，是指各类精神障碍持续一年以上未痊愈，并由于认知、情感和行为障碍，影响其日常生活和社会参与的人；（7）多重残疾人，是指存在两种或两种以上残疾的人；（8）其他残疾的人，是指没有归到上述类别的残疾人，如心肺残疾人、脑瘫残疾人。

根据第二次全国残疾人抽样调查的统计结果，各类残疾人的人数及占残疾人总人数的比重分别是：视力残疾 1233 万人，占 14.86%；听力残疾 2004 万人，占 24.16%；言语残疾 127 万人，占 1.53%；肢体残疾 2412 万人，占 29.07%；智力残疾 554 万人，占 6.68%；精神残疾 614 万人，占 7.40%；多重残疾 1352 万人，占 16.30%。

（三）残疾标准

关于残疾标准，各国因经济和社会发展水平不同，掌握的尺度不一。目前，我国评定残疾人的基本依据是国务院批准的全国残疾人抽样调查中的残疾标准。此外，国务院相关部门对因公致残人员、残疾军人另有等级评定标准的规定。

经国务院批准，我国进行了第二次全国残疾人抽样调查。抽样调查对视力、听力、言语、肢体、智力、精神、多重残疾规定了残疾标准，具体如下：

1. 视力残疾标准

视力残疾包括盲及低视力，共分为四级。如下表所示：

类别	级别	最佳矫正视力
盲	一级	无光感～<0.02;或视野半径<5度
	二级	≥0.02～<0.05;或视野半径<10度
低视力	三级	≥0.05～≤0.1
	四级	≥0.1～≤0.3

盲或低视力均指双眼而言。若双眼视力不同,则以视力较好的一眼为准;若仅有单眼为盲或低视力,而另一眼的视力达到或优于0.3,则不属于视力残疾范畴;最佳矫正视力是指以适当镜片矫正所能达到的最好视力,或以针孔镜所测得的视力。视野半径<10度者,不论其视力如何均属于盲。

2. 听力残疾标准

听力残疾共分为四级。(1)听力残疾一级:听觉系统的结构和功能方面极重度损伤,较好耳平均听力损失≥91dBHL,在无助听设备帮助下,不能依靠听觉进行言语交流,在理解和交流等活动上极度受限,在参与社会生活方面存在极严重障碍。(2)听力残疾二级:听觉系统的结构和功能重度损伤,较好耳平均听力损失在81～90dBHL之间,在无助听设备帮助下,在理解和交流等活动上重度受限,在参与社会生活方面存在严重障碍。(3)听力残疾三级:听觉系统的结构和功能中重度损伤,较好耳平均听力损失在61～80dBHL之间,在无助听设备帮助下,在理解和交流等活动上中度受限，在参与社会生活方面存在中度障碍。(4)听力残疾四级：听觉系统的结构和功能中度损伤，较好耳平均听力损失在41～60dBHL之间，在无助听设备帮助下，在理解和交流等活动上轻度受限，在参与社会生活方面存在轻度障碍。

3. 言语残疾标准

言语残疾包括：失语；运动性构音障碍；器官结构异常所致的构音障碍；发声障碍（嗓音障碍）；儿童言语发育迟滞；听力障碍所致的语言障碍；口吃。

言语残疾共分为四级。(1)言语残疾一级：无任何言语功能或语音清晰度≤10%，言语表达能力等级测试未达到一级测试水平，不能进行任何言语交流。(2)言语残疾二级：具有一定的发声及言语能力。语音清晰度在11%～25%之间，言语表达能力未达到二级测试水平。(3)言语残疾三级：可以进行部分言语交流。语音清晰度在26%～45%之间，言语表达能力等级测试未达到三级测试水平。(4)言语残疾四级：能进行简单会话，但用较长句或长篇表达困难。语音清晰度在46%～65%之间，言语表达能力等级未达到四级测试水平。

4. 肢体残疾标准

肢体残疾包括：上肢或下肢因伤、病或发育异常所致的缺失、畸形或功能障碍；脊柱因伤、病或发育异常所致的畸形或功能障碍；中枢、周围神经因伤、病或发育异常造成躯干或四肢的功能障碍。

肢体残疾共分为四级。(1)肢体残疾一级：不能独立实现日常生活活动。其包括：四肢瘫；截瘫；偏瘫；全上肢和双小腿缺失；单全下肢和双前臂缺失；双上臂和单大腿（或单小腿）缺失；双全上肢或双全下肢缺失；四肢在不同部位缺失；双上肢功能极重度障碍或三肢功能重度障碍。(2)肢体残疾二级:基本上不能独立实现日常生活活动。其包括:偏瘫或截瘫,残肢保留少许功能(不能独立行走);双上臂或双前臂缺失;双大腿缺失;单全上肢和单大腿缺失;单全下肢和单上臂缺失三肢在不同部位缺失(除外一级中的情况);二肢功能重度障碍或三肢功能中度障碍。(3)肢体残疾三级:能部分独立实现日常生活活动。其包括:双小腿缺失;单前臂及其以上缺失;单大腿及其以上缺失;双手拇指或双手拇指以外其他手指全缺失;二肢在不同部位缺失(除外二级中的情况);一肢功能重度障碍或二肢功能中度障碍。(4)肢体残疾四级:基本上能独立实现日常生活活动。其包括:单小腿缺失;双下肢不等长,差距在5厘米以上(含5厘米);脊柱强(僵)直;脊柱畸形,驼背畸形大于70度或侧凸大于45度;单手拇指以外其他四指全缺失;单侧拇指全缺失;单足跗跖关节以上缺失;双足趾完全缺失或失去功能;侏儒症(身高不超过130厘米的成年人);一肢功能中度障碍,两肢功能轻度障碍;类似上述的其他肢体功能障碍。

5. 智力残疾标准

智力残疾包括:在智力发育期间(18岁之前),由于各种有害因素导致的精神发育不全或智力迟滞;或者智力发育成熟以后,由于各种有害因素导致智力损害或智力明显衰退。

智力残疾共分为四级，如下表所示：

级别	分级标准			
	发展商(DQ) 0～6 岁	智商(IQ) 7 岁以上	适应性行为 (AB)	WHO－DAS 分值
一级	≤25	<20	极重度	≥1116 分
二级	26～39	20～34	重度	106～115 分
三级	40～54	35～49	中度	96～105 分
四级	55～75	50～69	轻度	52～95 分

6. 精神残疾标准

精神残疾划分为四级：(1)精神残疾一级：WHO－DAS 值在≥116 分，适应行为严重障碍；生活完全不能自理，忽视自己的生理、心理的基本要求。不与人交往，无法从事工作，不能学习新事物。需要环境提供全面、广泛的支持，生活长期、全部需他人监护。(2)精神残疾二级：WHO－DAS 值在 106～115 分之间，适应行为重度障碍；生活大部分不能自理，基本不与人交往，只与照顾者简单交往，能理解简单照顾者的指令，有一定学习能力。监护下能从事简单劳动。能表达自己的基本需求，偶尔被动参与社交活动；需要环境提供广泛的支持，大部分生活仍需他人照料。(3)精神残疾三级：WHO－DAS 值在 96～105 分之间，适应行为中度障碍；生活上不能完全自理，可以与人进行简单交流，能表达自己的情感。能独立从事简单劳动，能学习新事物，但学习能力明显比一般人差。被动参与社交活动，偶尔能主动参与社交活动；需要环境提供部分的支持，即所需要的支持服务是经常性的、短时间的需求，部分生活需由他人照料。（4）精神残疾四级：WHO－DAS 值在 52～95 分之间，适应行为轻度障碍；生活上基本自理，但自理能力比一般人差，有时忽略个人卫生。能与人交往，能表达自己的情感，体会他人情感的能力较差，能从事一般的工作，学习新事物的能力比一般人稍差；偶尔需要环境提供支持，一般情况下生活不需要由他人照料。

7. 多重残疾标准

存在两种或两种以上残疾为多重残疾。多重残疾应指出其残疾的类别。多重残疾分级按所属残疾中最重类别残疾分级标准进行分级。

第三条　残疾人在政治、经济、文化、社会和家庭生活等方面享有同其他公民平等的权利。

残疾人的公民权利和人格尊严受法律保护。

禁止基于残疾的歧视。禁止侮辱、侵害残疾人。禁止通过大众传播媒介或者其他方式贬低损害残疾人人格。

【释义】　本条是关于残疾人权利保护的规定。

（一）残疾人享有平等权

平等权是指公民平等地享有权利，不受任何差别对待，要求同等保护的权利。平等权是首要的和基本的人权。作为《世界人权宪章》的三个组成部分的《世界人权宣言》、《经济、社会、文化权利国际公约》和《公民权利和政治权利国际公约》，都对平等权作了明确规定。《残疾人权利公约》也规定：

“缔约国确认，在法律面前，人人平等，有权不受任何歧视地享有法律给予的平等保护和平等权益。”我国宪法第三十三条第二款也明确规定：“中华人民共和国公民在法律面前一律平等。”即我国公民不分民族、种族、性别、职业、家庭出身、宗教信仰、教育程度、社会地位、政治面目、财产状况等，一律平等地享有宪法和法律所赋予的权利和自由，平等地履行宪法和法律所规定的义务。

本法进一步明确了残疾人在政治、经济、文化、社会和家庭生活等方面享有同其他公民平等的权利。残疾人享有平等权的特点是：(1)平等权的主体是公民。残疾人作为公民，理应与其他公民地位平等。(2)残疾人享有的平等权是充分的。其涵盖了政治、经济、文化、社会和家庭生活等各个方面。(3)残疾人有权要求国家平等的保护，国家有义务无差别地保护每一个残疾人的平等地位。

(二)残疾人的公民权利和人格尊严受法律保护

公民权利是指公民在政治、经济、文化、社会和家庭生活等方面所享有的权利。我国宪法对公民权利作出了规定。如任何公民享有宪法和法律规定的权利，同时必须履行宪法和法律规定的义务。中华人民共和国公民有言论、出版、集会、结社、游行、示威的自由。中华人民共和国公民有宗教信仰自由。中华人民共和国公民的人身自由不受侵犯。中华人民共和国公民有劳动的权利和义务。中华人民共和国劳动者有休息的权利。中华人民共和国公民有受教育的权利和义务。中华人民共和国公民有进行科学研究、文学艺术创作和其他文化活动的自由。

人格尊严是指人作为人的主体地位不受侵犯，禁止非人待遇，不能贬低人的尊严，不得对任何人包括被剥夺自由的人施加侮辱性的对待和惩罚。我国宪法第三十八条规定:“中华人民共和国公民的人格尊严不受侵犯。禁止用任何方法对公民进行侮辱、诽谤和诬告陷害。”

本法进一步明确了残疾人的公民权利和人格尊严受法律保护。

(三)反歧视原则

反歧视原则的基本内容是:禁止基于残疾的歧视。禁止侮辱、侵害残疾人。禁止通过大众传播媒介或者其他方式贬低损害残疾人人格。

关于基于残疾的歧视的规定,是本次残疾人保障法修订过程中的重点问题。原法中只规定了“禁止歧视、侮辱、侵害残疾人”,一些全国人大常委会委员和全国人大内务司法委员会建议增加规定“禁止基于残疾的歧视”,我们吸收了这一意见。作出这一修改的主要理由是:禁止基于残疾的歧视的内涵比禁止歧视残疾人的内涵更加丰富。我国政府已签署的《残疾人权利公约》中明确规定,缔约国应当禁止一切基于残疾的歧视,保证残疾人获得平等和有效的法律保护,使其不受基于任何原因的歧视。“基于残疾的歧视”是指基于残疾而作出的任何区别、排斥或限制,其目的或效果是在政治、经济、社会、文化、公民或任何其他领域,损害或取消在与其他人平等的基础上,对一切人权和基本自由的认可、享有或行使。基于残疾的歧视包括一切形式的歧视,包括拒绝提供合理便利。“合理便利”是指根据具体需要,在不造成过度或不当负担的情况下,进行必要和适当的修改和调整,以确保残疾人在与其他人平等的基础上享有或行使一切人权和基本自由。根据以上规定可以看出,基于残疾的歧视包括了一切形式的歧视,不限于教育、就业等歧视,还包括拒绝为残疾人提供合理便利等不作为情形;此外,现实生活中,歧视的对象除了残疾人以外，还包括与残疾人有联系的人或组织，如残疾人的配偶、残疾人的亲属、残疾人的照料者、残疾人的同事、残疾人的工作单位、残疾人供养和托养机构、残疾人组织等，对上述对象的歧视都要禁止。

第四条 国家采取辅助方法和扶持措施，对残疾人给予特别扶助，减轻或者消除残疾影响和外界障碍，保障残疾人权利的实现。

【释义】 本条是关于国家对残疾人给予特别扶助的规定。

对残疾人的权益保障不仅要体现形式平等，还要体现实质平等。实质平等包括两个方面的含义：一是残疾人享有同其他公民平等的权利；二是残疾人作为特殊群体，对其应给予倾斜性保障。对残疾人予以特别保障，并不妨碍和影响其他社会成员实现自己的权利，不应视为是对其他人的歧视。恰恰相反，它体现了社会公正，促进了社会和谐，是社会文明进步的表现。

特别扶助是指对特殊群体的扶持和帮助。本条规定的对残疾人的特别扶助具有以下特点：一是特别扶助的主体是国家；二是特别扶助的内容包括辅助方法和扶持措施两个方面；三是国家给予特别扶助是残疾人权利得以实现的基本保障。

（一）国家采取辅助方法对残疾人给予特别扶助

残疾人作为一个特殊的群体，他们在参与社会生活时，除具有公民的共性外，还存在特殊性。通常的方式对他们往往难以适用，必须辅之以一些特殊的辅助方法。如在康复服务方面，为残疾人提供辅助器具，如假肢、矫形器、轮椅、助行器和自助具、拐杖、盲杖、盲表、聋人闹钟和门铃、盲人写字板、打字机等;在教育方面,辅以特殊的教育方式,并且特殊教育的课程设置、教材、教学方法、入学和在校年龄,可以有适度弹性;在文化生活方面,推进电视栏目、影视作品加配字幕、解说等;在无障碍环境方面,应当创造条件,为残疾人提供语音和文字提示、手语、盲文等信息交流服务,并提供优先服务和辅助性服务。

国家应当以根据残疾人的身心特性和需要为原则,采取辅助方法对残疾人给予特别扶助。

(二)国家采取扶持措施对残疾人给予特别扶助

本法明确规定的扶持措施主要包括以下内容:

(1)在康复服务方面,本法规定,各级人民政府和有关部门应当采取措施,为残疾人康复创造条件,建立和完善残疾人康复服务体系,并分阶段实施重点康复项目,帮助残疾人恢复或者补偿功能,增强其参与社会生活的能力;各级人民政府鼓励和扶持社会力量兴办残疾人康复机构;政府有关部门应当组织和扶持残疾人康复器械、辅助器具的研制、生产、供应、维修服务。

(2)在教育权益方面,本法规定,各级人民政府对接受义务教育的残疾学生、贫困残疾人家庭的学生提供免费教科书,并给予寄宿生活费等费用补助;对接受义务教育以外其他教育的残疾学生、贫困残疾人家庭的学生按照国家有关规定给予资助。

(3)在劳动就业方面,本法规定,国家实行按比例安排残疾人就业制度,鼓励用人单位超过规定比例安排残疾人就业;国家对安排残疾人就业达到、超过规定比例或者集中安排残疾人就业的用人单位和从事个体经营的残疾人,依法给予税收优惠,并在生产、经营、技术、资金、物资、场地等方面给予扶持。国家对从事个体经营的残疾人，免除行政事业性收费；县级以上地方人民政府及其有关部门应当确定适合残疾人生产、经营的产品、项目，优先安排残疾人福利性单位生产或者经营，并根据残疾人福利性单位的生产特点确定某些产品由其专产；政府采购，在同等条件下，应当优先购买残疾人福利性单位的产品或者服务；地方各级人民政府应当开发适合残疾人就业的公益性岗位；对于申请从事个体经营的残疾人，有关部门应当优先核发营业执照；对于从事各类生产劳动的农村残疾人，有关部门应当在生产服务、技术指导、农用物资供应、农副产品购销和信贷等方面，给予帮助；公共就业服务机构应当为残疾人免费提供就业服务，残疾人就业服务机构应当组织开展免费的职业指导、职业介绍和职业培训。

(4)在文化生活方面，本法规定，各级政府组织和扶持盲文读物、盲人有声读物及其他残疾人读物的编写和出版，在公共图书馆根据盲人的实际需要，设立盲文读物、盲人有声读物图书室；组织和扶持残疾人开展群众性文化、体育、娱乐活动，举办特殊艺术演出和残疾人体育运动会，参加国际性比赛和交流。

(5)在社会保障方面，本法规定，各级政府采取措施，完善对残疾人的社会保障，保障和改善残疾人的生活；残疾人及其所在单位应当参加社会保险，国家对生活确有困难的残疾人给予社会保险补贴；各级人民政府对生活确有困难的残疾人，通过多种渠道给予生活、教育、住房和其他社会救助；县级以上地方人民政府对享受最低生活保障待遇后生活仍有特别困难的残疾人家庭，应当采取其他措施保障其基本生活；各级人民政府对贫困残疾人的基本医疗、康复服务，必要的辅助器具的配置和更换，应当按照规定给予救助；对生活不能自理的残疾人，地方各级人民政府应当根据情况给予护理补贴；地方各级人民政府对无劳动能力、无扶养人或者扶养人不具有扶养能力、无生活来源的残疾人，按照规定予以供养。国家鼓励和扶持社会力量举办残疾人供养、托养机构；县级以上人民政府对残疾人搭乘公共交通工具，应当根据实际情况给予便利和优惠。残疾人可以免费携带随身必备的辅助器具；盲人持有效证件免费乘坐市内公共汽车、电车、地铁、渡船等市内公共交通工具。盲人读物邮件免费寄递；国家鼓励和支持提供电信、广播电视服务的单位对盲人、听力残疾人、言语残疾人给予优惠；各级人民政府应当逐步增加对残疾人的其他照顾和扶助；政府有关部门和残疾人组织应当建立和完善社会各界为残疾人捐助和服务的渠道，鼓励和支持发展残疾人慈善事业，开展志愿者助残等公益活动。

（6）在无障碍环境方面，本法规定，国家应当采取措施，逐步完善无障碍设施，推进信息交流无障碍，为残疾人平等参与社会生活创造无障碍环境；国家鼓励和扶持无障碍辅助设备、无障碍交通工具的研制和开发。

第五条　县级以上人民政府应当将残疾人事业纳入国民经济和社会发展规划，加强领导，综合协调，并将残疾人事业经费列入财政预算，建立稳定的经费保障机制。

国务院制定中国残疾人事业发展纲要，县级以上地方人民政府根据中国残疾人事业发展纲要，制定本行政区域的残疾人事业发展规划和年度计划，使残疾人事业与经济、社会协调发展。

县级以上人民政府负责残疾人工作的机构，负责组织、协

调、指导、督促有关部门做好残疾人事业的工作。

各级人民政府和有关部门，应当密切联系残疾人，听取残疾人的意见，按照各自的职责，做好残疾人工作。

【释义】 本条是关于政府职责的规定。

残疾人保障法施行十七年来，我国残疾人事业发展形成了政府主导、社会各界广泛参与、残疾人组织积极发挥作用、协调运作的工作机制。这是由残疾人事业的多领域、跨部门、综合性强等特点决定的。政府发挥主导作用，是发展残疾人事业的根本保证。

根据本条规定，政府的主要职责包括以下四个层面：

（一）将残疾人事业纳入国民经济和社会发展规划并建立稳定的经费保障机制

从 20 世纪 50 年代初期制定和实施第一个五年计划至今，我国已经制定和实施了十一个五年计划（规划）（从“十一五”开始，不再称“计划”，而改称“规划”）。国民经济和社会发展规划，也可称为国家规划，它阐明国家战略意图，明确政府工作重点，引导市场主体行为，集中体现党和政府促进经济社会全面协调可持续发展的总方针、总政策，是未来五年我国经济社会发展的宏伟蓝图，是全国各族人民共同的行动纲领，是政府履行经济调节、市场监管、社会管理和公共服务职责的重要依据，是国家十分重要的宏观调控手段。国民经济和社会发展规划按行政层级可分为国家级、省级、县级三级国民经济和社会发展规划。

经费不足，是残疾人事业面临的一个主要问题。有了经费保障，残疾人事业才能发展。残疾人事业是一项公益事业，国家应当担负主要责任。县级以上人民政府应当将残疾人事业经费列入财政预算，建立稳定的经费保障机制。

（二）残疾人事业发展纲要、规划和年度计划

国务院制定中国残疾人事业发展纲要。自1991以来，国务院先后批准实施了四个残疾人事业发展五年计划（规划）纲要。各级地方人民政府也相应地连续制定了四个残疾人事业发展五年计划（规划）纲要，并且对执行情况组织有关部门进行联合检查，从而确保残疾人康复、教育、就业、文化、体育等各项事业不断发展。《中国残疾人事业“十一五”发展纲要（2006年—2010年）》中指出，“十一五”期间残疾人事业发展的总目标是：残疾人基本生活总体初步达到小康水平。全面推进残疾人“人人享有康复服务”工作，通过实施重点工程，使8300万残疾人得到不同程度的康复。扶助农村贫困残疾人脱贫，并实施残疾人危房改造工程，改善32万户农村贫困残疾人家庭居住条件。进一步将残疾人纳入社会保障体系，保障基本生活。基本普及残疾儿童少年义务教育，积极开展残疾儿童学前教育，发展残疾人高级中等教育、高等教育和职业教育，切实保障残疾人接受教育的权利。有就业需求的残疾人得到职业指导和职业培训，残疾人就业规模进一步扩大，就业水平进一步提高。残疾人文化生活水平进一步提高，体育活动得到普及。残疾人事业的法制建设及无障碍环境建设进一步加强，残疾人的权益保障状况持续改善。残疾人组织体系进一步完善，为残疾人服务的能力进一步增强。

县级以上地方人民政府根据中国残疾人事业发展纲要，制定本行政区域的残疾人事业发展规划和年度计划，使残疾人事业与经济、社会协调发展。

（三）残疾人工作机构

1993年9月，国务院《关于国务院议事协调机构和临时机构设置的通知》（国发〔1993〕27号）设立国务院残疾人工作协

调委员会，负责协调国务院有关残疾人事业方针、政策、法规、规划、计划的制订与实施工作；协调解决残疾人工作中的重大问题；组织协调联合国有关残疾人事务在中国的重要活动；指导、督促有关部门做好残疾人事业的工作。国务院残疾人工作委员会的具体工作由中国残疾人联合会承担，秘书处设在中国残疾人联合会。2006 年 4 月，经国务院批准，国务院残疾人工作协调委员会更名为国务院残疾人工作委员会，组成单位有教育部、民政部、劳动保障部、卫生部、中宣部、外交部、国家发改委等 38 个部门和单位。目前，全国县级以上地方政府普遍设立残疾人工作委员会。

（四）各级人民政府和有关部门各司其职

各级政府和有关部门应当密切联系残疾人，听取残疾人的意见，将有关的残疾人工作纳入职责范围，各司其职、加强配合、密切协作，形成新时期发展残疾人事业的长效工作机制。

第六条 国家采取措施，保障残疾人依照法律规定，通过各种途径和形式，管理国家事务，管理经济和文化事业，管理社会事务。

制定法律、法规、规章和公共政策，对涉及残疾人权益和残疾人事业的重大问题，应当听取残疾人和残疾人组织的意见。

残疾人和残疾人组织有权向各级国家机关提出残疾人权益保障、残疾人事业发展等方面的意见和建议。

【释义】 本条是关于残疾人政治参与和表达意见的规定。

政治参与是指公民试图影响国家政治生活的一切活动。政治参与是现代社会民主制度赖以存在的基础，也是民主政治的基本特征之一。可以说，没有公民参与，就没有民主政治。我国宪法规定，人民依照法律规定，通过各种途径和形式，管理国家事务，管理经济和文化事业，管理社会事务。本条依据宪法作出了规定。

《残疾人权利公约》规定，缔约国应当保证残疾人享有政治权利，有机会在与其他人平等的基础上享受这些权利，并确保残疾人能够在与其他人平等的基础上，直接或通过其自由选择的代表，有效和充分地参与政治和公共生活，包括确保残疾人享有选举和被选举的权利和机会，各级人民政府采取措施，使残疾人能够不受歧视地在与其他人平等的基础上有效和充分地参与处理公共事务，并鼓励残疾人参与公共事务。残疾人参与政治生活有以下意义：(1)是实现残疾人政治权利的基本途径；(2)可以防止权力滥用；(3)可以使政策更加科学和民主；(4)能够促进社会的和谐稳定。残疾人参与政治生活的范围包括：管理国家事务，管理经济和文化事业，管理社会事务。残疾人管理国家事务，管理经济和文化事业，管理社会事务的主要途径和方式主要有：(1)通过人民代表大会制度来参与政治生活，一方面残疾人可以选举能够代表其利益的各级人大代表，另一方面残疾人也可以被选举为人大代表，直接参与国家政治生活；(2)通过人民政治协商会议制度来参政议政行使自己的政治权利；(3)通过残疾人组织对国家事务、经济和文化事业、社会事务进行管理和监督；(4)直接参加政府工作来参与国家事务、经济和文化事业、社会事务的管理；(5)其他途径，如通过信访、媒体等。

根据本条第二款的规定，制定法律、法规、规章和公共政策，只要涉及残疾人权益和残疾人事业的重大问题，就要听取残疾人和残疾人组织的意见。主动听取残疾人的意见是实现立法和决策过程的科学性和民主性的重要途径。听取意见可以采取座谈会、论证会、听证会等多种形式。《残疾人权利公约》也规定，残疾人应有机会积极参与政策和方案的决策过程，包括与残疾人直接有关的政策和方案的决策过程。

我国宪法规定，中华人民共和国公民对于任何国家机关和国家工作人员，有提出建议的权利。本条第三款根据宪法的规定作出了具体规定。其内容包括：(1)提出意见和建议的主体是残疾人和残疾人组织；(2)提出意见和建议的对象是各级国家机关；(3)提出意见和建议的内容与残疾人权益保障、残疾人事业发展等方面有关。

第七条　全社会应当发扬人道主义精神，理解、尊重、关心、帮助残疾人，支持残疾人事业。

国家鼓励社会组织和个人为残疾人提供捐助和服务。

国家机关、社会团体、企业事业单位和城乡基层群众性自治组织，应当做好所属范围内的残疾人工作。

从事残疾人工作的国家工作人员和其他人员，应当依法履行职责，努力为残疾人服务。

【释义】　本条是关于全社会支持残疾人事业的规定。

残疾人事业发展不仅是政府责任，全社会都应当支持残疾人事业。

(一)关于人道主义精神

人道主义是关于人的本质、使命、地位、价值和个性发展等的思潮和理论。社会主义人道主义是社会主义意识形态的组成部分，是在伦理道德领域中调整人们之间相互关系的准则之一。社会主义人道主义包括以下三方面的含义：(1)社会主义的人道主义，是为了从根本上消除剥削与被剥削的不人道现象，改善人民生产和生活条件。解放生产力，发展生产力，最终达到共同富裕的本质要求。(2)社会主义的人道主义，确立人的主体地位，实现人的自由、平等。(3)社会主义的人道主义是社会主义的基本道德规范。它要求社会对个人以及人们相互之间的关心和同情,提倡建立平等、团结、友爱、互助的社会主义新型关系,尊重个人对社会作出的贡献,尊重人格,维护社会成员的基本权利。(4)科学发展观把以人为本作为整个思想的本质和核心,这是对社会主义人道主义的创造性运用和理论升华。

党的十七大提出:“发扬人道主义精神,发展残疾人事业。”从某种意义上讲,残疾人事业本身就是人道主义事业,而发扬社会主义人道主义精神,理解、尊重、关心、帮助残疾人,支持残疾人事业,是社会进步和人类文明的标志,也是全社会义不容辞的责任。

(二)国家鼓励社会组织和个人为残疾人提供捐助和服务

政府财政投入是残疾人保障经费的主要来源,但仅仅依靠政府是不够的,要调动社会组织和个人的积极性,鼓励社会组织和个人为残疾人提供捐助和服务,充分集合社会力量发展残疾人事业。

根据公益事业捐赠法的规定,自然人、法人或者其他组织可以选择符合其捐赠意愿的公益性社会团体和公益性非营利的事业单位进行捐赠。公益事业包括非盈利的残疾人事业。捐赠的财产应当是其有权处分的合法财产。捐赠人可以与受赠人就捐赠财产的种类、质量、数量和用途等内容订立捐赠协议。捐赠人有权决定捐赠的数量、用途和方式。捐赠人应当依法履行捐赠协议,按照捐赠协议约定的期限和方式将捐赠财产转移给受赠人。捐赠人对于捐赠的残疾人事业工程项目可以留名纪念;捐赠人单独捐赠的工程项目或者主要由捐赠人出资兴建的工程项目,可以由捐赠人提出工程项目的名称,报县级以上人民政府批准。境外捐赠人捐赠的财产,由受赠人按照国家有关规定办理入境手续;捐赠实行许可证管理的物品,由受赠人按照国家有关规定办理许可证申领手续,海关凭许可证验放、监管。华侨向境内捐赠的,县级以上人民政府侨务部门可以协助办理有关入境手续,为捐赠人实施捐赠项目提供帮助。公司和其他企业捐赠财产用于残疾人事业,依照法律、行政法规的规定享受企业所得税方面的优惠。自然人和个体工商户依照本法的规定捐赠财产用于残疾人事业,依照法律、行政法规的规定享受个人所得税方面的优惠。境外向公益性社会团体和公益性非营利的事业单位捐赠的用于残疾人事业的物资,依照法律、行政法规的规定减征或者免征进口关税和进口环节的增值税。对于捐赠的工程项目,当地人民政府应当给予支持和优惠。

社会和个人应当理解、尊重、关心、帮助残疾人,为其提供服务,如开展志愿者助残等公益活动;公共服务机构和公共场所应当创造条件,为残疾人提供语音和文字提示、手语、盲文等信息交流服务,并提供优先服务和辅助性服务,等等。

(三)各单位做好所属范围内的残疾人工作

国家机关、社会团体、企业事业单位和城乡基层群众性自治组织,应当做好所属范围内的残疾人工作。国家机关要将残疾人工作纳入职责范围和目标管理,密切配合协作,切实提高为残疾人提供社会保障和公共服务的水平;工会、共青团、妇联、老龄协会等社会团体要发挥各自优势,支持残疾人工作,维护残疾职工、残疾青年、残疾妇女、残疾儿童和残疾老人的合法权益;企业事业单位要增强社会责任感,为残疾人事业发展贡献力量;城乡基层群众性自治组织,即村委会、居委会,要抓好残疾人工作的落实。

(四)从事残疾人工作的人员应当依法履行职责

从事残疾人工作的国家工作人员和其他人员,应当依法履行职责,努力为残疾人服务。本法特别对国家工作人员的履责规定了法律责任:国家工作人员未依法履行职责,对侵害残疾人权益的行为未及时制止或者未给予受害残疾人必要帮助,造成严重后果的,由其所在单位或者上级机关依法对直接负责的主管人员和其他直接责任人员给予处分。

第八条　中国残疾人联合会及其地方组织,代表残疾人的共同利益,维护残疾人的合法权益,团结教育残疾人,为残疾人服务。

中国残疾人联合会及其地方组织依照法律、法规、章程或者接受政府委托,开展残疾人工作,动员社会力量,发展残疾人事业。

【释义】　本条是关于中国残疾人联合会及其地方组织职责的规定。

1982 年 12 月 3 日,联合国大会第三十七届会议通过的《关于残疾人的世界行动纲领》强调:只有残疾人组织的作用充分发挥,残疾人的利益才能得到充分保证;支持建立强大的全国性残疾人组织,使他们在具有切身利害关系的一切领域发挥作用;鼓励残疾人组织的联合、统一,并与政府协调行动。许多国家以法律明确残疾人组织的地位和责任,如英国《残疾人法》规定成立并确认有权威的残疾人组织,由该组织代表残疾人的利益,国家授权该组织向各级政府反映残疾人的特别需要,处理有关社会服务事务。西班牙法律规定建立全国性残疾人组织和各地分支机构,取代其他分散的小组织,以形成统一责任。我国也在残疾人保障法里对中国残疾人联合会及其地方组织作出了规定。

本条规定得比较原则,具体可以从以下方面理解:

首先,本条确立了中国残疾人联合会的性质和法律地位。中国残疾人联合会是国务院批准的全国残疾人事业组织,它将代表功能、服务功能、管理功能融为一体,是半官半民性质的综合性事业组织。各级地方残疾人联合会是中国残联的地方组织,由地方同级政府批准,并受上级残联指导。需要注意的是,由于残联的半官方性质,残疾人个人是不能建立残联组织的。但是,各地残疾人如果想加入残联,不必办理入会手续,只要经过医疗部门和各级残联组织认定是残疾人,就是残联的当然会员。

中国残疾人联合会的决策机构是全国代表大会和主席团,执行机构是执行理事会,监督咨询机构是评议委员会。在中国残疾人联合会内,设立有盲人协会、聋人协会、肢残人协会和智残人精神残疾人亲友会。中国残联还建有康复研究中心、华夏出版社、中国残疾人杂志社、按摩医院等直属单位。中国残联在各省、自治区、直辖市、计划单列市和地、市、县、区、街道、乡、镇都建有地方组织,并在一般厂矿企业、福利企业、居民委员会、村民委员会、福利事业单位和残疾人比较集中的单位建立残疾人基层组织。

其次,本条明确了残疾人联合会的职责。依据残疾人保障法等法律法规,各级残联的主要职责是:(1)代表各类残疾人的共同利益,维护残疾人的合法权益,团结、教育残疾人,沟通政府、社会与残疾人之间的联系。(2)协助政府、社会推进残疾人事业,并独立开展一些业务工作,举办各类活动,广泛动员社会,为残疾人服务。(3)对残疾人事业进行整体研究,统一规划,提出政策、立法、规划方面的建议,并在这方面发挥综合、协调、咨询、服务作用。(4)承担政府残疾人工作协调机构的日常工作,是高层协调机构的办事机关,负有贯彻实施协调机构的决议、决定,调查研究,提出议题,做好议题的准备工作等责任。(5)负责残疾人事业一些业务领域的归口管理和行业指导。(6)负责同联合国有关部门、国际残疾人组织、各国残疾人组织有关残疾人事务的交流与合作。

各级残联组织履行职责的依据主要是法律、法规，除此之外还要依据章程或者由于政府的委托等。例如依据《中国残疾人联合会章程》，中国残联要完成以下任务：(1)关心残疾人生活、学习和工作，做好宣传舆论工作，为残疾人创造良好的社会环境。(2)团结残疾人遵守国家法律，履行社会义务，做有理想、有道德、有文化、有纪律的公民。(3)促进和发展残疾人的康复、教育、就业、文化、体育、科研、社会服务及福利事业；推动残疾的预防工作。(4)推进残疾人事业的社会化管理；培养残疾人事业的社会工作者。(5)沟通政府、社会与残疾人之间的联系，协助国家研究、制定和实施有关残疾人事业的法规、政策和规划。(6)协调残疾人社会团体的工作。(7)开展国际(地区间)交流与合作。(8)承担“联合国残疾人十年中国组织委员会”的日常工作。(9)完成政府交办的任务，向政府提交工作报告和建议。

第九条　残疾人的扶养人必须对残疾人履行扶养义务。

残疾人的监护人必须履行监护职责，尊重被监护人的意愿，维护被监护人的合法权益。

残疾人的亲属、监护人应当鼓励和帮助残疾人增强自立能力。

禁止对残疾人实施家庭暴力，禁止虐待、遗弃残疾人。

【释义】　本条是关于残疾人的扶养人、监护人、亲属等应当履行的主要义务的规定。

(一)残疾人的扶养人

所谓扶养，有广义、狭义之分。我国婚姻法按不同的主体的相互关系对抚养、扶养、赡养分别加以规定：抚养是指长辈对无行为能力人（主要是未成年人）的保护并教养，强调的是长辈对晚辈的教育和保护；赡养是指子女或晚辈对父母或长辈在物质上和生活上的帮助；扶养是指平辈亲属之间尤其是夫妻之间依法发生的经济供养和生活扶助。可见，婚姻法是从狭义上使用“扶养”的概念，而刑法、继承法、民法通则等法律规范中使用“扶养”的概念是广义的。广义上的扶养，泛指特定亲属之间根据法律的明确规定而存在的经济上相互供养、生活上相互辅助照顾的权利义务关系，囊括了长辈亲属对晚辈亲属的“抚养”，平辈亲属之间的“扶养”和晚辈亲属对长辈亲属的“赡养”三种具体形态。本法中使用的“扶养”，应当采用广义的理解。对残疾人负有法定抚养、扶养和赡养义务的人，都是残疾人的扶养人。

（二）残疾人的监护人及其监护职责

首先，残疾人是未成年人的情况下，仍应根据民法通则第十六条的规定来确定监护人。一般由未成年人的父母担任未成年人的监护人。未成年人的父母已经死亡或者是没有监护能力的，由下列人员中有监护能力的人担任监护人：(1)祖父母、外祖父母；(2)兄、姐；(3)关系密切的其他亲属、朋友愿意承担监护责任，经未成年的父母所在单位或者未成年人住所地的居民委员会、村民委员会同意。没有第(1)项、第(2)项规定的监护人的，由未成年人的父、母所在单位或者未成年人住所地的居民委员会、村民委员会或者民政部门担任监护人。前一顺序有监护资格的人无监护能力或对监护人有明显不利的，人民法院可以根据对监护人有利的原则，从后一顺序有监护资格的人中择优确定。被监护人有识别能力的，应视情况征求被监护人的意见。有监护资格的人之间协议确定监护人的，应当由协议确定的监护人对被监护人承担监护责任。监护人可以是一人,也可以是同一顺序中的数人。对于未成年人来讲,只要其父母中有一人有监护能力,即使是残疾人,也有监护权,其他人不得干涉。在未成年人的父母没有监护能力时,其他近亲属中有监护能力的人,即使是残疾人,也可以作监护人。认定监护人的监护能力,应根据其身体状况、经济条件以及与被监护人在生活上的联系状况等因素确定。

其次,关于成年残疾人,根据民法通则第十七条的规定,无民事行为能力或者限制民事行为能力的精神病人,由下列人员担任监护人:(1)配偶;(2)父母;(3)成年子女;(4)其他近亲属;(5)关系密切的其他亲属、朋友愿意承担监护职责,经精神病人所在单位或者住所地的居民委员会、村民委员会同意的。对担任监护人有争议的,由精神病人所在单位或者住所地的居民委员会、村民委员会在近亲属中指定。对指定不服提起诉讼的,由人民法院裁决。

根据民法通则第十八条的规定,监护人的职责主要有:(1)担任被监护人的法律代理人,代理被监护人进行民事活动,实施法律行为。(2)保护被监护人的人身、财产及其合法权益。除为被监护人的利益外,不得处理被监护人的财产。(3)承担被监护人致人损害的侵权责任。监护人尽了监护职责的,可以适当减轻其民事责任。侵权责任赔偿金从被监护人的财产中支出,不足部分由监护人作适当补偿。但由单位充当监护人的,应赔偿全部差额。(4)监护人不履行监护职责或侵害被监护人的合法权益,给被监护人造成财产损失的,负赔偿责任。法院可根据有关人员或单位的申请撤销其监护人资格。

(三)残疾人的亲属和监护人应当增强残疾人自立能力

和残疾人关系最密切的,要数他们的亲属和监护人了。在我国八千多万残疾人中，绝大多数是和自己的家庭成员生活在一起的，他们自身的某些障碍，使他们在社会生活中处于不利地位，于是家庭就成为他们主要的依靠。家庭成员对残疾人的态度怎么样，会对残疾人的身体和精神健康产生直接的影响。鼓励残疾人自强、自立，是法律赋予残疾人的亲属和监护人的责任。残疾人的亲属和监护人要尽职尽责做好这项工作，首先要做的就是创造条件，鼓励和支持残疾人进行必要的治疗和训练。比如有条件的，可以把他们送进专门的康复机构进行康复治疗和训练；一时条件不具备的，也可以在家里为残疾人购置必要的辅助器具，既能够方便他们的生活，又可以引导和帮助他们培养生活自理能力。其次，作为残疾人的亲属和监护人，应该鼓励和帮助残疾人接受义务教育和职业技术培训，使他们成为对社会有用的人；还要鼓励残疾人多交朋友，积极参与社会生活，帮助残疾人克服自卑、孤独等消极情绪，激励他们奋发向上、拼搏进取。总之，无论对儿童、青年还是老年残疾人来说，亲属、监护人的鼓励和帮助对于增强残疾人的自立能力是至关重要的。

（四）禁止虐待、遗弃残疾人

残疾人因肢体、言语等各种障碍，需要家庭成员的抚养和照顾。尤其在我国社会保障较为有限的情况下，家庭承担着照顾残疾人生活的主要责任。为保护残疾人的合法权益，对不履行法定扶养义务，对残疾人实施家庭暴力，或者虐待、遗弃残疾人的行为，有关法律规定了法律制裁。家庭暴力是指行为人以殴打、捆绑、残害、强行限制人身自由或者其他手段，给其家庭成员的身体、精神等方面造成一定伤害后果的行为。家庭暴力包括身体暴力、语言暴力、性暴力等形式，持续性、经常性的家庭暴力，构成虐待。虐待是指对共同生活的家庭成员经常的打骂、捆绑、冻饿、有病不给医治、强迫超体力劳动、限制自由等方式，从肉体上或精神上进行摧残、折磨的行为。遗弃是指对年老、年幼、患病或其他没有独立生活能力的人,负有扶养义务而拒绝扶养的行为。虐待和遗弃都是以家庭成员为侵害对象的违法行为,但两者是有明显区别的:(1)行为方式不同。遗弃一般是以消极的不作为形式拒绝履行应尽的扶养义务,即应为而不为;而虐待是以积极的行为对受害人施以肉体或精神上的摧残折磨,即不该为而为。(2)侵害对象不尽相同。遗弃的对象限于没有独立生活能力的人;而虐待的对象可以是家庭中的任何成员。(3)行为目的不同。遗弃行为的目的是逃避扶养义务;虐待行为的目的是给被害人造成肉体上的摧残和精神上的折磨。对家庭暴力、虐待和遗弃行为,应依照治安管理处罚法的规定给予处罚,情节恶劣的,还要依照刑法的规定追究刑事责任。

第十条　国家鼓励残疾人自尊、自信、自强、自立,为社会主义建设贡献力量。

残疾人应当遵守法律、法规,履行应尽的义务,遵守公共秩序,尊重社会公德。

【释义】　本条是对残疾人义务的主要规定。

我国法律一向强调权利和义务相统一。宪法第三十三条第四款规定:“任何公民享有宪法和法律规定的权利,同时必须履行宪法和法律规定的义务。”在保障残疾人权利的前提下,本法也相应规定了残疾人应该履行的义务。

那么残疾人都要承担哪些义务呢?残疾人的义务和每一个健全公民的义务有哪些相同点或者不同呢?

从一般意义上讲,我国宪法规定的所有公民应尽的义务,残疾人作为公民理所当然也应履行。这包括:公民有接受教育的义务;有维护国家统一和全国各民族团结的义务;有遵守宪法和法律，保守国家机密，爱护公共财产，遵守劳动纪律，遵守公共秩序，遵守社会公德的义务；有维护祖国的安全、荣誉和利益的义务，不得有危害祖国的安全、荣誉和利益的行为；还有依法纳税的义务，等等。对于这些义务，无论是残疾人还是健全公民，都应该共同遵守，不存在任何区别对待的问题。

但是，有一些义务，比如服兵役、参加民兵组织等，如果也让残疾人去履行就不太合适了。保卫祖国、抵抗侵略固然是每个公民的神圣职责，依照法律服兵役、参加民兵组织也是法律为公民规定的基本义务。我们说让残疾人去履行这样的义务不太合适，是因为他们自身的某些缺陷或者残疾，限制了他们履行这项义务的能力。免去残疾人服兵役、参加民兵组织的义务，使他们在履行这项义务时与健全公民有所区别，这是残疾人自身客观条件造成的。即使这样，一旦我们国家安全受到威胁，残疾公民和健全公民一样，也可以采用各种力所能及的方式，为保卫祖国、抵抗外来侵略而尽力。

需要注意的是，残疾人在履行各项公民义务的时候，自身的残疾虽然限制了他们的行为能力，但是遵纪守法、自觉遵守各项劳动纪律，维护公共秩序，遵守交通规则也还是能够做到的。如果残疾人因为自身的残疾就无视法律的规定，在繁华的公共场所或交通要道乞讨卖艺，影响市容和交通，或者参与违法犯罪案件，破坏社会秩序，不仅得不到法律的保护，反而是法律所明令禁止、要受到法律惩罚的。与健全公民相比，国家更应该鼓励残疾人乐观进取、自尊自信、自强自立的精神。自尊是指残疾人要尊重自己，不要向别人卑躬屈膝，也不容别人的歧视；自信就是要相信自己的能力和实力；自强就是自己努力向上，不断地提高自己各方面的水平；自立就是不依靠别人靠自己的劳动和能力生活。国家鼓励残疾人自尊、自信、自立、自强，不仅需要残疾人本身辛勤努力,加强自身素质的培养,同时还需要国家创造良好的社会环境。例如倡导尊重、关爱残疾人的社会风气,在劳动就业、教育培训等方面优先照顾残疾人,通过多种途径满足残疾人的精神文化需求等。

第十一条　国家有计划地开展残疾预防工作,加强对残疾预防工作的领导,宣传、普及母婴保健和预防残疾的知识,建立健全出生缺陷预防和早期发现、早期治疗机制,针对遗传、疾病、药物、事故、灾害、环境污染和其他致残因素,组织和动员社会力量,采取措施,预防残疾的发生,减轻残疾程度。

国家建立健全残疾人统计调查制度,开展残疾人状况的统计调查和分析。

【释义】 本条是关于国家开展残疾预防工作和建立健全残疾人统计调查制度方面的规定。

本条规定得比较详细,可以从以下几个方面理解:

(一)开展残疾预防工作

根据《关于残疾人的世界行动纲领》的定义,残疾预防是指在预防出现心智、身体和感官缺陷的各项措施(即一级预防);或在出现缺陷后,防止它造成不良后果。《关于残疾人的世界行动纲领》把残疾预防看成一项战略措施,提出:“残疾预防战略对于减少缺陷和残疾的出现极为重要。应该采取措施及早发现缺陷的症状,立即进行治疗或补救,这样就可以预防残疾,或者至少大为减轻残疾的程度,而且往往可以避免造成持久性残疾。”“实行残疾预防和保证缺陷不致发展成为更为严重的残疾方案,要比以后不得不照料残疾人,使社会付出的代价小得多。”基于这种共识,《关于残疾人的世界行动纲领》号召会员国应对预防缺陷和残疾采取适当措施,并确保有关知识和技术的传播;要订立社会各级的残疾人预防协调方案。

开展残疾预防工作对于保护人民的健康、保护人力资源、提高国民素质,推动物质文明和精神文明建设都具有十分重要的意义。在十届全国人大常委会分组审议残疾人保障法(修订草案)的时候,关于早期预防和控制残疾的意见比较集中。残疾人是具有特殊困难的群体,应该受到全社会的尊重和呵护,而最大的呵护是预防,做好残疾的预防工作是人道主义的体现。要从源头上预防新生儿缺陷,做到及早发现、及早治疗,就可以在相当大的程度上有效地预防和减少残疾的发生。国家和地方公共团体为了预防残疾,应当采取普及相关知识、加强母婴保健、早期发现致残原因以及进行早期治疗等必要措施。

因此,残疾人保障法对于预防残疾工作着重强调了以下三点:

第一,国家有计划地开展残疾预防工作,加强对残疾预防工作的领导。

我们国家坚持计划生育和优生优育,反对近亲结婚,防止有害遗传。我国婚姻法第七条规定,"有下列情形之一的,禁止结婚:(一)直系血亲和三代以内的旁系血亲;(二)患有医学上认为不应当结婚的疾病"。

第二,宣传、普及母婴保健和预防残疾的知识。

依据我国母婴保健法的规定,医疗保健机构应当为公民提供婚前保健服务,包括婚前卫生指导(关于性卫生知识、生育知识和遗传病知识的教育)、婚前卫生咨询(对有关婚配、生育保健等问题提供医学意见)、婚前医学检查(对准备结婚的男女双方可能患影响结婚和生育的疾病进行医学检查)。例如规定:(1)经婚前医学检查,对患指定传染病在传染期内或者有关精神病在发病期内的,医师应当提出医学意见;准备结婚的男女双方应当暂缓结婚。(2)经婚前医学检查,对诊断患医学上认为不宜生育的严重遗传性疾病的,医师应当向男女双方说明情况,提出医学意见;经男女双方同意,采取长效避孕措施或者施行结扎手术后不生育的,可以结婚。但《中华人民共和国婚姻法》规定禁止结婚的除外。(3)经产前诊断,胎儿患严重遗传性疾病的,有严重缺陷的,或者因患严重疾病,继续妊娠可能危及孕妇生命安全或者严重危害孕妇健康的,医师应当向夫妻双方说明情况,并提出终止妊娠的医学意见。(4)生育过严重缺陷患儿的妇女再次妊娠前,夫妻双方应当到县级以上医疗保健机构接受医学检查。

第三,针对遗传、疾病、药物中毒、事故、灾害、环境污染和其他致残因素,制定法律法规,组织和动员社会力量,采取预防疾病的措施。

遗传病是导致先天残疾的重要原因,能够导致残疾的遗传病并不多,常见的有以下十类:(1)致盲遗传病:如先天性白内障;(2)致聋遗传病:如先天性耳聋;(3)运动障碍疾病:如成骨不全、重症肌无力等;(4)神经精神系统遗传病:如小头畸形、精神分裂等;(5)内分泌系统遗传病:如呆小病;(6)血液系统遗传病:如血友病 A 等;(7)先天代谢病:如白化病等;(8)心血管系统病:如先天性心脏病、肥厚型心脏病;(9)性染色体异常综合征:如先天性睾丸或卵巢发育不全综合征;(10)常染色体综合征:如先天愚型。致残的疾病因素除刚才提到的十种遗传病外,还有中风、脑瘫、脊髓损伤、癫痫、麻风病、高血压病、冠心病、糖尿病等多种疾病。致残的中毒因素包括食源性化学中毒(如甲醛导致的双目永久性失明)、药物中毒(如链霉素中毒引起的耳聋)、农药中毒(如四肢肌肉性萎缩)、煤气中毒(严重的导致大脑功能障碍,出现偏瘫和继发性癫痫等)。意外伤害包括交通意外、生产事故、烧伤、烫伤、化学品灼伤、运动创伤等。有害环境因素包括物理有害环境,如光学致盲、声学致残电学致残等;化学有害环境,如慢性铅中毒导致肢体偏瘫、智力低下等;生物有害环境,如寄生虫环境(如脑囊虫病印发的癫痫)、病毒感染(如乙脑)等。

残疾的预防措施可以分为三级。一级预防是指预防致残性伤害和疾病发生。如免疫接种、安全防护、预防性咨询及指导、预防性保健、避免引发伤病的危险因素或危险源、实行健康的生活方式、提倡合理行为及精神卫生、遵守安全规则并养成安全习惯等。二级预防是指防止伤病后出现残疾。如疾病早期筛查、定期健康检查、控制危险因素、改变不良生活方式、早期医疗干预、早期康复治疗等。三级预防是指残疾出现后采取措施,预防残障形成。如康复功能训练、使用假肢和矫形器或辅助功能用品用具、使用步行用具、进行康复咨询、支持性医疗及护理、手术治疗等。

实践中由于致残因素多种多样,目前我国采取的主要措施有:坚持计划生育和优生优育,反对近亲结婚,防止有害遗传;加强计划免疫,防治流行性疾病和地方病;搞好环境保护,控制污染和公害;减少各种事故;改进保健服务,防止滥用药物;严禁生产和销售伪劣假冒药品;积极推广补救控制技术,减少二次损伤等。

(二)开展残疾人统计调查工作

有关残疾人的统计调查是联合国关注的一项基础性工作。《关于残疾人的世界行动纲领》《残疾人机会均等标准规则》等文件均要求各国应定期收集、发布有关残疾人的统计信息。通过严密的统计调查工作,掌握全国残疾人的数量、地区分布、致残原因、生活状况,以及康复、教育、就业等方面的丰富数据和资料，能够为残疾评定工作的标准化、制度化，为国家制定完善保障残疾人合法权益的法律法规、政策，提供客观、可靠的依据，有力地推动残疾人事业的发展。

1987年我国进行的首次全国残疾人抽样调查，适逢“联合国残疾人十年（1983—1992）”。在世界各国为促进残疾人“充分、平等参与”做出的努力中，我国的这一务实行动受到国际社会的普遍关注和好评。第一次全国残疾人抽样调查是一次样本量大、牵涉面广、专业性和技术性比较强的特殊的社会调查。为国家制定《中华人民共和国残疾人保障法》和《中国残疾人事业五年工作纲要》及八五、九五、十五计划纲要提供了科学依据。从第一次全国残疾人抽样调查到现在，已经有十八年之久。十八年来，改革开放和社会主义现代化建设事业发展迅速，我国人口的数量、结构、分布和人民生活、工作状况等都发生了巨大变化。与此同时，残疾人的数量、结构、地区分布、致残原因及康复、就业、教育、婚姻、家庭状况都发生了不同程度的变化，有的方面变化很大。第一次抽样调查的数据和资料已经不能反映变化了的现实，有时需要组织专题调查，有时不得不依据第一次抽样调查的数据并参照有关统计资料，对残疾人某些方面的数据进行推测，这给实际工作带来很大困难。为了全面准确地掌握现阶段残疾人的基本情况，为国家制定实施有关残疾人的法律法规、发展计划、政策措施，加强和改善对残疾人的服务，推进残疾人奔小康，提供翔实可靠的依据，2004年9月，国务院正式批准开展第二次全国残疾人抽样调查。这一调查行动本身和调查结果将有力地向世界表明，中国在保障和发展残疾人事业方面所做出的努力以及取得的成就，展示我国人权保障的真实性、公平性和广泛性。

开展残疾人统计调查工作，有利于预防残疾工作的开展，因为致残原因的调查正是残疾人抽样调查的一项重要内容。随着工业化发展、环境的变化和人们生活方式的改变,造成残疾的社会的、生产的、遗传的、药物的、环境的因素也出现一些新的变化。通过调查取得残疾人致残原因及其变化的宝贵数据资料,对健全残疾防控机制,预防残疾发生,提高人口素质具有重要意义。

第十二条 国家和社会对残疾军人、因公致残人员以及其他为维护国家和人民利益致残的人员实行特别保障,给予抚恤和优待。

【释义】 本条是对残疾军人、因公致残人员等实行特别保障的规定。

特别保障是指在特别扶助以外给予残疾人的另一种特别待遇,它主要适用于伤残军人和因公致残人员。

那么,国家在给了残疾人以特别扶助之后,为什么还要规定对一部分残疾人实行特别保障呢?这是因为建立健全对伤残军人和因公致残人员实行特别保障的制度,有助于激发和保护我国公民建设祖国和保卫祖国的热情。中国革命是经过几十年浴血奋战才取得胜利的;新中国成立以后,又有许多祖国的优秀儿女为保卫祖国、修路治坝等负伤致残。要奋斗就会有牺牲。当初这些同志为了国家利益不惜豁出身家性命,落下残疾,国家理应对他们有所补偿,关心他们,保障他们的基本生活需要。而且,我国民政部门曾经颁发过有关评残标准和优抚条例的文件,对伤残军人和因公致残人员领取伤残抚恤金、乘坐公共车船按规定减收票价等都有规定。残疾人保障法强调对这一部分人实行特别保障,就是遵循已有的规章制度,把它用法律形式固定下来。

按照我国法律和民政部门有关伤残抚恤的政策规定,残疾人中可以享受特别保障的人大体有以下四种：

一是因革命战争致残的人，也就是在对敌作战中负伤致残，符合评残标准的那部分残疾人。

二是现役军人中因病致残的那部分人，主要是指义务兵和初级士官在服现役期间，得了包括精神病在内的疾病，经过治疗痊愈以后，仍然符合二等以上的病残条件的。这种情况对义务兵和初级士官以外的人不适用。

以上两种情况都主要是针对伤残军人。自2004年10月1日起施行的《军人抚恤优待条例》第二十二条规定："现役军人因战、因公致残，医疗终结后符合评定残疾等级条件的，应当评定残疾等级。义务兵和初级士官因病致残符合评定残疾等级条件，本人（精神病患者由其利害关系人）提出申请的，也应当评定残疾等级。因战、因公致残，残疾等级被评定为一级至十级的，享受抚恤；因病致残，残疾等级被评定为一级至六级的，享受抚恤。"《军人抚恤优待条例》第二十四条规定："现役军人因战、因公致残，未及时评定残疾等级，退出现役后或者医疗终结满3年后，本人（精神病患者由其利害关系人）申请补办评定残疾等级，有档案记载或者有原始医疗证明的，可以评定残疾等级。现役军人被评定残疾等级后，在服现役期间或者退出现役后残疾情况发生严重恶化，原定残疾等级与残疾情况明显不符，本人（精神病患者由其利害关系人）申请调整残疾等级的，可以重新评定残疾等级。"

三是指因公致残人员，是指在执行公务中致残，经医疗终结，符合评定残疾条件的。因公致残的具体范围大约包括：（1）在从事军事训练、施工、生产等任务和上下班途中遭到非本人责任和无法抗拒的意外伤致残的；（2）在执行任务中被犯罪分子致残的；（3）在维护社会治安、抢救保护人民生命、国家和集体财产，被犯罪分子致伤或遭意外伤致残的；(4)因患职业病致残的；(5)因医疗事故致残的，也按因公致残对待。

四是指为维护国家和人民利益致残的人员，主要包括因抢险救灾、见义勇为致残的那部分人。一些地方设立了奖励基金或人身保险，可以对见义勇为等致残人员给予照顾。例如《重庆市鼓励公民见义勇为条例》第二十一条规定："因见义勇为伤残的公民，有工作单位的享受工伤待遇；无工作单位的，由民政部门按有关规定评残抚恤，并由劳动保障部门优先介绍就业，或由残疾人劳动就业服务机构予以优先安置；因见义勇为致残并使劳动能力受到一定影响的公民，在就业前，由民政部门发给不低于当地平均水平的生活救济费；因见义勇为致残而全部丧失劳动能力的公民，由民政部门发给不低于当地上年职工平均工资水平的生活救济费。"

第十三条　对在社会主义建设中做出显著成绩的残疾人，对维护残疾人合法权益、发展残疾人事业、为残疾人服务做出显著成绩的单位和个人，各级人民政府和有关部门给予表彰和奖励。

【释义】　本条是关于表彰和奖励方面的规定。

对在社会主义建设中做出显著成绩的残疾人，对维护残疾人合法权益、发展残疾人事业、为残疾人服务做出显著成绩的单位和个人进行表彰和奖励，并使之法律化、制度化，是维护残疾人合法权益、发展残疾人事业中一项意义重大的工作。为把这一高尚而又艰巨的事业推向前进，就要大力倡导团结互助、扶残助残、友爱和谐、无私奉献的道德风尚，唤起全社会理解、尊重、关心、帮助残疾人，支持残疾人事业。与此同时，还要激励残疾人自尊自信、不畏艰难、顽强拼搏、奋发进取的精神，投身社会主义现代化建设,为祖国建功立业。把奖励写进法律条文,可以使大家明白我们社会倡导什么、鼓励什么,促进残疾人实现在政治、经济、文化、社会和家庭生活中享有的同其他公民平等的权利。

国家奖励,是指各级人民政府和有关部门为了表彰先进、激励后进、充分调动人们的积极性和创造性,依照法定条件和程序,对国家和社会做出突出贡献的或模范地遵纪守法的组织、个人给予物质的或者精神的奖励的一种具体行政行为。国家奖励包括表彰和奖励,主要采取以下三种形式:(1)赋予精神方面的权益,即通常所说的表彰,是指给予受奖人某种荣誉,如授予称号,通报表扬,通令嘉奖,记功,发给奖状、荣誉证书、奖章等。(2)赋予物质方面的权益,即发给奖金或各种奖品。(3)赋予职权方面的权益,即对受奖人予以晋级或晋职。

实施表彰、奖励的主体是国家行政机关或者法律法规授权的组织。国家行政机关是国家奖励的当然主体,各级人民政府、各级行政主管部门,在实施国家行政管理的过程中,有权对符合条件的对象给予国家奖励;法律、法规授权的组织,在授权范围内有权对符合条件的对象给予表彰和奖励。

依照本条规定,应当进行表彰和奖励的对象,主要包括两类:一是在社会主义建设中做出显著成绩的残疾人;二是对维护残疾人合法权益、发展残疾人事业、为残疾人服务做出显著成绩的单位和个人。所谓显著成绩,一般是指在某一方面做出值得鼓励的突出贡献,能够认真为残疾人解决难题、办实事、做好事,社会评价高等。可以接受表彰和奖励的人员范围相当广泛,国家机关及其工作人员、社会团体及其工作人员、企事业单位、普通公民等,都可以成为被表彰和奖励的对象。外国组织或者个人对维护残疾人合法权益、发展残疾人事业、为残疾人服务做出显著成绩的，同样可以成为国家奖励的对象。

国家在对维护残疾人合法权益、发展残疾人事业、为残疾人服务做出显著成绩的单位和个人给予表彰和奖励的过程中需要注意以下一些原则：(1)依法奖励、实事求是的原则。国家奖励是一种法定行为，任何法定的奖励都必须坚持法定的标准和条件，实事求是地进行。因为进行表彰和奖励的目的，是激励社会组织和公民积极参与保障残疾人合法权益；若脱离法定标准和条件，由领导个人意志任意决定，势必影响奖励行为目的的实现。(2)奖励与受奖行为相当原则。表彰和奖励的具体标准和等级，应当按照国家和地方的有关规定，并结合被表彰和奖励的对象在残疾人权益保障工作中做出贡献的具体情况来掌握和执行。这样才能使奖励的等级与贡献的大小相适应，做到论功行赏，合理适度。(3)精神奖励和物质奖励相结合的原则。精神奖励与物质奖励可以分开独立实施，也可以合并实施。在我国现阶段不仅要贯彻二者相结合的原则，而且应当强调在精神奖励为主的同时也一定要以物质奖励为辅，才能更好地调动全民积极性。(4)公正、合理、民主、平等的原则。作为调动广大人民群众保护残疾人合法权益的积极性和创造性的重要方式，奖励必须以实际功绩和贡献作为唯一的依据，必须有一套体现民主、公正和平等的评奖机制。公正、平等的原则首先要求做到机会均等，按照法定的程序实施奖励。凡符合法定条件者，人人都有平等受奖励的权利。公正、平等的原则，还要求论功行赏。对成绩突出、贡献巨大的，应予以重奖。这也是奖励和受奖行为相当原则的要求。此外，还要求国家奖励的程序民主公开，以确保国家奖励的有效监督，保证国家奖励的公正、平等，最大限度地发挥奖励行为的作用。(5)及时性原则。既然是对保障残疾人合法权益做出显著成绩的单位和个人进行奖励，就必须及时地对符合条件者给予奖励,以表明国家对其行为的认可。这样有助于加强对社会行为的宣传引导和工作经验的及时推广,有助于迅速形成尊重和保障残疾人合法权益的社会风气。

第十四条　每年5月的第三个星期日为全国助残日。

【释义】 本条是关于全国助残日的规定。

1992年10月16日,第47届联合国大会通过决议,确定每年12月3日为“国际残疾人日”(International Day of Disabled Persons),并要求联合国成员国和有关组织继续开展持续有效的活动,以改善残疾人的状况。我国残疾人的节日除了“国际残疾人日”之外,还有“全国助残日”。残疾人作为公民享有与其他公民平等的权利,残疾人与其他人具有同等的价值。造成残疾人问题的主要原因不是残疾本身,而是外界存在的障碍。外界存在的障碍使残疾人在社会生活中处于某种不利地位,使残疾人权利的实现和能力的发挥受到限制。特别是在受教育、就业、参与文化活动等方面,以非残疾人为主流的社会对他们存在太多的障碍。例如行动障碍和交流障碍,使他们不能平等地享受社会资源,不能充分发展和发挥其个人才能。因此,要倡导全社会关心爱护残疾人,热情帮助残疾人。

1990年12月28日,中华人民共和国第七届全国人民代表大会常务委员会第十七次会议审议通过了《中华人民共和国残疾人保障法》。根据该法第四十八条规定,“每年五月第三个星期日,为全国助残日”。《中华人民共和国残疾人保障法》从1991年5月15日开始实施,“全国助残日”活动即从当年开始进行。第一个全国助残日,以“宣传残疾人保障法”为主题,中央领导同志、半数以上在京的全国人大常委会委员参加了庆祝和宣传活动。地方各级党委、人大、政府、政协及驻军领导同志参加了当地庆祝和宣传活动。许多县、乡(镇)以群众喜闻乐见的形式,将残疾人保障法宣传到村、到户,覆盖率达80%。特教学校、福利企业给盲人逐章逐条讲解,以手语向聋哑人宣讲。第二个全国助残日以“走进每个残疾人家庭”为主题,从中央到省、市、县、乡(镇),几万名领导干部、50多万名各界人士参加,边宣讲边做实事,为残疾人办实事数百万件。我国每年都进行“全国助残日”活动,并依据当年残疾人事业发展的重点工作确立活动主题。现将历年主题列举如下:

1991年第一个全国助残日主题是:宣传残疾人保障法;

1992年第二个全国助残日主题是:走进每个残疾人家庭;

1993年第三个全国助残日主题是:扶助共进;

1994年第四个全国助残日主题是:我们同行——为远南残疾人运动会献爱心;

1995年第五个全国助残日主题是:一助一,送温暖;

1996年第六个全国助残日主题是:预防残疾,增进健康;

1997年第七个全国助残日主题是:助残与自强;

1998年第八个全国助残日主题是:扶贫解困;

1999年第九个全国助残日主题是:无障碍与视觉第一;

2000年第十个全国助残日主题是:志愿者助残;

2001年第11个全国助残日主题是:宣传贯彻保障法,携手迈入新世纪;

2002年第12个全国助残日主题是:关注基层残疾人工作,保障残疾人基本生活;

2003年第13个全国助残日主题是:发展残疾人事业,共同奔赴小康;

2004年第14个全国助残日主题是:情系我的兄弟姐妹,帮扶贫困残疾人;

2005 年第 15 个全国助残日主题是:平等共享,促进残疾人就业;

2006 年第 16 个全国助残日主题是:真实的了解,真挚的关爱;

2007 年第 17 个全国助残日主题是:保障残疾人的权益,共建和谐社会。

"全国助残日"是宣传残疾人事业的一个重要载体,助残日活动为残疾人提供了各种具体的服务与帮助,活动的规模和声势逐渐扩大,影响日益深入人心。这种用法律的形式确定的"全国助残日"活动,有效地培育了全社会扶残助残风尚、提高了全民助残意识,也是精神文明建设活动的一个重要形式。今后还将继续认真开展下去,继续广泛开展"志愿者助残""红领巾助残""文化助残""科技助残""法律助残"等社会助残活动,帮助残疾人解决实际困难。2008 年 5 月 18 日是第十八次法定"全国助残日",这次助残日活动的主题确定为"牵手残疾人,走进残奥会"。在两个奥运会筹办的关键时期举办和组织好本次全国助残日活动,必将极大地提升社会对残疾人这个特殊困难群体、对残奥会的关注程度,进一步营造关爱残疾人和支持残疾人事业发展的社会氛围。

第二章 康　复

第十五条　国家保障残疾人享有康复服务的权利。

各级人民政府和有关部门应当采取措施，为残疾人康复创造条件，建立和完善残疾人康复服务体系，并分阶段实施重点康复项目，帮助残疾人恢复或者补偿功能，增强其参与社会生活的能力。

【释义】 本条是关于国家保障残疾人享有康复服务的规定。

我国宪法第四十五条第三款规定："国家和社会帮助安排盲、聋、哑和其他有残疾的公民的劳动、生活和教育。"而提供康复服务是帮助残疾人恢复和补偿功能，增强生活自理和社会适应能力，平等参与社会生活的基础。国家应当采取措施保障残疾人获得康复服务。《残疾人权利公约》第二十五条第二句规定："缔约国应当采取一切适当措施，确保残疾人获得考虑到性别因素的医疗卫生服务，包括与健康有关的康复服务。"确保残疾人获得康复服务是我国作为缔约国应尽的国际义务。

我国8300万残疾人中，大多数有康复需求。党和政府十分重视残疾人康复工作，自1988年把残疾人康复工作纳入国民经济和社会发展计划以来，逐步形成了以政府为主导、有关部门各负其责、社会广泛参与的工作格局。通过实施白内障复明、聋儿语言训练、精神病防治等一批重点康复工程，600余万残疾人得到不同程度的康复。康复机构从无到有，专业队伍由小到大，社区康复稳步推进，残疾人康复意识逐步增强，初步奠定了残疾人康复工作的基础。但是，我国残疾人康复工作仍处于起步发展阶段，滞后于国民经济和社会发展的总体水平。各地残疾人康复工作发展不平衡，工作体系不完善，康复机构服务水平有待提高，专业技术人才匮乏，康复经费普遍短缺，多数残疾人特别是贫困残疾人还得不到切实的康复服务。因此，国家应当继续加大保障力度，扩大康复服务覆盖面，提高康复服务水平，进一步促进残疾人康复事业的发展。

（一）各级政府和有关部门应当为残疾人康复创造条件

残疾人康复工作是政府工作的重要组成部分。康复是残疾人就学、就业、全面参与社会生活的前提，是残疾人的迫切需求。做好残疾人康复工作是实践全心全意为人民服务宗旨的具体体现，有利于减轻社会负担，促进生产力发展，提高人权保障水平，实现社会文明进步。

各级政府和有关部门要充分认识残疾人康复工作的重要性，切实履行法定职责。各级政府要切实将残疾人康复工作纳入当地经济社会发展规划和两个文明建设规划，列入议事日程，加强组织领导，统筹安排；卫生、民政、教育等部门和各级残联要将残疾人康复的有关工作纳入本部门业务范围，各司其职，在制定政策、措施和规划时，充分考虑残疾人的康复需求；各级残联要根据本地实际情况，制定康复工作计划，协调解决残疾人康复工作中的重大问题，督促检查各项残疾人康复工作。

（二）建立和完善残疾人康复服务体系

建立和完善残疾人康复服务体系就是要建立和完善以专业康复机构为骨干、社区为基础、家庭为依托的社会化康复服务体系。

《中国残疾人事业“十一五”发展纲要（2006年—2010年）》

提出，要积极推进残疾人康复服务专门机构和康复服务专业人才队伍建设；整合资源，发挥医疗卫生机构、社区服务机构、学校、幼儿园、福利企事业单位、残疾人活动场所等现有机构、设施和人员的作用，大力开展社区康复服务，建立社区康复员队伍，完善适宜的社区康复设施，将社区康复服务纳入社区建设和基层卫生工作。加强社会福利机构、残疾人养护机构、特殊教育机构中的残疾人康复工作。

（三）分阶段实施重点康复项目

康复工作应当坚持实施重点工程与提供普遍服务相结合的原则，在保证提供普遍服务的基础上，分阶段选择残疾人迫切需要又有可能做到的康复项目，实施一批重点工程。

《中国残疾人事业"十一五"发展纲要（2006年—2010年）》将组织实施白内障复明手术、健全聋儿康复网络、完善精神病防治工作机制、开展肢体残疾康复训练与服务等列为重点工程项目。计划完成白内障复明手术300万例、低视力者配用助视器10万名、盲人定向行走训练3万名、肢体残疾矫治手术1万例、装配假肢和矫形器8万例、聋儿听力语言训练8万名、智力残疾儿童系统训练10万名、肢体残疾人系统训练12万名，帮助480万名重症精神病患者得到综合治疗。组织供应各类康复器械、辅助器具300万件。

第十六条　康复工作应当从实际出发，将现代康复技术与我国传统康复技术相结合；以社区康复为基础，康复机构为骨干，残疾人家庭为依托；以实用、易行、受益广的康复内容为重点，优先开展残疾儿童抢救性治疗和康复；发展符合康复要求的科学技术，鼓励自主创新，加强康复新技术的研究、开发和应用，为残疾人提供有效的康复服务。

【释义】 本条是关于康复工作指导原则的规定。

残疾人的康复工作包括下列内容:残疾的及早发现、诊断和处理;进行必要的医疗护理;提供社会、心理和其他方面的咨询和协助;对残疾人进行自理训练;为残疾人提供康复器械、辅助器具;为残疾人提供专门教育服务;开展残疾人职业技能训练,等等。开展残疾人康复工作必须坚持一定的原则、方法、方向。我国残疾人康复工作仍处于起步发展阶段,各地残疾人康复工作发展不平衡,滞后于国民经济和社会发展的总体水平。只有以正确的方针为指导,有重点、有计划地开展残疾人康复工作,才能推动我国的残疾人康复事业快速、健康发展。

对残疾人进行康复治疗,必须灵活运用各种康复技术,坚持现代康复技术与传统康复技术相结合。所谓现代康复技术是指采用现代科技手段对残疾人进行恢复治疗的康复技术。例如,电动假肢、电子耳蜗、人工晶体植入、人工喉、电疗、透热治疗、光疗技术等。而传统康复技术,则指采用针灸、推拿按摩、气功、导引、中药、食疗等传统治疗方法对残疾人进行恢复治疗的康复技术。

康复的基本途径有社区康复、机构康复、家庭康复。社区康复是以社区里的康复站点为基础开展残疾人康复的一项工作。1994 年,联合国教科文组织、世界卫生组织、国际劳工组织联合发表了一份关于社区康复的意见书,对社区康复做了如下解释:"社区康复是属于社区发展范畴内的一项战略性计划,其目的是促进所有残疾人得到康复服务,以实现机会均等、充分参与社会生活的目标。社区康复的实施,要依靠残疾人及其亲友、所在社区以及卫生、教育、劳动就业和社会保障等相关部门的共同努力。"我国的社区康复要从社会经济发展和残疾人康复需求的实际情况出发,在政府领导下,采取社会化工作方式,将社区康复工作融于社区建设规划,纳入相关部门业务范畴,充分调动社区内一切可以利用的人力、物力、财力、文化等资源,以街道、乡镇为实施平台,为残疾人提供就近就便的康复医疗、训练指导、心理支持、知识普及、用品用具以及康复咨询、转介、信息等多种服务。

机构康复是指康复机构利用先进的设备和较高的专业技术,对残疾人开展身体功能、心理疏导、社会适应等多方面的康复。康复机构包括医疗机构里的残疾人康复科室、残疾人康复中心、康复所等。这些康复机构可以为残疾人提供医疗、教育训练和职业培训等多种服务,是进行康复技术指导、开展人才培训、进行康复科学技术研究的骨干。其中,各级残联举办的残疾人康复中心是开展残疾人康复工作的重要力量,是为残疾人提供康复医疗、教育、职业、社会等康复服务的综合性康复机构和技术资源中心,承担着康复训练与服务、康复技术人才培养、社区康复服务指导、康复信息咨询服务、康复知识宣传普及、康复研究和残疾预防等工作。残疾人康复中心是公益性事业单位,按照建设规模、人员配置、业务部门设置和技术水平分为一、二、三级。《中国残疾人事业"十一五"发展纲要(2006 年—2010 年)》提出要积极推进残疾人康复服务专门机构建设,完善省、市(地)康复中心功能和条件。今后要充分发挥残疾人康复中心在残疾人康复事业中的作用,指导和规范残疾人康复中心的建设发展,不断完善康复服务功能,满足广大残疾人日益增长的康复需求。

开展残疾人康复工作还必须依靠残疾人家庭成员的力量。要调动残疾人亲友的积极性,对残疾人进行生活自理、认知能力、语言交流、简单劳动技能、社会适应能力等训练。

要集中各种社会力量投入到残疾人康复事业中,必须做到以社区康复为基础，康复机构为骨干，残疾人家庭为依托，因地制宜地开展残疾人康复工作。

发展符合康复要求的科学技术，加强康复新技术的研究、开发和应用，对残疾人康复事业具有重要意义。要从我国国情和实际需要出发，以解决残疾人迫切需求为目标，开展以高新技术为核心的康复工程技术研究、产品开发以及应用示范。通过科技创新和技术集成，实施重点科技助残项目，开发适宜的科技产品，推动我国残疾人事业的全面发展。开展针对残疾人的康复训练及治疗设备（例如电子耳蜗、听觉语言康复训练、聋儿康复多媒体课件编辑平台及其矫治系统以及康复医疗机器人等），残疾人的功能检测和康复评定（例如肢体残疾人士的运动功能分析、脑功能可塑性研究、泌尿系易患重大疾病的评定及分类标准等）的研发。

第十七条　各级人民政府鼓励和扶持社会力量兴办残疾人康复机构。

地方各级人民政府和有关部门，应当组织和指导城乡社区服务组织、医疗预防保健机构、残疾人组织、残疾人家庭和其他社会力量，开展社区康复工作。

残疾人教育机构、福利性单位和其他为残疾人服务的机构，应当创造条件，开展康复训练活动。

残疾人在专业人员的指导和有关工作人员、志愿工作者及亲属的帮助下，应当努力进行功能、自理能力和劳动技能的训练。

【释义】　本条是关于社会各方面开展残疾人康复工作的规定。

残疾人康复工作是一个系统工程，不可能由政府部门包办，需要调动全社会方方面面的力量。政府有关部门、城乡社区服务组织、医疗预防保健机构、残疾人组织、残疾人家庭、残疾人教育机构、福利性单位和其他为残疾人服务的机构都是残疾人康复事业的重要力量,应当各司其职,开展残疾人康复工作。

(一)鼓励和扶持社会力量兴办残疾人康复机构

社会力量兴办残疾人康复机构的规定是这次修订增加的内容。社会力量兴办的残疾人机构也就是通常所说的民办残疾人康复机构,属于社会力量兴办的社会福利机构的一种。我国由社会力量兴办的福利机构包括为老年人、残疾人、孤儿和弃婴提供养护、康复、托管等服务项目的福利机构。自 2000 年国务院办公厅转发民政部等 11 部委《关于加快实现社会福利社会化的意见》(国办发〔2000〕19 号)以来,社会力量兴办的社会福利机构发展迅速,已成为我国社会福利事业的一个重要组成部分。社会福利社会化是在社会主义市场经济条件下发展我国社会福利事业的必经之路,推进社会福利社会化必须广泛动员社会力量多渠道、多层次参与福利事业、兴办福利机构,开展形式多样的系列化服务。

民办残疾人康复机构的出现和发展,改变了传统康复机构种类单一的局面,推动了康复工作的社会化进程,并极大地促进了以社区为基础、康复机构为骨干、家庭为依托的残疾人康复服务体系的建立和完善。今后为实现残疾人士人人享有康复服务的目标,必须大力扶持民办康复机构,以充分利用各类社会资源满足残疾人士的康复需求。

(二)组织和指导社会力量开展社区康复工作

地方各级人民政府和有关部门,应当组织和指导城乡社区服务组织、医疗预防保健机构、残疾人组织、残疾人家庭和其他社会力量,开展社区康复工作。社区康复主要为残疾人提供就近就便的康复医疗、训练指导、心理支持、知识普及、用品用具以及康复咨询、转介、信息等多种服务。

康复医疗服务主要为残疾人提供诊断、功能评定、康复治疗、康复护理、家庭康复病床和转诊服务等;训练指导服务主要包括为需要进行康复训练的残疾人制订训练计划、传授训练方法、指导使用矫形器和制作简易训练器具、评估训练效果;心埋疏导服务通过了解、分析、劝说、鼓励和指导等方法,帮助残疾人树立康复信心,正确面对自身残疾,鼓励残疾人亲友理解、关心残疾人,支持、配合康复训练;知识普及服务为残疾人及其亲友举办知识讲座,开展康复咨询活动,发放普及读物,传授残疾预防知识和康复训练方法;用品用具服务根据残疾人的需要,提供用品用具的信息、选购、租赁、使用指导和维修等服务;转介服务掌握当地康复资源,根据残疾人在康复医疗、康复训练、心理支持及用品用具等方面不同的康复需求,联系有关机构和人员,提供有针对性的转介,做好登记,进行跟踪服务。

(三)残疾人服务机构开展康复训练活动

残疾人教育机构、福利性单位和其他为残疾人服务的机构,应当创造条件,开展康复训练活动。残疾人教育机构包括残疾幼儿教育机构、特殊教育机构等各级各类残疾人教育机构。福利性单位包括福利性企业单位,也包括福利性事业单位。

康复训练活动包括:对肢体残疾成年人开展以运动功能和日常生活活动为主的康复训练,指导使用矫形器和训练器具;对脑瘫儿童按照早发现、早诊断、早干预的原则,适时选配康复器械、辅助器具,开展运动功能、姿势矫正、语言交往、生活活动四方面的康复训练;对智力残疾儿童开展运动、感知、认知、语言交往、生活自理和社会适应六方面的能力训练;逐步开展成年智力残疾人生活自理、简单劳动技能、适应社会生活、生活护理等综合康复训练服务；开展盲人在日常生活环境和公共场所的行走导向训练服务；聋儿听力语言训练、低视力者配用助视器及视功能训练、精神病防治康复工作、麻风畸残者康复训练等。

除了要发挥社会力量的作用，残疾人自己也要做好自我康复训练。残疾人应当在专业人员的指导和有关工作人员、志愿工作者及亲属的帮助下，努力进行功能、自理能力和劳动技能的训练，增强康复效果。

第十八条　地方各级人民政府和有关部门应当根据需要有计划地在医疗机构设立康复医学科室，举办残疾人康复机构，开展康复医疗与训练、人员培训、技术指导、科学研究等工作。

【释义】　本条是关于政府设立康复医学科室，举办残疾人康复机构的规定。

康复机构包括有关部门设立的康复机构和社会力量兴办的康复机构。在社会福利社会化的趋势下，社会力量兴办的康复机构发展迅速，已成为我国残疾人康复事业的一个重要组成部分。同时，社会力量兴办的康复机构，在技术水平、服务能力等方面也有其局限性。因此，政府要根据需要有计划地设立康复机构，开展康复医疗与训练、人员培训、技术指导、科学研究等工作。

（一）根据需要有计划地在医疗机构设立康复医学科室

医疗机构有专业的医疗人员和医疗设备，对开展残疾人康复工作有天然的优势。随着医学科学的发展和人民群众日益增长的医疗卫生服务需求，一些综合医院都在积极创造条件建立康复医学科室。康复医学科室是在康复医学理论指导下，应用功能测评和物理治疗、作业治疗、传统康复治疗、言语治疗、心理治疗、良复工程等康复医学的诊断、治疗技术，与相关的临床科室密切协作，着重为病伤急性期，恢复早期的有关躯体或内脏器官功能障碍的患者，提供临床早期的康复医学专业诊疗服务。同时，它也为其他有关疑难的功能障碍患者提供相应的后期康复医学诊疗服务，并为所在社区的残疾人康复工作提供康复医学培训和技术指导的临床科室。

为规范综合医院康复医学科的设置，加强康复医学诊疗服务，更好地发挥综合医院对社区康复的转诊、培训和技术指导作用，进一步完善卫生事业的康复医学服务的功能，满足社会不断增长的康复医学诊疗需求，必须根据需要有计划地设置康复医学科室。

根据卫生部《综合医院康复医学科管理规范》，二级以上综合医院应根据当地的康复医学诊疗需求和条件，设置本管理规范规定的康复医学科，并开展相应的康复医学诊疗工作。尚不具备设置本管理规范规定的康复医学科条件的地区或医院，可暂不设置，用综合医院现有的临床和医技科室开展相应部分的康复医学诊疗工作。但随着需求的发展，逐步增加功能测评、运输治疗作业治疗、康复工程等现代康复医学诊疗项目，待条件具备时，设置本管理规范规定的康复医学科。一级综合医院一般不必设置专门的康复医学科，但应针对当地人口的主要致残原因，在当地府及其卫生行政部门的领导和指导下，协同当地有关部门，动员、组织群众，大力开展残疾的一级预防。同时，根据当地群众的康复需求，培训1—2名掌握社区康复实用技术的医务人员，积极开展社区康复工作，组织指导所在社区的乡村医生等基层卫生人员在基层有关机构和功能障碍患者住所，开展康复医学诊疗、咨询服务。

各地卫生行政部门应根据当地人口的康复需求，将综合医院康复医学科的建设纳入区域医疗发展规划之中，指导区域内康复医学诊疗资源的适度发展，合理布局，形成以基层医疗卫生机构康复医学诊疗服务工作为基础的，以大中型综合医院和有关专科医院、康复医院及其他康复医学诊疗部门转诊和培训技术指导为中心的，覆盖广泛、功能完善、结构合理、协作密切、成本效果好的区域康复医学诊疗服务网络，不断提高康复医学诊疗服务水平，完善当地卫生事业的康复医学服务功能。

（二）根据需要有计划地举办残疾人康复机构

有关部门举办的残疾人康复机构主要是指各级残联举办的残疾人康复中心。残疾人康复中心是公益性事业单位，按照建设规模、人员配置、业务部门设置和技术水平分为一、二、三级。《中国残疾人事业"十一五"发展纲要(2006年—2010年)》提出要积极推进残疾人康复服务专门机构建设，完善省、市(地)康复中心功能和条件。为贯彻落实发展纲要精神，中国残联专门制定了《残疾人康复中心建设标准》。残疾人康复中心是开展残疾人康复工作的重要力量，是为残疾人提供康复医疗、教育、职业、社会等康复服务的综合性康复机构和技术资源中心，承担着康复训练与服务、康复技术人才培养、社区康复服务指导、康复信息咨询服务、康复知识宣传普及、康复研究和残疾预防等工作。今后要充分发挥残疾人康复中心在残疾人康复事业中的作用，指导和规范残疾人康复中心的建设发展，不断完善康复服务功能，满足广大残疾人日益增长的康复需求。

目前，中国残联系统建有省级残联康复中心30家、地市级残联康复中心92家、县级残联康复机构4000多家，全国共有各类各级残疾人康复机构19000多家。在同级残联的领导下，残疾人康复中心开展下列工作：制定本地区残疾人康复工作计划，做好残疾人康复业务的技术指导工作；完成康复任务和其他业务，对残疾人进行康复医疗、教育、职业、社会等综合康复服务；

培训康复技术人员和管理人员，宣传普及康复和残疾预防知识；协助建立社会化康复服务网络，提供有针对性的技术服务，推广实用技术，组织上门服务等。

第十九条　医学院校和其他有关院校应当有计划地开设康复课程，设置相关专业，培养各类康复专业人才。

政府和社会采取多种形式对从事康复工作的人员进行技术培训；向残疾人、残疾人亲属、有关工作人员和志愿工作者普及康复知识，传授康复方法。

【释义】　本条是关于康复人才培训和康复知识普及的规定。

严重缺乏康复人才，是制约中国康复医学事业发展的“瓶颈”。据第二次全国残疾人抽样调查数据推算，全国各类残疾人的总数为8296万人。另据资料显示，在这8000多万残疾人中，有康复需求者接近5000万人；中国已经进入老龄化社会，目前，60岁以上的老年人已有1.44亿，患有各种慢性病并有生活能力障碍需要康复服务的老年人有7000多万人；我国还有慢性病患者2亿多人，需要提供康复服务的超过1000万人；随着国家经济的发展，因交通、工伤事故致残的伤残者，每年增加为100多万人，其中大部分人需要康复服务。由于各个康复机构、医院和社区卫生服务中心严重缺乏康复技术人才，为上述人群提供康复服务的能力非常有限，还达不到20%。与发达国家相比，中国的康复技术人员与人口的比例非常低。据估计，到2015年，中国至少需要35万康复技术人才。

康复人才是残疾人康复工作的实践者，也是保证康复效果和质量的关键因素。康复人才主要包括康复工作管理人员、康复专业技术人员和社区康复员。其中，康复专业技术人员包括从事残疾人康复工作的康复医师、康复治疗师、康复工程技术人员和特殊教育教师。

为填补我国康复人才的巨大缺口,必须加大康复专业人才的培养力度,提高康复人员的专业程度。目前,中国的康复人才主要由其他专业转行而来,通过去国外进修学习或获得硕士、博士学位,然后回国工作,这部分医务人员成为中国的康复师资队伍。更多的医务工作者是在国内的康复机构进修一段时间,然后直接成为康复医师或治疗师,缺乏资格认证。只有少部分人通过在大学或医学院的康复医学系学习,取得中专、大专、本科的学历,其中少数取得学士、硕士、博士学位。康复医师的专科化培养(康复医学住院医师培训项目)只在极少数的综合医院进行,还没有形成制度。国家教育部于2002年才正式批准建立康复治疗学本科专业,相继有14所医学院校开设康复治疗专业,培养的康复治疗师还是凤毛麟角。为此,医学院校和其他有关院校应当有计划地开设康复课程,设置相关专业,大力培养康复专业人才,为康复事业持续健康发展提供可靠的技术储备与支持。

同时,政府和社会应当采取多种形式对从事康复工作的人员进行技术培训。坚持以实际工作需求为导向,以适宜、实用技术为重点。针对残疾人康复工作的突出薄弱环节和基层实际需要设计培训内容,选择培养方式,着重提高基层康复工作者完成国家重点康复任务及解决残疾人急迫康复需求的实际工作能力。坚持普及与提高相结合。面向基层,加大社区康复员培训力度,着力提高基层康复服务能力,扩大康复工作受益面。

另外,对残疾人、残疾人亲属、有关工作人员和志愿工作者,也要做好康复知识的普及和康复方法的传授。部分残疾人对康复的概念很模糊,无法形成强烈的康复需求,许多人根本不知道什么是康复或者害怕康复。特别是在农村,残疾人对新知识、新观念的认知能力受到限制,很多看起来是理所当然的事情,他们却未必知晓。如何使这部分残疾人成为有康复需求的人,是确保实现残疾人"人人享有康复服务"不可缺少的环节。要充分利用广播、电视、报刊、网络等媒体开展残疾人康复工作公益宣传服务。普及康复知识,提高残疾人的自我康复意识。广泛开展"爱眼日""爱耳日""精神卫生日""防治碘缺乏病日""防治麻风病日"等活动。针对遗传、疾病、中毒、意外伤害、有害环境等主要致残因素,有重点地开展宣传教育,采取干预措施;倡导早期干预和早期康复训练,有效减轻和控制残疾程度。广泛开展宣传活动,普及康复器械、辅助器具知识,通过产品展示、咨询、会议、公益活动、讲座等多种方式大力宣传康复器械、辅助器具知识。

第二十条　政府有关部门应当组织和扶持残疾人康复器械、辅助器具的研制、生产、供应、维修服务。

【释义】　本条是关于残疾人康复器械、辅助器具的规定。

我国8000多万残疾人中,60%以上需要康复器械、辅助器具。康复器械、辅助器具服务是残疾人康复工作的重要组成部分,对满足残疾人需求,实现残疾人"人人享有康复服务"具有重要意义。我国自"八五"期间将残疾人康复器械、辅助器具服务纳入国民经济和社会发展规划以来,取得了显著成效。工作体系逐步建立,服务体系日趋完善,为残疾人配置各类康复器械、辅助器具1000多万件。但是,与广大残疾人迫切的康复需求相比,与日新月异的科技进步和繁荣的日用品市场相比,我国康复器械、辅助器具服务工作仍处于起步阶段。康复器械、辅助器具品种较少,机构建设滞后,专业技术人员匮乏,事业投入不足，康复器械、辅助器具的补贴和贫困救助机制尚未建立，多数残疾人特别是贫困残疾人还得不到基本的康复器械、辅助器具服务。

康复器械、辅助器具是残疾人补偿和改善功能，提高生存质量，增强社会生活参与能力最直接有效的手段之一。主要包括改善功能的用具、日常生活的特殊用具、学习专业用具和从事生产活动的特殊设备，像假肢、矫形器、轮椅、助行器和自助器、拐杖、盲杖、盲表、聋人闹钟和门铃、盲人写字板和打字机等。政府有关部门应当组织和扶持残疾人康复器械、辅助器具的研制、生产、供应、维修服务，适应国民经济和社会发展以及广大残疾人对康复器械、辅助器具服务日益增长的需求，坚持社会化的工作方式，加强康复器械、辅助器具服务专业机构建设，增强服务能力，提高服务水平，大力推进社区服务，使残疾人普遍得到康复器械、辅助器具服务。

（一）残疾人康复器械、辅助器具服务工作应当坚持的基本原则

1. 坚持机构建设和社区服务相结合

通过加强机构建设，不断探索服务模式，提高服务水平，使康复器械、辅助器具服务适应残疾人个性化的康复需求；与社区康复有效衔接，推广实用、易行的服务模式和服务方法，使康复器械、辅助器具服务深入残疾人家庭，最大限度地满足各类残疾人对康复器械、辅助器具的需求。

2. 坚持满足迫切需求和可持续发展相结合

通过实施重点工程，满足广大贫困残疾人最基本和迫切的康复器械、辅助器具需求；通过全面开展服务，不断积累经验，增强服务功能，提高服务水平，逐步建立残疾人康复器械、辅助器具服务的长效机制，促进康复器械、辅助器具服务可持续发展。

3. 坚持公益性和社会服务相结合

各地要在始终坚持康复器械、辅助器具服务公益性原则的基础上，适应经济和社会发展，结合当地条件和残疾人需求，面向社会，不断探索有效的服务模式，为各类残疾人提供全面系统的康复器械、辅助器具服务。

（二）加强残疾人康复器械、辅助器具服务工作可以采取的措施

1. 加强机构建设，完善康复器械、辅助器具服务体系

要明确康复器械、辅助器具服务机构的公益性事业单位性质，落实人员编制，明确编制性质，增加经费投入；各级康复器械、辅助器具服务机构要面向肢体、视力、听力、语言、智力、精神等各类残疾人提供全面服务，包括知识宣传、信息咨询、康复器械和辅助器具展示、评估适配、使用训练、适应性改造、无障碍设施改造、康复器械和辅助器具配置、服务转介等。建立健全层次清晰，结构合理，服务有效的康复器械、辅助器具服务体系。这个体系包括：具有示范作用的区域性残疾人康复器械、辅助器具资源中心，全面开展服务的省级康复器械、辅助器具指导、资源和服务中心，独立开展服务的市级康复器械、辅助器具服务中心，设在县级残疾人综合服务设施内开展康复器械、辅助器具服务的服务站。

2. 发挥机构辐射作用，积极推进社区服务

要将残疾人康复器械、辅助器具服务纳入社区康复工作。有机整合、充分利用基层卫生、民政等现有社区康复资源和社会康复资源，重点依托基层卫生和残疾人服务机构，明确工作职责，规范工作流程，为残疾人提供康复器械、辅助器具的信息咨询、使用指导、服务转介、租借、简易制作、维修、环境改造等服务。

3. 加强专业培训，提高人员素质

采取分级培训的方式，通过培训班、进修班、学术讲座、学术会议、业务考察和远程教育等多种方式，做好各级康复器械、辅助器具机构专业人员的继续教育工作，提高康复器械、辅助器具服务系统专业人才的整体素质。各级假肢矫形器制作机构要配备具备执业资格的专业人员；对各级康复器械、辅助器具服务机构人员开展上岗培训；对省市级康复器械、辅助器具机构开展系统专业培训；依托1—2所高等院校设立康复器械、辅助器具专业学历教育；探索开展康复器械、辅助器具从业人员的执业资格和技术职务的评审工作。

4. 加大经费投入，开发社会资源

加大对康复器械、辅助器具服务工作的经费投入；广泛动员社会力量，以多种形式参与残疾人康复器械、辅助器具服务工作；多方筹措资金，争取国际合作，推动重点项目的实施。从就业保障金中安排一定数量的资金用于残疾人就业培训中和就业后的康复器械、辅助器具配置。对残疾人配置康复器械、辅助器具予以补贴。实施“普及型假肢服务”“贫困残疾人康复器械、辅助器具配发”等一批重点工程，为贫困残疾人配置康复器械、辅助器具。推动有条件的地区出台残疾人康复器械、辅助器具配置的补偿和救助政策，逐步纳入相关社会保障体系，建立起残疾人康复器械、辅助器具配置的经费给付机制，确保残疾人康复器械、辅助器具服务的可持续发展。

第三章　教　　育

第二十一条　国家保障残疾人享有平等接受教育的权利。

各级人民政府应当将残疾人教育作为国家教育事业的组成部分，统一规划，加强领导，为残疾人接受教育创造条件。

政府、社会、学校应当采取有效措施，解决残疾儿童、少年就学存在的实际困难，帮助其完成义务教育。

各级人民政府对接受义务教育的残疾学生、贫困残疾人家庭的学生提供免费教科书，并给予寄宿生活费等费用补助；对接受义务教育以外其他教育的残疾学生、贫困残疾人家庭的学生按照国家有关规定给予资助。

【释义】　本条是关于国家保障残疾人享有平等接受教育权利的规定。

提高残疾人受教育水平是残疾人全面实现自身价值的基本条件。“十五”期间，残疾人教育取得长足发展，残疾人受教育权利进一步得到保障，已初步形成从基础教育、职业教育到高等教育、成人教育，既与普通教育融合又相对独立的特殊教育体系，成为我国教育事业的重要组成部分。与健全人教育相比，残疾人教育仍处于滞后状态：贫困地区义务教育阶段残疾儿童少年就学难，高级中等以上特殊教育无法满足残疾人接受教育的需求，残疾人教育总体水平和质量有待提高。国家必须加强保障力度，为残疾人平等接受教育创造条件。

我国宪法第四十五条第三款规定：“国家和社会帮助安排

盲、聋、哑和其他有残疾的公民的劳动、生活和教育。”国家应当保障残疾人享有平等接受教育的权利。

（一）统一规划，加强领导，为残疾人接受教育创造条件

《中国残疾人事业“十一五”发展纲要（2006年—2010年）》提出了十一五期间残疾人教育发展的任务指标：基本普及残疾儿童少年义务教育，适应接受普通教育的残疾儿童少年入学率达到与当地健全儿童少年同等水平，接受特殊教育的视力、听力、语言和智力残疾儿童少年义务教育入学率达到国家要求，大力发展残疾儿童学前教育；符合条件的残疾人普遍得到职业教育或培训；保障符合国家录取标准的残疾考生接受高级中等以上教育；加快高级中等特殊教育发展，积极发展高等特殊教育。

要实现这些目标，各级政府应当继续将残疾人教育全面纳入国民教育体系，统一规划，加强领导，统筹安排，同步实施。继续完善残疾儿童少年义务教育体系。统筹规划高中阶段特殊教育学校建设，市（地）级以上城市要建立特殊教育高中或设立特殊教育高中班；倡导、鼓励兴办残疾人高等教育，有计划地扶持有条件的普通高等学校开设特殊教育专业和创办特殊教育学院。继续办好特殊教育院校，适当扩大招生规模，增加专业设置，提高办学层次和质量。进一步完善普通高等院校招收残疾考生的政策和考试办法。继续完善学前教育、义务教育、高级中等教育、高等教育相互衔接的残疾人特殊教育体系。建立健全助学金制度，将残疾儿童少年接受义务教育切实列入政府优惠政策范围，在同等条件下，接受高级中等以上教育的贫困残疾学生优先享受国家资助政策。以社会普通职业教育机构为主，充分发挥具有特殊教育手段的残疾人职业教育机构的作用，普遍开展适应劳动力市场需求的残疾人职业教育与培训；城镇与就业相结合，农村与生产和扶贫相结合，开展多层次的职业技能教

育和中短期实用技术培训。加强特殊教育师资人才队伍建设。创造条件办好特殊教育师范院校，在普通师范院校开设特殊教育专业或课程，增加特殊教育师资人才队伍的数量，提高质量。依托有条件的高等院校建立国家级残疾人职业教育师资培训基地。

（二）解决残疾儿童、少年就学存在的实际困难，帮助其完成义务教育

残疾儿童、少年与正常儿童、少年相比会遇到很多困难，有些困难是残疾人家庭自身无法解决的。例如不少学校不愿招收残疾儿童、少年入学，即使愿意招收可能也无法保证残疾儿童、少年受到良好教育。这时，政府、社会、学校就应当采取有效措施，解决残疾儿童、少年就学存在的实际困难，帮助其完成义务教育。

2006 年修订的义务教育法第二条规定："国家实行九年义务教育制度。义务教育是国家统一实施的所有适龄儿童、少年必须接受的教育，是国家必须予以保障的公益性事业。实施义务教育，不收学费、杂费。国家建立义务教育经费保障机制，保证义务教育制度实施。"各级政府应当继续将残疾儿童少年教育全面纳入国家和各地区义务教育体系，统一规划，统筹安排，同步实施。《中国残疾人事业"十一五"发展纲要（2006 年—2010 年）》提出，要继续完善以随班就读和特教班为主体、特殊教育学校为骨干的残疾儿童少年义务教育体系。全面推行随班就读和普通中、小学校设立特教班，30 万人口以上且适龄残疾儿童少年较多的县（市）要建立 1 所九年义务教育特殊教育学校。将残疾儿童少年入学指标列入义务教育评估验收指标体系，统计义务教育对象必须包括适龄残疾儿童少年。建立健全助学金制度，将残疾儿童少年接受义务教育切实列入政府优惠

政策范围。

(三)对残疾学生、贫困残疾人家庭的学生按照国家有关规定给予资助

按照《国务院办公厅关于转发民政部等部门关于进一步加强扶助贫困残疾人工作意见的通知》(国办发〔2004〕76 号)要求,目前全国农村义务教育阶段家庭经济困难残疾学生已能优先享受"两免一补"(免杂费、免书本费、补助寄宿生生活费)。

本法进一步规定,各级人民政府对接受义务教育的残疾学生、贫困残疾人家庭的学生提供免费教科书,并给予寄宿生活费等费用补助;对接受义务教育以外其他教育的残疾学生、贫困残疾人家庭的学生按照国家有关规定给予资助。本法加大了对残疾学生的扶持力度,所有接受义务教育的残疾学生、贫困残疾人家庭的学生都可获得免费教科书和寄宿生活费等资助。

第二十二条　残疾人教育,实行普及与提高相结合、以普及为重点的方针,保障义务教育,着重发展职业教育,积极开展学前教育,逐步发展高级中等以上教育。

【释义】　本条规定了残疾人教育的发展方针。

修订前的残疾人保障法第二十二条规定的残疾人教育发展方针是:"残疾人教育,实行普及与提高相结合,以普及为重点的方针,着重发展义务教育和职业技术教育,积极开展学前教育,逐步发展高级中等以上教育。"《残疾人教育条例》中规定的残疾人教育发展的方针是:发展残疾人教育"实行普及与提高相结合,以普及为重点的方针,着重发展义务教育和职业教育,积极开展学前教育,逐步发展高级中等以上教育"。常委会审议修订草案时,有的常委会组成人员提出,义务教育法已经进行了修改,修订后的义务教育法规定义务教育是国家必须予以保

障的公益性事业,再提"着重发展义务教育"已经不符合实际情况。根据常委会组成人员的意见,有关部门对修订草案进行了必要的修订,将"着重发展义务教育和职业教育"改为"保障义务教育,着重发展职业教育";既体现与时俱进,又体现了必要的延续性。

义务教育法第二条第二款规定:"义务教育是国家统一实施的所有适龄儿童、少年必须接受的教育,是国家必须予以保障的公益性事业。"义务教育的本质是国民教育,义务教育的公共性决定了义务教育主要应由国家设立学校来举办。义务教育的公共性,还体现为国家建立义务教育经费保障体制,用以保证义务教育制度的实施。修订后的义务教育法第十一条规定一般年满6周岁或者7周岁为适龄入学时间。适龄儿童、少年既包括生理正常的儿童、少年,也包括具有接受义务教育能力的盲、聋、哑、弱智和肢残的儿童、少年。残疾儿童、少年也应享受到义务教育的阳光。对于因身体状况需要延缓入学或者休学的适龄儿童、少年,其父母或者其他法定监护人提出申请,经批准可推迟接受义务教育。

本条规定了残疾人教育,实行普及与提高相结合、以普及为重点的方针。普及,即要大力发展残疾人职业教育和培训,最大限度地满足广大残疾青少年学习职业技术的需求,为他们走向社会、求职就业创造条件。这是绝大多数残疾人的渴望和迫切要求。提高,就是在义务教育的基础上,逐步发展残疾人的高级中等特殊教育和高等特殊教育。

第二十三条　残疾人教育应当根据残疾人的身心特性和需要,按照下列要求实施:

(一)在进行思想教育、文化教育的同时,加强身心补偿和

职业教育；

（二）依据残疾类别和接受能力，采取普通教育方式或者特殊教育方式；

（三）特殊教育的课程设置、教材、教学方法、入学和在校年龄，可以有适度弹性。

【释义】 本条规定了对各类残疾人应依照特性施教。

残疾人容易因自身的功能障碍产生消极情绪，在对他们进行教育时，把身体功能训练和自尊、自爱、自强、自立的思想教育结合起来，有助于残疾人摒弃自卑自弃的消极情绪；再经过必要的功能补偿，就可能达到生理和心理的康复。

残疾技术教育对残疾人来说，是为他们回归社会、参与社会生活做准备的。通过掌握一定的劳动技能，学得一技之长，就等于给了残疾人一种谋生的手段，使他们在心理上能够恢复自信，生活上能够实现自立。如对一些残疾人进行的木工、金属加工和缝纫等劳动技能的训练，为残疾人走出校门后劳动就业打下了良好基础，取得了很好的效果。

依据残疾类别和接受能力，采取普通教育方式或者特殊教育方式，是因为有些残疾人，如肢体残疾者、稳定期的精神残疾者和轻度视力、听力障碍的人，有能力和健全人一样，接受社会上普通中小学、中专技校这样通常的教育方式；而盲、聋哑和弱智的人，接受这样的普通教育常常受到自身条件的限制。在这种情况下，为他们安排特殊教育是非常必要的。

特殊教育的课程设置也应有自己的特色，主要是根据残疾人的身心特性和需要来决定的。例如盲校就不设置美术课，但是要有定向行走训练课；聋校不设置音乐课，但是要有律动课让学生感受节奏，主要是为了使聋人能够通过感觉来认识声音的存在；弱智学校要设置生活自理能力训练课，把那些常人认为很简单的日常生活举止分解成若干动作,教他们逐步掌握。教材也是这样,可以根据不同情况有增有减。至于入学和在校年龄,特殊教育规定的也不很严格,可以适当往后推迟,但一般不应超过18周岁。

第二十四条　县级以上人民政府应当根据残疾人的数量、分布状况和残疾类别等因素,合理设置残疾人教育机构,并鼓励社会力量办学、捐资助学。

【释义】 本条规定了县级以上政府合理设置残疾人教育机构,鼓励社会力量办学、捐资助学。

近年来,我国特殊教育事业取得长足发展,办学条件得到较大改善,特殊教育学校数量不断增加,办学体系进一步完善,教育质量进一步提高,残疾儿童少年受教育权利进一步得到保障。从1989年起,国家设立特殊教育学校建设投资专项,用于补助地方特殊教育学校校舍建设,改扩建校舍总面积近40万平方米。“十五”期间,中国残疾人联合会和教育部相继开展了“中西部盲童入学项目”“扶残助学项目”“彩票公益金助学项目”等,累计投入近1.2亿元,共资助贫困残疾学生近5万余人次。同时,地方各级政府普遍加大了特殊教育的经费投入,社会各界也开展了多种形式的扶残助学活动,形成支持特殊教育发展的合力。截至2006年,全国特殊教育学校(盲、聋哑、弱智三类校)数量为1605所,在校生总数36万人(其中特殊教育学校在校生14万人,随班就读学生22万人),分别比1990年增加了859所和29万人。

但是,由于我国特殊教育基础薄弱,总体发展水平还不高,特别是特殊教育办学条件差、质量低,远不能满足广大残疾儿童少年接受教育的需求。首先,特殊教育学校建设滞后于特殊教育发展需求。特殊教育学校覆盖范围有限，总量尚显不足，区域差距较大。其次，特殊教育学校办学条件亟待改善和提高。一是目前60%以上的特殊教育学校设在县镇或农村，校舍建设标准较低，小、旧、陋、破以及教学生活设施不完善等问题较为突出，存在较多安全隐患；二是现有特殊教育学校多数是由原普通中小学校改造的，不仅校舍使用年限较长，而且在使用功能及设施上不能满足残疾儿童少年心理、生理及行为特征的特殊要求，与国家发布实施的特殊教育学校建设标准和建筑设计规范要求有较大差距；三是特殊教育学校办学成本较高，部分专用教学仪器设备价格昂贵，必备的教学康复训练设施配置困难，现代信息技术教育设施设备严重缺乏，在一定程度上影响了学生正常的教育教学、生活以及康复训练活动。最后，国家相关政策促使特殊教育需求不断增长。近年来，在坚持以人为本，构建社会主义和谐社会进程中，国家、有关部门及社会各界对残疾人教育事业的关注与关心程度在逐步提升，残疾儿童少年家庭传统观念也在进一步转变。特别是农村义务教育经费保障机制改革的实施，免除了农村义务教育阶段学生学杂费，并对贫困家庭学生免费提供教科书和补助寄宿生生活费，对残疾儿童少年入学起到极大的推动作用。预计近年入学人数将呈上升趋势，现有办学条件将日趋紧张，为他们创造接受教育所需条件已成为当务之急。

为此，县级以上人民政府应当根据残疾人的数量、分布状况和残疾类别等因素，合理设置残疾人教育机构。通过编制完成分省特殊教育事业发展规划和特殊教育学校建设总体规划，做好实施特殊教育学校建设工程的试点工作。在项目学校遴选上，选择列入特殊教育学校建设总体规划中，具有一定辐射作用的，在师资队伍、运行经费、开工建设等诸方面均具备条件且急需建设的项目学校，有关部门给予重点支持。

由于我国目前的残疾人教育滞后于社会经济发展水平，滞后于整体教育发展水平，而国家又限于财力，不可能在短时间内投入很多资金；与此同时，随着人民生活水平的逐步提高，社会各界和广大残疾人对残疾人教育事业的要求却越来越高，产生了需求与现状的矛盾。再加上残疾人教育事业是一个涉及多部门、多领域，涉及社会方方面面的事业，不采取以国家为主导，国家、集体和个人相结合的办学形式，不广泛调动社会各方面的积极性，这项工作很难做好。

第二十五条　普通教育机构对具有接受普通教育能力的残疾人实施教育，并为其学习提供便利和帮助。

普通小学、初级中等学校，必须招收能适应其学习生活的残疾儿童、少年入学；普通高级中等学校、中等职业学校和高等学校，必须招收符合国家规定的录取要求的残疾考生入学，不得因其残疾而拒绝招收；拒绝招收的，当事人或者其亲属、监护人可以要求有关部门处理，有关部门应当责令该学校招收。

普通幼儿教育机构应当接收能适应其生活的残疾幼儿。

【释义】　本条是关于残疾、儿童少年随班就读的有关规定。

我国残疾儿童、少年义务教育发展的基本格局是：以大量随班就读和特教班为主体，以特教学校为骨干，使我国特殊教育从过去举办特殊教育学校单一的办学形式，转变为多种办学形式，为残疾儿童、少年入学提供了更多的机会。开展残疾儿童、少年随班就读工作，是发展和普及我国残疾儿童、少年义务教育的一个主要办学形式，是建立适合我国国情的残疾儿童、少年义务教育新格局的需要。残疾儿童少年随班就读有利于残疾儿童少年就近入学，有利于提高残疾儿童少年的入学率，有利于残疾儿童与普通儿童互相理解、互相帮助,促进特殊教育和普通教育有机结合,共同提高。肢体残疾的儿童少年,在同学、家长和社会的帮助下,走进教室,就和健全儿童少年没有什么区别了。视力残疾中的低视力儿童少年如果戴上助视器,听力残疾中的重听儿童少年如果戴上助听器,智力残疾中的轻度弱智和稳定期的精神残疾儿童少年,在老师的心理疏导下,都能跟上普通教育的课程。让他们走进普通教育的校门,和健全儿童少年一起学习,有利于充分发挥现有教育条件,减轻国家的负担;方便了残疾儿童少年和家长,避免了这些孩子同健全孩子的隔离。这样做符合残疾人教育的发展方向。实践证明,这是对残疾儿童、少年进行义务教育的行之有效的途径。

我国的随班就读实验最初是从盲童和聋童开始的。1987年,“金钥匙”视障教育研究中心在华东、华北和东北的部分农村地区开展了“让视障儿童在本村就近进入小学随班就读”的教改试点工作。1990 年 5 月,国家教委召开了现场会,对该项试验作出了全面肯定,随后盲童随班就读工作在全国得到了普遍推广。1987 年,黑龙江省海伦市率先在全国开展了聋童随班就读实验。随后,北京、河北、江苏等地也开展了类似的实验工作。1988 年,在第一次全国特殊教育工作会议上,国家将残疾儿童随班就读正式作为发展特殊教育的一项政策。经过 20 年来残疾儿童随班就读的工作实践,我们收获了许多成果。在随班就读的对象上,明确了视力(包括盲和低视力)、听力语言(包括聋和重听)、智力(轻度,有条件的学校可以包括重度)等类别的残疾儿童少年可以作为随班就读的教育对象,并确定了一套行之有效的检测和鉴定办法。在入学方面,我们探索出了就近入学和相对集中就读的模式。在教学要求方面,我们明确了随班就读的教学目的、教学原则、课堂教学模式、教材处理、考核评估等方面的具体做法。除此之外，在随班就读的师资培训、家长工作、教育管理等方面也进行了一些有益的探索。

随班就读的对象，主要是指具有接受普通教育能力的视力（包括盲和低视力）、听力语言（包括聋和重听）、智力（轻度、有条件的学校可以包括中度）以及肢体残疾等类别的适龄残疾儿童、少年。县级教育行政部门应当把接收适龄残疾儿童、少年随班就读纳入普及九年义务教育发展规划，并把任务落实到乡镇和学校，保证适龄残疾儿童、少年按时入学。普通学校应当依法接收本校服务范围内能够在校学习的残疾儿童、少年随班就读，不得拒绝。县级教育行政部门应当委派指导教师，对适龄残疾儿童、少年随班就读工作进行巡回指导。应当注意发挥乡镇中心学校在当地开展适龄残疾儿童、少年随班就读中的积极作用，组织各校随班就读班级教师进行经验交流，开展教学研究工作。学校应当建立残疾学生档案，主要包括个人和家庭情况、残疾鉴定、个别教学计划、学业、考核评估等资料。招收残疾儿童少年随班就读，一般应当对其残疾类别和程度进行检测和鉴定。视力、听力语言残疾儿童少年应由医疗部门、残疾儿童康复部门或当地盲、聋学校的专业技术人员进行检测鉴定。

残疾儿童少年随班就读，应当就近入学。在城市和交通便利的地区，也可以相对集中在指定学校就读。残疾儿童随班就读入学年龄与儿童相同。特殊情况可以适当放宽。在普通学校随班就读的残疾儿童少年每班以 1 到 2 名为宜，最多不超过 3 人。学校应当安排残疾学生与普通学生一起学习、活动，补偿生理和心理缺陷，使其受到适于自身发展需要的教育和训练，在德、智、体等方面得到全面发展。学校应当对残疾学生加强思想品德教育，培养其良好的行为习惯，使其逐步树立自尊、自爱、自强、自立精神。同时要加强对普通学生的思想教育，以逐步形成普通学生与残疾学生互相关心、互相帮助的良好校风和班风。

关于残疾学生使用的教材，随班就读残疾学生使用的教材一般与普通学生相同（全盲学生使用盲文教材，轻度智力残疾学生也可以使用弱智学校教材）。学校可以根据学生的实际情况，对其教学内容作适当调整。对视力、听力语言残疾的学生的教学要求一般与普通学生相同，特殊情况允许有适度的弹性。对轻度智力残疾学生的教学要求可以参考弱智学校的教学计划、大纲和教材作出安排。对中度智力残疾学生的教学和训练也应作出适当安排。对随班就读的残疾学生应当贯彻因材施教的原则，指定和实施个别教学计划。应当采取多种形式和方法，激发残疾学生的学习兴趣，挖掘其学习潜力。各科教学应当结合本学科的特点，在教授文化科学知识的同时，注重对残疾学生适应社会生活能力的培养和心理、生理缺陷的矫正、补偿。对残疾学生的的考核评估，应当包括思想品德、文化知识、缺陷矫正和补偿以及社会适应能力等方面。此项工作应当有利于残疾学生自信心的培养和提高，不能简单套用对普通学生的考试方法。学校应当建立残疾学生档案，主要包括个人和家庭情况、残疾鉴定、个别教学计划、学业、考核评估等资料。学校如无特殊原因，不得随意让随班就读残疾学生停学、停课或停止参加学校和班级的各项活动。智力残疾学生通过随班就读，其学习能力、社会适应能力有明显改善，能跟上普通学生学习进度的，应当不再视为随班就读对象。

高等教育法规定，高等学校必须招收符合国家规定的录取标准的残疾学生入学，不得因其残疾而拒绝招收。教育部、卫生部、中国残疾人联合会制定的《普通高等学校招生体检工作指导意见》进一步放宽了对患疾病或生理缺陷者的录取要求。除患有传染病疾病、精神性疾病、血液病、心脏病、高血压等无法完成学业的疾病及学习不能自理的考生，高校可以不予录取外，对患有其他疾病的考生，只要不影响专业学习和其他学生，录取时一般应不受限制。明确了由于所患某种疾病或生理缺陷，不能按专业培养方案完成学业的录取受限专业。高等学校可根据本校情况提出补充规定，并向社会公布，但不得以不具备办学条件或不符合培养要求为由，拒收残疾考生。

第二十六条　残疾幼儿教育机构、普通幼儿教育机构附设的残疾儿童班、特殊教育机构的学前班、残疾儿童福利机构、残疾儿童家庭，对残疾儿童实施学前教育。

初级中等以下特殊教育机构和普通教育机构附设的特殊教育班，对不具有接受普通教育能力的残疾儿童、少年实施义务教育。

高级中等以上特殊教育机构、普通教育机构附设的特殊教育班和残疾人职业教育机构，对符合条件的残疾人实施高级中等以上文化教育、职业教育。

提供特殊教育的机构应当具备适合残疾人学习、康复、生活特点的场所和设施。

【释义】　本条规定了对符合条件的残疾人进行特殊教育。

特殊教育是使用一般或特别设计的课程、教材、教法、组织形式和设备对特殊儿童、少年所进行的达到一般的和特殊的培养目标的教育。特殊教育学校产生于18世纪的欧洲，一些进步的教师和医生曾提出各种理论为特殊教育奠基，逐步形成了聋教育学、盲教育学、弱智教育学等。19世纪有的医生和教师提出了治疗教育学理论。19世纪末心理学的发展使特殊儿童心理学产生，出现了“特殊教育学”。20世纪中期特殊教育概念有所扩大，研究对象从学龄残疾儿童大规模地扩展到学龄前残疾儿童的早期诊断与教育训练，同时特殊教育也延伸到残疾青年中的中等和高等教育、职业教育。研究内容包括特殊教育与社会发展的关系，特殊教育对象的早期发现、早期鉴定与评估，特殊儿童的早期干预，特殊教育的目的、任务，特殊教育的体系、组织形式、方法和内容，教师的培训体系和设备、教具，各级各类特殊形式与普通教育的共性与特殊性，等等。研究方法除了一般教育学的方法外，更多采用正常儿童、少年与特殊儿童、少年教育比较研究的方法。

开设适合残疾幼儿、儿童的特殊教育机构，是为了对这部分孩子有针对性地实施必要的学前教育，这样做有利于这部分孩子早期的功能训练和智力开发。实践证明，残疾幼儿的学前教育进行得越早，功能补偿的训练和智力开发的效果也越明显。对残疾儿童进行学前教育，对于开发残疾儿童的智力，健全残疾儿童的心理，有重要作用。《残疾人教育条例》对残疾儿童学前教育作了具体规定。残疾幼儿的学前教育，通过以下机构实施：残疾幼儿教育机构；普通幼儿教育机构；残疾儿童福利机构；残疾儿童康复机构；普通小学的学前班和残疾儿童、少年特殊教育的学前班；残疾儿童家庭应当对残疾儿童实施学前教育。关于残疾儿童学前教育的方针，残疾幼儿的教育应当与保育、康复结合实施。卫生保健机构、残疾幼儿的学前教育机构和家庭，应当注重对残疾幼儿的早期发现、早期康复和早期教育。卫生保健机构、残疾幼儿的学前教育机构应当就残疾幼儿的早期发现、早期康复和早期教育提供咨询、指导。

在普通教育以外设立一些初级中等以下的特殊教育机构以及在普通教育机构附设的特殊教育班，有助于这部分适龄孩子完成义务教育所规定的学业，为他们日后走上社会打好文化基础。残疾儿童、少年特殊教育学校（班）的教育工作，应当坚持思想教育、文化教育、劳动技能教育与身心补偿相结合；并根据学生残疾状况和补偿程度，实施分类教学，有条件的学校，实施个别教学。残疾儿童、少年特殊教育学校（班）的课程计划、教学大纲和教材，应当适合残疾儿童、少年的特点。

高级中等以上教育属于选拔性教育，对符合条件，又不具有接受普通教育能力的残疾人实施高级中等以上教育，可以更好地调动并且发掘这一部分残疾青年的潜能，使他们能够为社会做出更大的贡献。经过多年的艰辛探索和实践，我国已经初步形成了符合自身特点的残疾人高等教育办学模式。一是在普通高等学校中创办特教学院。1987 年，中国残疾人联合会和吉林省政府联合举办长春大学特殊教育学院，这是我国第一所高等特殊教育学院。之后，天津理工学院聋人工学院、北京联合大学特殊教育学院等相继创办。这些专门教学组织的成立，对于整合教育资源，集中优势发展特殊教育，起到了积极的示范作用，取得了丰硕的成果，成为我国特殊高等教育的骨干力量。二是在普通高等学校开设专门招收残疾人的专业。1985 年，山东滨州医学院创办了全国第一家专门招收肢体残疾学生的医疗二系，通过参加全国高校招生统一考试录取，学制为五年。另外，上海美术学院、江苏金陵职业大学、湖北荆门大学等，开办了招收残疾人的系或班，成为残疾人高等教育的一种重要形式。三是普通高等学校直接招收残疾人随班就读。自 1985 年教育部发出通知，提出关于做好高等学校招收残疾青年的一系列要求后，每年都有上千名残疾考生进入普通高校学习。这种教育模式符合“全纳性教育”思想，有利于残疾学生的心理康复，也有利于实现教育资源的共享，是一种值得积极倡导的开放式办学模式。四是残疾人成人高等教育。自学考试、函大、夜大、电大等形式，吸收了大批残疾人接受高等教育，特别是现代网络远程教育技术的推广，使得残疾人成人高等教育前景更为广阔。

残疾人职业教育体系由普通职业教育机构和残疾人职业教育机构组成，以普通职业教育机构为主体。县级以上地方各级人民政府应当根据需要，合理设置残疾人职业教育机构。残疾人职业教育学校和培训机构，应当根据社会需要和残疾人的身心特性合理设置专业，并根据教学需要和条件，发展校办企业，办好实习基地。

第二十七条　政府有关部门、残疾人所在单位和有关社会组织应当对残疾人开展扫除文盲、职业培训、创业培训和其他成人教育，鼓励残疾人自学成才。

【释义】　本条规定了对残疾人开展成人教育，鼓励自学成才。

扫除文盲教育应当包括对年满15周岁以上的未丧失学习能力的文盲、半文盲残疾人实施的扫盲教育。职业技术培训分为就业前培训和在职培训，目的是通过必要的训练，使残疾人掌握从事某种职业或某项生产劳动所需要的知识和技能，提高他们的劳动技能和技术水平。

职业教育法第十五条规定："残疾人职业教育除由残疾人教育机构实施外，各级各类职业学校和职业培训机构及其他教育机构应当按照国家有关规定接纳残疾学生。"另外，残疾人所在单位也应当对本单位的残疾人开展文化知识教育和技术培训。需要注意的是，对残疾职工的岗位培训和健全职工不同，主要是传授技术的方法不一样。比如盲人的培训要用盲文，采用有声教学的方式；聋人的培训要用手语，采用形象教学的方式。

各级人民政府应当将残疾人职业教育纳入职业教育发展的总体规划，建立残疾人职业教育体系，统筹安排实施。残疾人教育事业，应当重点发展初等和中等职业教育，适当发展高等职业教育，开展以实用技术为主的中期、短期培训。残疾人职业教育体系由普通职业教育机构和残疾人职业教育机构组成，以普通职业教育机构为主体。县级以上地方各级人民政府应当根据需要，合理设置残疾人职业教育机构。普通职业教育学校必须招收符合国家规定的录取标准的残疾人入学，普通职业培训机构应当积极招收残疾人入学。残疾人职业教育学校和培训机构应当根据社会需要和残疾人的身心特性合理设置专业，并根据教学需要和条件，发展校办企业，办好实习基地。

在各级政府的积极支持和鼓励下，我国的残疾人成人文化教育正在向高层次发展，许多残疾青年通过电大、函大和自学考试等途径接受高等教育，走上了自学成才的道路。通过自学成才的残疾人的成功，比起正常人要付出更多的辛苦，所以法律要求残疾人所在政府的有关部门、所在单位以及全社会都来关心他们，为他们的发展与成才提供各种方便和支持。

第二十八条　国家有计划地举办各级各类特殊教育师范院校、专业，在普通师范院校附设特殊教育班，培养、培训特殊教育师资。普通师范院校开设特殊教育课程或者讲授有关内容，使普通教师掌握必要的特殊教育知识。

特殊教育教师和手语翻译，享受特殊教育津贴。

【释义】　本条是关于培养、培训特殊教育师资，在普通师范院校开设特殊教育课程或讲授有关内容的规定。

振兴民族的希望在教育，振兴教育的希望在教师，师资力量是办学的关键因素之一。特教事业需要一支数量充足、素质精良、教学水平高的教师队伍作为有力的支撑。师范教育是培养教师的摇篮。国家制定相关政策，有计划、有针对性地鼓励和引导师范院校开设特殊教育专业。县级以上地方各级人民政府教育行政部门应当将残疾人教育师资的培训列入工作计划,并采取设立培训基地等形式,组织在职的残疾人教育教师的进修提高。普通师范院校应当有计划地设置残疾人特殊教育必修课程或者选修课程,使学生掌握必要的残疾人特殊教育的基本知识和技能,以适应对随班就读的残疾学生的教育需要。如南京特殊教育职业技术学院创办二十多年,先后培养输出了近万名特殊教育工作者,毕业生遍及全国,惠及数10万名残疾青少年。特殊教育专业的学生主要学习有特殊教育需要儿童心理和教育方面的基本理论和基本知识,受到对特殊儿童进行教育和研究的基本训练,具有进行实际教学工作并能进行理论研究的基本能力。

义务教育法第十九条第一款的第一句和第二款提出:“县级以上地方人民政府根据需要设置相应的实施特殊教育的学校(班),对视力残疾、听力语言残疾和智力残疾的适龄儿童、少年实施义务教育。”“普通学校应当接收具有接受普通教育能力的残疾适龄儿童、少年随班就读,并为其学习、康复提供帮助。”这就要求普通学校的教师应该具备特殊教育的基本知识与技能。《中国残疾人事业“十一五”发展纲要(2006年—2010年)》提出:“加强特殊教育师资人才队伍建设。创造条件办好特殊教育师范院校,在普通师范院校开设特殊教育专业或课程,增加特殊教育师资人才队伍的数量,提高质量。”因此,我国的教师资格制度其实就包括了教师要具备特殊教育的素质要求在内。从我国设置有特殊教育专业的师范院校来看,有的已经在师范类学生开设了特殊教育必修课程,而且在社会上产生了较好的影响。因此,需要进一步落实有关法律法规中关于在师范院校开设特殊教育公共选修课的有关规定,使师范生都能掌握一些特殊教育的基本知识和技能。

特殊教育教师是指各级各类特殊教育机构的教师、职工、管理干部，普通教育机构中附设的特殊教育班（系、部）的教师、职工、管理干部和特殊儿童随班就读的班主任及主科教师。手语翻译是指各级残联和聋哑人企事业单位的专（兼）职手语翻译、手语教师。特殊教育教师和手语翻译，担负着对残疾人进行思想文化教育的重任。他们所从事的，是一种体力和脑力并用的复杂劳动，是各级残疾人组织和聋哑人比较集中的福利企业必不可少的工作。为了体现对特殊教育教师和手语翻译的关心，法律规定特殊教育教师和手语翻译享受特殊教育津贴。

第二十九条　政府有关部门应当组织和扶持盲文、手语的研究和应用，特殊教育教材的编写和出版，特殊教育教学用具及其他辅助用品的研制、生产和供应。

【释义】　本条是对特殊教育辅助手段的规定。

为保障盲、聋哑残疾人接受教育的需要，政府有关部门应当组织和支持盲文、手语的研究，推广相应工作。盲文，又称点子，是法国盲人路易·布莱尔于 1829 年发明的。它是用 6 个凸点组成的符号体系，以点数的多少和点位的不同来区分不同的符型。这套凸点符号体系，共有 63 个符号。1953 年开始，全国普遍推广现行盲字，它是以普通话为基础，北京语音为标准的拼音盲字。它有 18 个声母、34 个韵母，声韵双拼为一个音节，用另一个盲符作调号。1975 年，盲文工作者提出了盲文改革，历经十几年的研究和探索，终于确定了“双语双拼盲文”方案。它是以两方盲符拼写汉语的一个实有音节，即带调音节。声方在左，韵方在右。声方有声母、半声母、介母和零声符；韵方有韵母、零韵符和调号。手语是聋哑人之间、聋哑人与健全人之间交流的语言。中国手语由手势语、手指语构成，以手势语为主。手势语俗称“哑语”，是聋人用手势表达思想、进行思维的一种工具，常与“手语”一起通用，但其内涵小于“手语”。手指语又称“手指拼法”，简称“指语”。

特殊教育教材、学具、教具和其他辅助用品，是发展特殊教育的必备手段，也是特殊教育区别于普通教育的重要标志。因此，有关部门应根据社会需要和残疾人的特点，组织编写、修改、审定特殊教育教材并会同有关部门做好出版、发行工作，同时也要积极组织好特殊教育教学用具及其他辅助用品的研制、生产和服务供应工作。

第四章 劳动就业

第三十条 国家保障残疾人劳动的权利。

各级人民政府应当对残疾人劳动就业统筹规划，为残疾人创造劳动就业条件。

【释义】 本条是关于国家保障残疾人劳动权利的规定。

1987年全国人民代表大会常务委员会第二十二次会议决定，批准1983年6月20日由国际劳工组织第六十九届大会通过的第159号《残疾人职业康复和就业公约》。1990年12月28日第七届全国人民代表大会常务委员会第十七次会议通过残疾人保障法。至今，我国残疾人的就业状况已得到明显改善。据统计，在我国8296多万名残疾人中，已经实现就业2266万人，其中城镇463万人、农村1803万人。但残疾人就业工作仍存在一些问题，如目前尚有858万名有劳动能力、达到就业年龄的残疾人没有实现就业，而且每年还将新增残疾人劳动力30万人左右；已经就业的残疾人所从事的工作也大多技术含量较低、劳动强度较高，但报酬较低、劳动保护措施较差；各级政府和用人单位依法吸收残疾人就业的责任不够明确；少数用人单位存在不按照规定安排残疾人就业、不依法与残疾人劳动者签订劳动合同，以及歧视残疾人等情况。因此，需要政府进一步完善就业援助措施，切实保障残疾人劳动就业的权利。

本条包括两款内容，第一款规定明确指出国家具有保障残疾人劳动权利的责任。劳动是公民的基本权利，宪法第四十二条第一款规定:“中华人民共和国的公民有劳动的权利和义务。”本法第三条第一款规定,“残疾人在政治、经济、文化、社会和家庭生活等方面享有同其他公民平等的权利”,其中,就包括残疾人的劳动权。残疾人劳动就业对其改善生活状况,提高其社会地位,平等充分地参与社会生活,共享社会物质文化成果具有重要意义。残疾人由于其心理、生理、人体机构上的组织、功能缺失或者障碍,以及文化水平、劳动技能上的不足,在就业上往往处于较为困难的状态。残疾人劳动权的实现需要全社会的关心和帮助,更需要国家对此给予保障。

残疾人的劳动权具体包括:一是平等就业和选择职业的权利;二是获取劳动报酬的权利;三是休息休假的权利;四是获得劳动安全卫生保障的权利;五是接受职业技术培训的权利;六是享受社会保险和福利的权利;七是依法参加工会、组建工会、民主管理企业等权利;八是提请劳动争议处理以及寻求司法救济的权利;九是法律法规规定的其他权利。

第二款是关于政府促进对残疾人劳动就业职责的规定,即各级人民政府应当对残疾人就业统筹规划,为残疾人劳动就业积极地创造条件。政府在促进残疾人就业工作中具有主导作用,各级人民政府应当采取具体措施,创造条件,促进残疾人就业,保障残疾人的劳动权利。各地要将残疾人就业工作纳入就业工作总体部署,统筹安排。在分析就业形势、落实就业计划和制定就业措施时,通盘考虑残疾人的就业问题,进一步加强对残疾人就业工作的统筹协调力度,深入分析、研究残疾人就业存在的困难和问题,制定专项政策,采取有针对性的措施,为残疾人劳动就业积极地创造条件。《残疾人就业条例》第二条第二款规定:“县级以上人民政府应当将残疾人就业纳入国民经济和社会发展规划,并制定优惠政策和具体扶持保护措施,为残疾人就业创造条件。”第五条规定:“各级人民政府应当加强对残疾人就业工作的统筹规划,综合协调。县级以上人民政府负责残疾人工作的机构,负责组织、协调、指导、督促有关部门做好残疾人就业工作。县级以上人民政府劳动保障、民政等有关部门在各自的职责范围内,做好残疾人就业工作。”第六条规定:“中国残疾人联合会及其地方组织依照法律、法规或者接受政府委托,负责残疾人就业工作的具体组织实施与监督。工会、共产主义青年团、妇女联合会,应当在各自的工作范围内,做好残疾人就业工作。”

根据现有法律法规,政府在促进残疾人就业方面采取的措施,主要包括:(1)县级以上政府应当采取措施,拓宽残疾人就业渠道,开发适合残疾人就业的公益性岗位;县级以上地方政府发展社区服务事业,应当优先考虑残疾人就业。(2)对安排残疾人就业达到、超过比例或者集中安排残疾人就业的用人单位依法给予税收优惠,并在生产、经营、技术、资金、物资、场地使用等方面给予扶持;县级以上地方政府及其有关部门应当确定适合残疾人生产、经营的产品、项目,优先安排集中使用残疾人的用人单位生产或者经营,并根据集中使用残疾人的用人单位的生产特点确定某些产品由其专产;政府采购,在同等条件下,应当优先购买集中使用残疾人的用人单位的产品或者服务。(3)对残疾人从事个体经营的,应当依法给予税收优惠,有关部门应当在经营场地等方面给予照顾,并按照规定免收管理类、登记类和证照类的行政事业性收费;国家对自主择业、自主创业的残疾人在一定期限内给予小额信贷等扶持。(4)地方各级政府应当多方面筹集资金,组织和扶持农村残疾人从事种植业、养殖业、手工业和其他形式的生产劳动;有关部门对从事农业生产劳动的农村残疾人,应当在生产服务、技术指导、农用物资供应、农副产品收购和信贷等方面给予帮助。(5)残疾人就业保障金应当纳入财政预算,专项用于残疾人职业培训以及为残疾人提供就业服务和就业援助,任何组织或者个人不得贪污、挪用、截留或者私分。

第三十一条　残疾人劳动就业,实行集中与分散相结合的方针,采取优惠政策和扶持保护措施,通过多渠道、多层次、多种形式,使残疾人劳动就业逐步普及、稳定、合理。

【释义】　本条是关于残疾人就业方针的规定。

新中国成立初期,在计划经济体制下,各级人民政府将一些残疾程度较轻的残疾人组织起来开展生产自救,建立了合作社(组)。50年代中末期,在合作社(组)基础上开始兴办福利工厂。截止到1979年前,全国有福利工厂1106家,安排残疾职工4.82万人。改革开放以来,在国家法律保护和优惠政策扶持下,残疾人劳动就业得到了很大发展。1990年12月全国人大常委会通过的残疾人保障法,规定"残疾人劳动就业,实行集中与分散相结合的方针,采取优惠政策和扶持保护措施,通过多渠道、多层次、多形式,使残疾人劳动就业逐步普及、稳定、合理"。本次修订没有对原法的这一条款进行修改。残疾人保障法通过后,各地陆续通过人大立法的形式,制定了实施残疾人保障法实施办法,对残疾人的集中就业、按比例就业和个体就业予以明确和细化,逐步制定完善了按比例安排残疾人就业办法以及鼓励残疾人就业的各项优惠政策和扶持措施。残疾人就业工作取得新进展。2005年,城镇新安排39万名残疾人就业。其中,集中就业的残疾人11.3万人,社会各单位按比例安排残疾人就业11万人,个体就业和自愿组织起来就业的残疾人16.7万人;农村残疾人累计就业达到1803万人。

“残疾人劳动就业，实行集中与分散相结合的方针”，其中“集中”是指通过政府和社会举办残疾人福利企业、盲人按摩机构和其他福利性单位，集中安排残疾人就业。“分散”是指国家机关、社会团体、企业事业单位、民办非企业单位按照规定的比例，相对分散安排残疾人就业，以及残疾人通过自主择业、自主创业以及农村残疾人从事种植业、养殖业、手工业和其他形式的生产劳动等方式实现个体就业。集中与分散两种就业方式各有优势，一方面集中就业可以较大规模地解决残疾人的就业问题，便于集中为残疾人参加生产劳动提供培训，提供适合的设施设备。另一方面分散就业可以较为灵活地安排残疾人就业，便于残疾人融入社会。1990 年残疾人保障法通过至今近 20 年的实践证明，集中与分散两种就业方式相互补充，成为解决残疾人劳动就业的两种主要渠道。“集中与分散相结合”的指导方针，为解决残疾人的就业问题发挥了重要作用。

“优惠政策和扶持保护措施”是指对安排残疾人就业的单位，在税收、信贷等方面依法给予优惠，鼓励各单位积极安排残疾人就业，鼓励和扶持残疾人从事个体经营，自主创业。主要包括：(1)对安排残疾人就业达到、超过规定比例或者集中安排残疾人就业的用人单位和从事个体经营的残疾人，依法给予税收优惠，并在生产、经营、技术、资金、物资、场地等方面给予扶持。(2)对于申请从事个体经营的残疾人，有关部门应当优先核发营业执照；对残疾人从事个体经营的，应当依法给予税收优惠，有关部门应当在经营场地等方面给予照顾，在生产、经营、技术、资金、物资、等方面给予扶持，并按照规定免收管理类、登记类和证照类的行政事业性收费；国家对自主择业、自主创业的残疾人在一定期限内给予小额信贷扶持。(3)县级以上地方人民政府及其有关部门应当确定适合残疾人生产、经营的产品、项目，优先安排残疾人福利性单位生产或者经营,并根据残疾人福利性单位的生产特点确定某些产品由其专产。(4)政府采购,在同等条件下,应当优先购买残疾人福利性单位的产品或者服务。(5)地方各级人民政府应当采取措施,拓宽残疾人就业渠道,开发适合残疾人就业的公益性岗位;县级以上地方政府发展社区服务事业,应当优先考虑残疾人就业。(6)对于从事各类生产劳动的农村残疾人,有关部门应当在生产服务、技术指导、农用物资供应、农副产品收购和信贷等方面,给予帮助。

第三十二条 政府和社会举办残疾人福利企业、盲人按摩机构和其他福利性单位,集中安排残疾人就业。

【释义】 本条是关于集中就业的规定。

举办社会福利单位,集中安置有劳动能力的残疾人就业,是残疾人就业的一种重要形式。相比较分散就业而言,举办福利性单位集中安排残疾人就业的方式,具有以下优势:一是福利性单位可以较大规模地安置残疾人就业,为残疾人就业提供更多的机会,为残疾人自立自强,融入社会创造条件;二是福利性单位中残疾职工所占比例较大,可以大大减少残疾职工在普通单位中可能受到的歧视,减轻残疾职工的工作压力;三是福利性单位中残疾人比较集中,便于国家或政府对残疾人进行必要的职业培训;四是福利性单位的劳动、生活场所,以及劳动设备设施,往往更好照顾到残疾职工的特殊需求,便于残疾职工工作与生活。从其他国家来看,举办福利性单位集中安排残疾人就业是各国的普遍做法。各国主要是对通过劳动力市场就业有困难的重残人,特别是智力残疾和精神残疾者在庇护性工厂进行长期职业培训,并可提供长期工作岗位。爱尔兰《残疾人雇工法》规定,庇护站或福利工场中的工作任务和项目是专门为残疾人提供的。对庇护性工厂，各国一般采取直接投资或原料、设备资助，工资补贴，专产、专营以及税收减免等优惠扶持政策。

本条款所指的福利性单位主要包括残疾人福利企业、盲人按摩机构，以及其他福利性单位。

（一）福利企业

福利企业是以集中安排残疾人就业为目的具有社会福利性质的特殊企业，既可能由政府举办，也可能由社会力量举办。福利企业起源于新中国成立初期的军烈属和城市贫民企业，后来这些企业逐渐吸收了有劳动能力的普通残疾人加入。民政部门在此基础上对这些企业进行了全面规划、统一安排，逐步改造成安置残疾人为主的福利企业。截止到2006年年底，全国共有各类福利企业3万个，62万名残疾人在其中就业。

实践证明，福利企业对集中安排残疾人就业发挥了积极作用。但福利企业在自身管理、企业发展等方面存在也出现了一些问题，如经营困难、假冒福利企业骗取税收优惠等，影响了福利企业的发展和残疾人就业。因此，一方面应及时调整、完善对福利企业的优惠政策和扶持鼓励措施，加大对福利企业的扶持力度，为福利企业的发展创造良好的社会环境。福利企业的产生带有浓厚的计划经济色彩。当前，随着经济体制的改革和市场经济的发展，福利企业作为独立的经济主体，出现了生产经营困难的问题。福利性单位集中安置残疾人就业，是其履行社会义务、承担社会责任的表现，必然会影响到企业的市场竞争及利润水平。政府有责任采取优惠政策和扶持保护措施，推进福利企业健康发展。同时，福利企业按照国家有关政策和市场经济发展的规律，加快福利企业的改革、改组和改造的步伐，强化企业内部管理，实现企业良好运转。另一方面，应加大对福利企业的审批和监管力度。2007年民政部制定《福利企业资格认定办法》,对福利企业资格的认定进行规范。根据《福利企业资格认定办法》的规定,福利企业是依法在工商行政管理机关登记注册,安置残疾人职工占职工总人数25%以上,残疾人职工人数不少于10人的企业。福利企业安置的残疾人职工应当是持有《中华人民共和国残疾人证》上注明属于视力、听力、言语、肢体、智力和精神残疾的人员,或者是持有《中华人民共和国残疾军人证(1至8级)》的残疾人。申请福利企业资格认定的企业,应当具备下列条件:(1)企业依法与安置就业的每位残疾人职工签订1年(含)以上的劳动合同或者服务协议,并且安置的每位残疾人职工在单位实际上岗从事全日制工作,且不存在重复就业情况;(2)企业提出资格认定申请前1个月的月平均实际安置就业的残疾人职工占本单位在职职工总数的比例达到25%(含)以上,且残疾人职工不少于10人;(3)企业在提出资格认定申请的前1个月,通过银行等金融机构向安置的每位残疾人职工实际支付了不低于所在区县(含县级市、旗)最低工资标准的工资;(4)企业在提出资格认定申请前1个月,为安置的每位残疾人职工按月足额缴纳所在区县(含县级市、旗)人民政府根据国家政策规定缴纳的基本养老保险、基本医疗保险、失业保险和工伤保险等社会保险;(5)企业具有适合每位残疾人职工的工种、岗位;(6)企业内部的道路和建筑物符合国家无障碍设计规范。

企业申请福利企业资格认定,应当向当地县级以上人民政府民政部门(以下简称认定机关)提出认定申请,具体认定机关由省、自治区、直辖市民政厅(局)和新疆生产建设兵团民政局确定,报民政部备案。

(二)盲人按摩机构

盲人按摩机构是以主要解决盲人就业为目的的福利性单

位，包括在卫生行政部门登记的盲人医疗按摩机构和在工商行政管理机关登记注册的盲人保障按摩机构两种，是盲人集中就业的主要途径。截止到2005年，培训盲人医疗按摩人员5075名，盲人保健按摩人员7399名，已培训的盲人保健按摩师就业率达到95%以上；保健按摩机构达到6625个，医疗按摩机构达到1451个；在职业技能鉴定和专业技术职务资格评审中，分别有1235人和3670人通过医疗按摩人员中级和初级职称评审，全国有40名盲人医疗按摩师通过高级职称评审。

我国现有视力残疾人1233万名，视力上的障碍，给其生活、学习、工作带来很多困难，受教育程度和就业率一直很低。但盲人同时也具有触觉灵敏、注意力集中的特点，适宜从事按摩工作。举办盲人按摩机构，大力发展盲人按摩事业，对解决盲人就业难问题，推进盲人平等参与社会生活，具有重要意义。根据《国务院办公厅转发劳动保障部等部门关于进一步做好残疾人劳动就业工作若干意见的通知》的要求，饭店、浴室、保健康乐机构、美容美发场所等有按摩业务的服务行业和社会医疗机构的按摩、推拿科室，应优先录用具有按摩技术并持有相应资格证书的盲人按摩人员。地方各级人民政府有关部门要采取具体措施扶持盲人按摩人员举办个体、私营及其他形式的按摩机构；鼓励、扶持社会力量开办盲人按摩院、所，集中安排盲人按摩人员就业。根据《盲人按摩机构工疗机构及其他集中安置残疾人单位资格认定办法》（残联发〔2007〕29号）的规定，县级以上地方残疾人联合会在单位向主管税务机关申请享受《财政部、国家税务总局关于促进残疾人就业税收优惠政策的通知》（财税〔2007〕92号）第一条、第二条规定的税收优惠政策前，需要对单位达到或者未达到规定的安置残疾人比例、符合或者不符合规定的安置残疾人条件实施审查与确认。申请资格认定的单位，应当具备下列条件:(1)单位安置的残疾人为持有《中华人民共和国残疾人证》的视力残疾、听力残疾、言语残疾、肢体残疾、智力残疾、精神残疾和多重残疾的人员,或者《中华人民共和国残疾军人(1至8级)》的残疾人员;(2)单位依法与安置就业的每位残疾人签订1年以上(含1年)的劳动合同或者服务协议;(3)单位安置的每位残疾人职工有适当的工种、岗位,实际在岗从事全日制工作,且不存在重复就业情况;(4)单位提出资格认定申请的前1个月的月平均实际安置的残疾人职工人数占单位在职职工总数的比例应高于25%(含25%),且实际安置的残疾人人数多于10人(含10人);(5)单位内道路和建筑物符合国家无障碍设计规范;(6)单位在提出资格认定申请的前1个月为安置的每位残疾人职工按月足额缴纳了所在区、县人民政府根据国家政策规定缴纳的基本养老保险、基本医疗保险、失业保险和工伤保险等社会保险;(7)单位在提出资格认定申请的前1个月通过银行等金融机构向安置的每位残疾职工实际支付了不低于所在区、县最低工资标准的工资。

但盲人医疗按摩的制度瓶颈在一定程度上制约了盲人按摩的发展。根据1998年颁布的执业医师法的规定,医疗执业人员必须拥有基本医学知识,经过专业的技能培训。虽然经过系统的培训,盲人可以从事部分医疗按摩;但由于其视觉障碍,很难通过各项考试取得执业医师资格。这在一定程度上影响了盲人医疗按摩的发展。据悉,针对这一问题,相关部门正在抓紧制定有关盲人医疗按摩的规定,理顺体制,调整相应的考试方式,对盲人医疗按摩的标准、工作内容、执业范围、管理责任等作出进一步规定,以促进盲人按摩的健康发展。

(三)其他福利性单位

其他福利性单位是指福利企业、盲人按摩机构之外的,其他集中安排残疾人就业达到一定比例的各类企业、事业单位以及民办非企业单位等,如工疗机构。即集就业和康复为一体的,组织精神、智力等残疾人员参加适当生产劳动和实施康复治疗与训练的集中安置残疾人单位,包括精神病院附设的康复车间、企业附设的工疗车间、基层政府和组织兴办的工疗站等,以及托养服务工场、职业康复工场等集中安置残疾人达到规定比例和条件的单位。根据《盲人按摩机构工疗机构及其他集中安置残疾人单位资格认定办法》(残联发〔2007〕29 号)的规定,其他福利性单位的认定办法同盲人按摩机构的资格认定办法。

第三十三条　国家实行按比例安排残疾人就业制度。

国家机关、社会团体、企业事业单位、民办非企业单位应当按照规定的比例安排残疾人就业,并为其选择适当的工种和岗位。达不到规定比例的,按照国家有关规定履行保障残疾人就业义务。国家鼓励用人单位超过规定比例安排残疾人就业。

残疾人就业的具体办法由国务院规定。

【释义】 本条是关于按比例安排残疾人就业制度的规定。

(一)国家实行按比例安排残疾人就业制度

按比例安排残疾人就业制度是指,国家机关、社会团体、企业事业单位、民办非企业单位应当按照国家规定的比例安排残疾人就业,并为其选择适当的工种和岗位。实行按比例安排残疾人就业制度,对残疾人实施就业援助,保障残疾人的劳动就业权,是国家和社会的责任,具有重要的现实意义。残疾人由于其身体、心理、生理上的残疾引起的功能障碍,本身在学习、工作、生活上就存在很多困难,而且往往存在受教育程度较低,劳动技能较差等问题,使残疾人在激烈的劳动力市场竞争中,普遍处于弱势地位,就业率较低。因此,国家有必要实行按比例安排残疾人就业制度，对残疾人这一特殊的就业困难群体，实行特别保护，给予就业援助，保障残疾人劳动就业权的实现，使其通过劳动，实现自强自立，实现自己的人生价值，也更好地参与到社会生活中，为社会创造财富。

实行按比例安排残疾人就业制度或者残疾人就业配额制度是各国解决残疾人就业问题的普遍做法。联合国和国际劳工组织出台的《关于残疾人的世界行动纲领》《残疾人职业康复和就业公约》《关于开发残疾人资源的塔林行动纲领》都提出实行残疾人按比例就业制度。1944 年英国为解决残疾人就业问题，出台了《残疾人就业法案》，规定达到或超过 20 名雇员的雇主必须至少雇用 3% 的残疾人。这是世界上第一个提出按比例安排残疾人就业政策的立法。按比例安排残疾人就业被认为是促进残疾人就业的合理措施，被世界各地广泛接受。日本、韩国、美国、法国、俄罗斯、意大利、奥地利、印度、德国、荷兰、西班牙、比利时等国家和我国的台湾地区都在立法中明确了按比例安排残疾人就业。如意大利为 7%，德国为 6%，美国为 3%，荷兰不同行业分别为 3% 到 7%。为确保按比例就业政策的实施，许多国家还制定了相应的奖惩制度。如日本对雇用残疾人达不到规定比例的单位，每少雇佣一名残疾人，每月征收 4 万日元的罚金；对超比例的单位，每多雇用一名残疾人，每月给予 2 万日元的奖励。

（二）按比例就业制度的具体内容

按比例就业制度主要包括以下几方面内容：

（1）各单位应当按照规定的比例安排残疾人就业

这里的单位既包括国家机关、社会团体，也包括企业事业单位、民办非企业单位。考虑到个体工商户大多规模较小，以个人经营或者家庭经营为主，因此，本条款没有对个体工商户作出规定。

根据《残疾人就业条例》的规定，各用人单位安排残疾人就业的比例不得低于本单位在职职工总数的1.5%。这是结合当前社会经济发展现状，以及残疾劳动者的比例、用人单位的承受力，对安排残疾人就业最低比例的规定。各省、自治区、直辖市人民政府根据本地区的经济、社会发展的实际情况，以及当地残疾人教育、培训、就业情况，在不低于1.5%的基础上作出具体的规定。但是，政府和社会依法兴办的残疾人福利企业、盲人按摩机构和其他福利性单位，应当集中安排残疾人就业，这些单位中从事全日制工作的残疾人职工，应当占本单位在职职工总数的25%以上。安排残疾人就业的工种和岗位要适当，适合残疾人的特殊身体状况，这既是对残疾劳动者的尊重和保护，也体现出对劳动力资源的合理配置。

（2）各单位安排残疾人就业达不到规定比例的，应当按照国家有关规定履行保障残疾人就业义务

同时，考虑到一些单位的特殊情况，如单位规模、工作性质、工作环境、设施设备以及学历技能的要求，无法安排其所在地省、自治区、直辖市人民政府规定比例的残疾人在其单位就业。《残疾人就业条例》第九条规定，"用人单位安排残疾人就业达不到其所在地省、自治区、直辖市人民政府规定比例的，应当缴纳残疾人就业保障金"。一方面，保障了各单位履行法律责任的严肃性；另一方面，又考虑到现实情况，体现出各单位履行责任的灵活性。

根据《残疾人就业条例》第九条的规定，"用人单位安排残疾人就业达不到其所在地省、自治区、直辖市人民政府规定比例的，应当缴纳残疾人就业保障金"。凡安排残疾人达不到省、自治区、直辖市人民政府规定比例的国家机关、社会团体、企业事

业单位、民办非企业单位,应当根据地方有关法规的规定,按照年度差额人数和上年度本地区职工年平均工资计算交纳残疾人就业保障金。残疾人就业保障金是用于残疾人就业的专项资金,具体用于下列开支:补贴残疾人职业培训费用;奖励超比例安置残疾人就业的单位及为安排残疾人就业做出显著成绩的单位;有偿扶持残疾人集体从业、个体经营;经同级财政部门批准,适当补助残疾人劳动服务机构经费开支;经同级财政部门批准,直接用于残疾人就业工作的其他开支。残疾人就业保障金必须按照规定用途使用,任何部门不得平调或挪作他用。

(3)国家鼓励用人单位超过规定比例安排残疾人就业。目前,我国仍有近300万名有劳动能力的城镇残疾人,未能实现就业,残疾人的就业形势依然非常严峻。国家规定的最低比例,既考虑到残疾人就业问题,又要考虑到各单位的具体情况和承受力,避免各单位特别是一些中小企业的社会负担过重,是权衡各方面情况,做出的最低比例。国家鼓励各单位在其岗位和工种适合的情况下,在其可承受的范围内,超过规定比例安排残疾人就业。

(三)关于制定残疾人就业具体办法的规定

本条第三款明确规定残疾人就业的具体办法由国务院规定。这是一项委任性规定,国务院可以根据这一条款制定有关残疾人就业的具体办法。2007年2月,国务院发布《残疾人就业条例》,对实行按比例安排残疾人就业制度作出规定。

第三十四条 国家鼓励和扶持残疾人自主择业、自主创业。

【释义】 本条是关于国家鼓励和扶持残疾人自主就业的规定。

自主择业、自主创业具有就业范围广,就业形势灵活的优势。在当前就业矛盾普遍突出、残疾人就业尤为困难的情况下，残疾人通过自主择业、自主创业实现劳动就业，不仅可以解决残疾人的生活问题，使残疾人积极参与到社会生活中，还可以减轻国家和社会的负担和就业压力，具有更为积极的现实意义。鼓励和扶持残疾人自主择业、自主创业，是新形势下解决残疾人就业问题的有效途径。各国一般都对残疾人自主择业、自主择业规定了鼓励和扶持措施。如日本法律规定，国家及地方政府对自谋职业的残疾人提供贷款担保，为肢残者提供电动轮椅和汽车等，并在开业、就业方面给予资金援助。美国为帮助处于自谋职业发展阶段中的残疾人提高生活自理能力、生产劳动能力和参与社会生活能力，设立了“特殊项目基金”。加拿大对残疾人自谋职业活动时给予专项全额津贴。

目前，我国对残疾人自主择业、自主创业的鼓励和扶持措施主要包括：

（1）对个人或自愿组织起来从事个体经营的残疾人，应当依法给予税收优惠。财政部、国家税务总局2007年6月1日作出的《关于促进残疾人就业税收优惠政策的通知》（财税〔2007〕92号），对残疾人个人就业的增值税、营业税政策以及个人所得税政策作出统一规定：根据《中华人民共和国营业税暂行条例》（国务院令第136号）第六条第（二）项和《中华人民共和国营业税暂行条例实施细则》［（93）财法字第40号］第二十六条的规定，对残疾人个人为社会提供的劳务免征营业税。根据《财政部、国家税务总局关于调整农业产品增值税税率和若干项目征免增值税的通知》［（94）财税字第004号］第三条的规定，对残疾人个人提供的加工、修理修配劳务免征增值税；根据《中华人民共和国个人所得税法》（主席令第四十四号）第五条和《中华人民共和国个人所得税法实施条例》（国务院令第142号）第十六条的规定，对残疾人个人取得的劳动所得，按照省（不含计划单列市）人民政府规定的减征幅度和期限减征个人所得税。具体所得项目为：工资薪金所得、个体工商户的生产和经营所得、对企事业单位的承包和承租经营所得、劳务报酬所得、稿酬所得、特许权使用费所得。

（2）各级工商行政管理部门应为从事个体经营的残疾人提供方便，优先办理登记注册手续。残疾人申办个体工商户、从事个体经营的，凭《中华人民共和国残疾人证》和当地残疾人联合会证明（残疾人本人残疾类别、程度，家庭或个人经济收入情况），工商行政管理部门按照规定免收管理类、登记类和证照类的行政事业性收费。

（3）国家对自主择业自主创业的残疾人在一定期限内给予小额信贷等扶持。

（4）各级劳动保障部门要根据《社会保险费征缴暂行条例》的规定，逐步将个人或自愿组织起来从事个体经营的城镇残疾人纳入社会保险的范围。

（5）各级残疾人联合会有针对性地组织残疾人进行职业技能培训；帮助选择适应市场需要、适合残疾人自身特点的经营项目，并帮助办理工商营业手续，落实经营场地；协调城建、环卫等部门落实相关优惠政策和具体扶助措施；对个人或自愿组织起来从事个体经营的残疾人要根据需要，在资金上予以扶持，所需资金可在残疾人就业保障金中列支；协助劳动保障部门将个人或自愿组织起来从事个体经营的城镇残疾人纳入社会保险的范围，并积极承担组织服务工作。

第三十五条　地方各级人民政府和农村基层组织，应当组织和扶持农村残疾人从事种植业、养殖业、手工业和其他形式的

生产劳动。

【释义】 本条是关于组织和扶持农村残疾人从事生产劳动的规定。

据有关数据表明,目前,我国约有4800万名残疾人生活在农村,占残疾人总数60%。而这4800万名农村残疾人中仍有近千万人尚未解决温饱问题。组织和扶持农村有劳动能力的残疾人参加生产劳动,是残疾人就业工作重要组成部分,对解决农村残疾人的贫困问题、改善其生活状况具有重要意义,也有助于残疾人通过参加生产劳动,发挥主动性、创造性,实现自尊、自信、自强、自立。

(一)组织和扶持农村残疾人从事生产劳动,是地方各级人民政府和农村基层组织的重要职责

地方各级人民政府是地方各级人民代表大会的执行机关,是地方各级国家行政机关。农村基层组织是指村民委员会等村民自我管理、自我教育、自我服务,实行民主选举、民主决策、民主管理、民主监督的基层群众性自治组织,负责办理本村的公共事务和公益事业,调解民间纠纷,协助维护社会治安,向人民政府反映村民的意见、要求、提出建议。本条明确规定地方各级人民政府和农村基层组织具有组织和扶持残疾人从事生产劳动的职责,有助于明确责任,解决农村残疾人的就业问题,进而提高残疾人的生活水平,改善农村残疾人的生活状况。

(二)农村残疾人就业工作应以组织和扶持农村残疾人从事种植业、养殖业、手工业和其他形式的生产劳动为主

全国80%左右的残疾人生活在农村,与正常人相比,残疾人外出就业存在更多不便,求职难度也更大。地方各级人民政府和农村基层组织应当从实际出发,制定具有针对性的政策,把组织和扶持残疾人从事种植业、养殖业、手工业和其他形式的生

产劳动，作为农村残疾人劳动就业工作的重点。

《残疾人就业条例》第二十条规定：“地方各级人民政府应当多方面筹集资金，组织和扶持农村残疾人从事种植业、养殖业、手工业和其他形式的生产劳动。”“有关部门对从事农业生产劳动的农村残疾人，应当在生产服务、技术指导、农用物资供应、农副产品收购和信贷等方面给予帮助。”组织和扶持农村残疾人从事生产劳动，要从当地实际情况出发，从市场需求出发，兼顾残疾人特点，因地制宜，因人制易，选择有效的、合适的方式、项目，如各种特色种植业、养殖业和农副产品的精细加工业等；地方各级人民政府和农村基层组织应当根据残疾人的实际需要，采取积极措施，鼓励科研机构、各类农村合作机构有针对性地开展实用技术培训，提高贫困残疾人的科技文化素质、劳动技能，为残疾人从事生产劳动提供科技指导和服务，提高劳动的科技含量，增强市场竞争能力；小额信贷具有投入小，见效快，覆盖面大，回收率高的特点，适合用于扶持残疾人就地就近参加生产劳动。

第三十六条　国家对安排残疾人就业达到、超过规定比例或者集中安排残疾人就业的用人单位和从事个体经营的残疾人，依法给予税收优惠，并在生产、经营、技术、资金、物资、场地等方面给予扶持。国家对从事个体经营的残疾人，免除行政事业性收费。

县级以上地方人民政府及其有关部门应当确定适合残疾人生产、经营的产品、项目，优先安排残疾人福利性单位生产或者经营，并根据残疾人福利性单位的生产特点确定某些产品由其专产。

政府采购，在同等条件下应当优先购买残疾人福利性单位

的产品或者服务。

地方各级人民政府应当开发适合残疾人就业的公益性岗位。

对申请从事个体经营的残疾人,有关部门应当优先核发营业执照。

对从事各类生产劳动的农村残疾人,有关部门应当在生产服务、技术指导、农用物资供应、农副产品购销和信贷等方面,给予帮助。

【释义】 本条是关于残疾人就业优惠政策的规定。

(一)税费优惠政策

1. 税收优惠

税收是国家宏观调控的重要手段,也是推进残疾就业的一项重要措施。对安排残疾人就业达到一定比例的企业实行税收优惠,可以减少该类企业的成本支出,引导企业安排残疾人就业,同时也是对其勇于承担社会责任的鼓励。2007 年 7 月 1 日,财政部、国家税务总局,经国务院批准并经民政部、中国残疾人联合会同意,作出《关于促进残疾人就业税收优惠政策的通知》,决定在全国统一实行新的促进残疾人就业的税收优惠政策:

对安排残疾人就业达到、超过规定比例或者集中安排残疾人就业的用人单位实行增值税、营业税和企业所得税优惠政策。增值税、营业税优惠,由税务机关按单位实际安置残疾人的人数,实行限额即征即退增值税或减征营业税的办法;具体限额由县级以上税务机关根据单位所在区县(含县级市、旗,下同)适用的经省(含自治区、直辖市、计划单列市,下同)级人民政府批准的最低工资标准的 6 倍确定,但最高不得超过每人每年 3.5 万元。但是,该项增值税优惠政策仅适用于生产销售货物或提供加工、修理修配劳务取得的收入占增值税业务和营业税业务收入之和达到50%的单位,不适用于上述单位生产销售消费税应税货物和直接销售外购货物(包括商品批发和零售)以及销售委托外单位加工的货物取得的收入;营业税优惠政策仅适用于提供"服务业"税目(广告业除外)取得的收入占增值税业务和营业税业务收入之和达到50%的单位,但不适用于上述单位提供广告业劳务以及不属于"服务业"税目的营业税应税劳务取得的收入。单位应当分别核算上述享受税收优惠政策和不得享受税收优惠政策业务的销售收入或营业收入;不能分别核算的,不得享受本通知规定的增值税或营业税优惠政策。兼营本通知规定享受增值税和营业税税收优惠政策业务的单位,可自行选择退还增值税或减征营业税;一经选定,一个年度内不得变更。对安置残疾人单位的企业所得税的优惠,采取单位支付给残疾人的实际工资可在企业所得税前按支付给残疾人实际工资的100%加计扣除的办法。

需要注意的是,这里所称的单位,是指税务登记为各类所有制企业、事业单位、社会团体和民办非企业单位,不包括个人独资企业、合伙企业和个体经营户。

对从事个体经营的残疾人,对其个人为社会提供的劳务免征营业税,对其个人提供的加工、修理修配劳务免征增值税,对其个人取得的劳动所得,按照省(不含计划单列市)人民政府规定的减征幅度和期限减征个人所得税。具体所得项目为:工资薪金所得、个体工商户的生产和经营所得、对企事业单位的承包和承租经营所得、劳务报酬所得、稿酬所得、特许权使用费所得。

2. 免除行政事业性收费

残疾人从事个体经营的,除享有税收优惠外,还可免除行政事业性收费。行政事业性收费指国家机关、事业单位、代行政府职能的社会团体及其他组织根据法律、行政法规、地方性法规等有关规定,依照国家规定程序批准,在向公民、法人提供特定服务的过程中,按照成本补偿和非营利原则向特定服务对象收取的费用。行政事业性收费包括行政性收费和事业性收费两大类。前者指国家行政机关或者法律法规授权的组织在依法行使国家行政管理职能过程中向特定对象实施特定管理收取的费用或提供特定服务收取的补偿性费用;后者指事业单位或其他社会公益服务单位向特定对象提供特定服务收取的补偿性费用。事业单位或其他社会公益服务单位的经营性收费不属于事业性收费。行政事业性收费具体包括以下项目:行政管理类收费,即根据法律法规规定,在行使国家管理职能时,向被管理对象收取的费用;资源补偿类收费,即根据法律法规规定向开采、利用自然和社会公共资源者收取的费用;鉴定类收费,即根据法律法规规定,行使或代行政府职能强制实施检验、检测、检定、认证、检疫等收取的费用;考试类收费,即根据法律法规、国务院或省级政府文件规定组织考试收取的费用,以及组织经人事部或劳动和社会保障部批准的专业技术资格、执业资格或职业资格考试收取的费用;培训类收费,即根据法律法规或国务院规定开展强制性培训收取的费用。社会培训不属于行政事业性收费其他行政事业性收费的管理。根据《残疾人就业条例》的规定,残疾人申办个体工商户、从事个体经营的,凭《中华人民共和国残疾人证》和当地残疾人联合会证明(残疾人本人残疾类别、程度,家庭或个人经济收入情况),工商行政管理部门按照规定免收管理类、登记类和证照类的行政事业性收费。

对安排残疾人就业达到、超过一定比例或者集中安排残疾人就业的单位,以及残疾人个体经营者,除依法享有税费优惠外,国家还在生产、经营、技术、资金、物资、场地等方面给予扶持。

（二）优先生产经营以及专产专营政策

县级以上地方人民政府及其有关部门把一些适合残疾人生产、经营的产品、项目，优先安排残疾人福利企业或其他的残疾人福利性单位生产、经营，或者根据残疾人福利性单位的生产特点，确定某些产品由残疾人福利企业或其他的残疾人福利性单位专产。

（三）优先采购政策

政府采购是指各级国家机关、事业单位和团体组织，使用财政性资金采购依法制定的集中采购目录以内的或者采购限额标准以上的货物、工程和服务的行为。政府采购是市场经济条件下加强财政支出管理的需要，同时也是市场经济条件下政府运用财政支出实施宏观调控的一项手段。本款规定的目的就是通过政府采购引导企业安排残疾人就业，以采购的形式对残疾人就业工作给予支持。根据这一规定，一方面，优先购买的产品或者服务应当是残疾人福利性单位的产品或者服务，即残疾人福利企业、盲人按摩机构以及其他福利性单位生产的产品或者提供的服务；另一方面，应当是同等条件下优先购买，所谓“同等条件”一般指能够满足政府采购需求，且其他企业的产品或者服务，在质量、性能或者价格等方面，并不具有明显的优势。

（四）关于公益性岗位

地方各级政府开发公益性岗位，应当考虑残疾人的身体、学历、技能等方面的特殊情况，开发适合残疾人就业的岗位。公益性岗位是指由政府投资开发，享受一定的政策优惠、财政扶持，并以安排就业困难人员为主的工作岗位。就业促进法第五十三条规定：“政府投资开发的公益性岗位，应当优先安排符合岗位条件的就业困难人员。被安排在公益性岗位工作的，按照国家规定给予岗位补贴。”公益性岗位一般具有以下三个特征：一是公益性岗位由政府投资开发。公益性岗位与其他岗位的不同，不是由用人单位以本单位营利目的，为维护单位的正常运营而提供，而是由政府本着促进就业，安置就业困难人员的目的投资开发的，还有一部分公益性岗位是由政府出资购买的。二是公益性岗位应当优先安排符合岗位条件的就业困难人员。根据本条款的规定，有就业能力和需求的残疾人属于就业困难人员。地方各级人民政府应当开发适合残疾人的公益性岗位，优先安排符合条件的残疾人就业。三是对被安排在公益性岗位工作的人员，按照国家规定给予岗位补贴。《国务院关于进一步加强就业再就业工作的通知》(国发〔2005〕36 号)指出："在公益性岗位安排就业困难对象，并与其签订 1 年以上期限劳动合同的，按实际招用的人数，在相应期限内给予社会保险补贴。社会保险补贴标准按单位应为所招人员缴纳的养老、医疗和失业保险费计算。""各地可根据实际对就业困难对象在公益性岗位工作的提供适当的岗位补贴，补贴标准由当地政府确定，所需资金由地方财政解决。"

(五)优先核发营业执照

有关部门，主要是工商行政管理部门，对于申请从事个体经营的残疾人优先核发营业执照，为其从事个体经营提供便利。

(六)服务和信贷政策

对于从事各类生产劳动的农村残疾人，有关部门应当在生产服务、技术指导、农用物资供应、农副产品购销和信贷等方面，给予帮助。

第三十七条　政府有关部门设立的公共就业服务机构，应当为残疾人免费提供就业服务。

残疾人联合会举办的残疾人就业服务机构，应当组织开展

免费的职业指导、职业介绍和职业培训，为残疾人就业和用人单位招用残疾人提供服务和帮助。

【释义】　本条是关于公共就业服务机构的规定。

第一款是关于政府有关部门设立的公共就业服务机构的规定。公共就业服务机构是指政府出资，向劳动者提供职业介绍、职业指导、职业培训、社区就业岗位开发等公益性就业服务，以及向用人单位提供基本的招聘服务的公益性就业服务机构。

残疾人作为一个特殊的就业困难群体，是公共就业服务机构的重点服务目标。县级以上人民政府设立的公共就业服务机构，应当为残疾人免费提供就业服务，如职业指导、职业介绍和职业培训等，帮助残疾人实现就业。

职业指导是指针对残疾人学历、技能水平等较低的现状，通过对其提供职业咨询和指导服务，帮助残疾人进行科学的职业选择，实现就业。政府应根据劳动力市场需求和职业结构对劳动者素质的要求，针对残疾人的具体情况，提供不同的就业指导，引导其转变就业观念，开发其就业潜力，帮助其选择适合的职业。

职业培训是指通过对残疾人进行培训，使其掌握一定的知识、技能，较为容易地实现就业。根据残疾人的特点和就业需求，充分利用各种有效的培训手段，开展有较强针对性、实用性的就业训练，将技能知识和就业信息传授给残疾人。主要包括组织实施各种培训项目、职业技能实训和技能鉴定服务工作；通过资质认定，确定一批培训质量高、就业效果好的教育培训机构作为定点机构；完善培训补贴与培训质量、促进就业效果挂钩机制，引导各类教育培训机构针对残疾人特点，积极开展定向培训；在有条件的地区建设公共实训基地，面向残疾人开展职业技能操作训练和职业技能鉴定服务，为残疾人提供多层次、多形式的职业培训，并积极推行创业培训，提高残疾人的就业能力和创业能力。

残疾人提供职业培训补贴残疾人就业服务机构还应当为残疾人提供免费的职业介绍服务。公共就业服务机构由政府设置，信誉程度高，用人单位比较愿意通过公共就业服务机构发布求职信息。公共就业服务机构应充分利用这一优势，加强劳动力市场信息系统建设，合理统筹信息资源，实现各公共就业服务机构的信息联网，围绕残疾人的自身情况及具体需求，优化业务流程，为残疾人求职者和用人单位提供方便快捷高效的信息服务，提高劳动力市场供求匹配效率。

第二款是关于残疾人就业服务机构的规定。残疾人联合会设立的残疾人就业服务机构，是专门负责为残疾人群体提供就业服务的公共就业服务机构。残疾人就业服务机构是残疾人联合会所属的事业单位，接受劳动部门的业务指导，是国家劳动就业服务体系的组成部分。残疾人职业培训机构应根据残疾人的具体情况和特殊需要，设置特殊的培训手段和条件，使在普通培训机构中难以接受培训的残疾人可以得到职业培训，实现就业。其他职业培训机构，也应接受残疾人参加培训。对在各类职业培训机构中学习且生活困难的残疾人，残疾人就业服务机构应酌情给予补贴。农村残疾人职业培训以乡（镇）为单位，依托当地各种形式的实用技术培训和科技扶贫活动，对残疾人进行随班培训或单独设班培训。

残疾人就业服务机构的职能主要包括以下两方面内容：一是针对残疾人劳动者，组织免费为残疾人提供就业服务，如职业培训、职业指导、职业介绍等。具体包括：调查分析社会职业变动趋势和劳动力市场供求状况；开展对残疾人个人素质和特点的测试，并对其职业能力进行评价；帮助残疾人了解职业状况，掌握求职方法，确定择业方向，增强择业能力；向残疾人提出培训建议，并负责向就业训练机构推荐；指导用人单位选择招聘残疾人的方法，确定招用残疾人的条件和标准；对从事个体就业和自愿组织起来就业的残疾人，提供开展和生产经营方面的咨询服务；对在校的残疾学生，提供咨询和服务，进行职业指导；对有一定的就业条件而未就业，需转换职业和已就业需要提高技术水平的残疾人所进行的职业技能训练，包括就业前培训、岗前训练、转岗训练和在职训练等。二是为用人单位招用残疾人提供服务和帮助，为其招聘残疾人提供便利。

第三十八条　国家保护残疾人福利性单位的财产所有权和经营自主权，其合法权益不受侵犯。

在职工的招用、转正、晋级、职称评定、劳动报酬、生活福利、休息休假、社会保险等方面，不得歧视残疾人。

残疾职工所在单位应当根据残疾职工的特点，提供适当的劳动条件和劳动保护，并根据实际需要对劳动场所、劳动设备和生活设施进行改造。

国家采取措施，保障盲人保健和医疗按摩人员从业的合法权益。

【释义】　本条是关于国家对残疾人福利性单位及残疾职工合法权益进行保护的规定。

残疾人的劳动保护权就是法律关于保护残疾人在劳动就业方面的合法权益的规定，包括国家对福利性单位的合法权益，残疾人的劳动就业以及残疾职工的劳动条件，提供必要的优惠和保护。概括地说，残疾人的劳动保护权主要包括：

（一）对残疾人福利性单位合法权益的保护

本法第三十一条规定残疾人劳动就业，实行集中与分散相结合的方针。福利性单位是以集中安排残疾人就业为目的具有社会福利性质的特殊单位。它包括残疾人福利企业、盲人按摩机构和其他福利性单位。集中安排残疾人就业不仅有利于残疾人人尽其才,减轻国家的负担,而且有利于社会安定团结,体现了我国社会主义制度的优越性。为解决残疾人就业发挥着重要作用,其合法权益理应受到保护。主要内容包括福利性单位的财产所有权不受非法侵犯和经营自主权不受非法干预。此外,也包括这些单位依法享有的减免税收的权利;享受某种信贷优惠的权利;少数福利企业对某种产品的专产权,等等。所有这些权利都是受法律保护的。本法第三十六条规定:"县级以上地方人民政府及其有关部门应当确定适合残疾人生产、经营的产品、项目,优先安排残疾人福利性单位生产或者经营,并根据残疾人福利单位的生产特点确定某些产品由其专产。""政府采购,在同等条件下应当优先购买残疾人福利性单位的产品或者服务。"但在市场竞争的情况下,有的部门对残疾人福利性单位不能一视同仁,如在安排生产任务和原材料供应上不给、少给、给次的;有些产品本来由残疾人福利企业生产,却被别的单位争走,这些都是对残疾人福利性单位合法权益的侵犯。为确保残疾人福利单位的合法权益不受侵犯。本条明确规定,国家保护残疾人福利性单位的财产所有权和经营自主权等合法权益不受侵犯,这一规定有利于促进福利单位的发展。

(二)对残疾职工平等就业权的保护

劳动是公民的基本权利,残疾人与健全人一样,享有法律赋予的平等就业和选择职业、取得劳动报酬或收入、休息休假、社会保险等基本权利,对残疾人进行直接或间接的歧视都是违法行为。本条第二款规定:"在职工的招用、转正、晋级、职称评定、劳动报酬、生活福利、休息休假、社会保险等方面,不得歧视残疾人。”其核心内容是在同等标准、同等条件下,残疾人享有与其他健全职工平等的权利。即用人单位在招收工人、聘任管理人员和专业技术人员,提升工资级别、评定专业技术人员和学术研究人员的职称级别等,如果这些标准中有对于残疾人的歧视性内容,或者残疾人的情况符合标准,仅仅因为某些与个人工作能力无关的因素,而被剥夺上述权利,就是歧视的表现,在禁止之内。具体说来,应该注意这样几个问题:(1)用人单位在招用人员时,对求职者应公平对待、一视同仁,用人单位不要把与工作无关的一些偏见放到企业的录用标准里面去。(2)残疾职工凡是符合转正定级条件的,要同健全人一样按期转正定级。(3)残疾人就业以后经过试用能够胜任岗位工作要求的,应该和健全人同工同酬。凡是残疾职工在单位顶岗工作的,要同健全职工一样,按本单位调整工资政策,予以调整工资。(4)用人单位应按时为残疾职工交纳各种社会保险费用。(5)用人单位应保障残疾职工的休息休假的权利。休息休假是我国法律规定的一项基本权利。《中华人民共和国宪法》第四十三条第一款规定:“中华人民共和国劳动者有休息的权利。”《中华人民共和国劳动合同法》第十七条规定劳动时间和休息休假是劳动合同的必备条款。

(三)适应残疾人特点的劳动条件和特殊保护

我国劳动法和劳动合同法规定劳动条件和劳动保护是劳动合同的必备条款。用人单位为劳动者提供相应的劳动保护是对劳动者基本利益的维护,同时也是用人单位的基本责任和义务。

劳动保护是指为了保护劳动者在生产过程中的安全与健康,在劳动合同中约定的,用人单位在改善劳动条件、消除事故隐患、预防事故和职业危害、实现劳逸结合和特殊人群保护等方面,在组织、制度、场所、技术设备、教育上所采取的一系列的综合措施。为了保障劳动者在劳动过程中的安全和健康,国家制定了各项劳动保护的具体措施。目前,用人单位对职工的劳动保护一般包括这样三个内容:一是安全技术保障。比如机器设备和电器设备的安全技术,井下安全技术等,这些技术的应用或采用,应当不致构成对企业职工人身安全的威胁。二是工业卫生保障。如在生产过程中防止和消除有毒有害物质损伤人体的措施。三是建立劳动保护的规章制度。如安全生产责任制度、安全操作规程、安全教育制度等。劳动条件主要指用人单位为使劳动者顺利完成劳动合同约定的工作任务,为劳动者提供必要的物质和技术条件,如必需的劳动工具、机械设备、工作场地、辅助人员、技术资料、工具及其他一些必不可少的物质、技术条件和其他工作条件。

凡是对健全职工适用的劳动保护措施,也同样适用于残疾职工。本条针对残疾人的生理特点要求残疾职工所在单位,应当为残疾职工提供适应其特点的劳动条件和劳动保护,并根据实际需要,对劳动场所、劳动设备和生活设施进行改造。本条中的“提供适当的劳动条件和劳动保护”主要是指用人单位在劳动条件和劳动安全措施中,对残疾人职工要采取特别措施,这种保护应该适应残疾人的生理特点,并针对他们的生理特点,提供特殊的保护手段。比如盲、聋哑和智力残疾的职工,应该和健全职工搭配在一起安排上岗,并且在工作中得到健全职工的配合帮助。残疾职工的劳动位置、工种和所使用的工具也应适应各自的残疾特点,以便安全操作。

(四)保障盲人保健和医疗按摩人员从业的合法权益

盲人就业是各类残疾人就业的难点之一。我国的盲人有900多万名,这些盲人包括低视力和全盲,这些人中的大多数从事着按摩行业。盲人虽然视力有障碍,但失明后手指更加灵敏,按摩时注意力非常集中,不容易受外界干扰,能做到心手高度统一,十分适宜从事按摩工作。因此按摩一直是我国盲人就业的主渠道。盲人按摩分为医疗按摩和保健两大系列。这次修订残疾人保障法,是否将医疗按摩人员纳入到本法进行规定一直是争议的焦点。残联的同志介绍,现在全国的医疗保健按摩有3000 多个,这些人很多没有执业资格,因为卫生部颁布的执业医师法的资格认定中,盲人没有写进去。由于现在盲人非常多,从盲人的就业来讲,如果有这个执业资格,盲人学校会得到发展,将会引导更多的盲人通过学历教育来从业,这样就业的盲人会更多。无论对家庭还是社会都是好的。但也有的同志认为目前医疗按摩行业现状比较混乱,按摩人员技能水平参差不齐,按摩水平不到位,按摩师的整体素质偏低,不宜在本法中明确。修订过程中经过认真研究,大多数人认为盲人医疗按摩从 20 世纪50 年代起经历了 50 多年的发展,也被大部分人认可,作为就业的弱势群体,应该给予同等保护。因此,将医疗保健按摩人员纳入本法予以明确,从法律层面上予以保护。对于残疾人医疗保健按摩人员的从业资格问题,相关部门正在抓紧制定相关配套规定,更好地保护这部分人从业的合法权益。

第三十九条　残疾职工所在单位应当对残疾职工进行岗位技术培训,提高其劳动技能和技术水平。

【释义】　本条是对残疾职工所在单位应承担其培训的职责的规定。

企业根据本单位实际情况,有目的、有组织、按要求认真对本单位职工实施职业教育和职业培训。这既是国家所倡导的一项政策,也是企业发展的需要,还是企业的职责和义务。我国劳动法第六十六条对此专门规定:“国家通过各种途径,采取各种措施发展职业培训事业,开发劳动者素质,增强劳动者的就业能力和工作能力。”劳动法第六十八条规定:“用人单位应当建立职业培训制度,按照国家规定提取和使用职业培训经费,根据本单位实际,有计划地对劳动者进行职业培训。从事技术工种的劳动者,上岗前必须经过培训。”职业教育法第二十条规定:“企业应当根据本单位的实际,有计划地对本单位的职工和准备录用人员实施职业教育。”这就意味着企业作为职业培训的主体之一,需承担法定的培训义务。对企业而言,企业通过职业培训全面提高职工素质,是一种直接的生产型投资,是促进企业经济发展和效益提高的有效手段。企业通过培训能更好地适应企业岗位多样性的要求,对提升企业的竞争力效果更为明显。

岗位技术培训是指按照职业或者工作岗位就业活动的需要对劳动者提出的要求,以开发和提高劳动者职业技能为目的的教育和专业培训,包括岗前培训和转岗培训。根据 1996 年《企业职工培训规定》的规定,职工培训是指企业按照工作需要对职工进行的思想政治、职业道德、管理知识、技术业务、操作技能等方面的教育和训练活动。本条突出强调残疾职工所在单位应当对残疾职工进行岗位技术培训,其主要目的是使用人单位能够将岗位的特点和残疾职工的自身情况结合起来,开展更为有效、更具针对性的职业培训,以达到稳定残疾人就业的效果。劳动保障部、民政部、财政部等部门《关于进一步做好残疾人劳动就业工作的若干意见》要求“大力开展职业培训,提高残疾人职业技能”。在科技不断进步,社会化大生产日益发展,生产技术更加先进以及劳动者的劳动条件不断改善的同时,劳动者的技能和智能结合得越来越紧密,在开发劳动者的职业技能的过程中,对劳动者基本素质的要求也越来越高。劳动者基本素质也是一个合格的劳动者应该具备的能力和品质,至少应包括三个方面:一是基本文化素质,即所接受的基础文化教育状况;二是就业前后通过培训所掌握的劳动技能;三是对待工作的态度,包括职业道德、敬业精神、劳动态度等。提高残疾职工基本素质,使残疾职工成为合格的劳动者,是开展职业技能培训的目标,应该作为稳定残疾人就业的一项常抓不懈的重要任务。残疾职工所在单位应积极创造条件,对残疾职工进行岗位技术培训,使他们掌握所在岗位的劳动技能,并逐步提高其劳动技能和技术水平,发挥他们的才智,为社会主义经济建设作出贡献。

第四十条　任何单位和个人不得以暴力、威胁或者非法限制人身自由的手段强迫残疾人劳动。

【释义】　本条是对强迫残疾人劳动的禁止性规定。

公民的人身权利是公民的基本权利之一,是公民参加社会活动和享受其他权利的先决条件,受宪法和法律的保护。根据我国宪法和民法通则的有关规定,公民的人身权利是指与公民个人的人身密切相关的权利,包括人身自由权、人格尊严权、生命健康权以及肖像权,名誉权、荣誉权等。以暴力威胁或者非法限制人身自由的手段强迫残疾人劳动的行为严重侵犯了公民的人身自由权和生命健康权。我国法律对采取暴力威胁或非法限制人身自由的手段强迫劳动者劳动的行为都有禁止性规定。《中华人民共和国宪法》第三十七条规定:“中华人民共和国公民的人身自由不受侵犯。任何公民,非经人民检察院批准或者决定或者人民法院同意,并由公安机关执行,不受逮捕。禁止非法拘禁和以其他方法剥夺或者限制公民的人身自由,禁止非法搜查公民身体。”《中华人民共和国劳动合同法》第八十八条第一项规定,用人单位以暴力、威胁或者非法限制人身自由的手段强迫劳动的,依法给予用人单位行政处罚;构成犯罪的,依法追究刑事责任;给劳动者造成损害的,应当承担赔偿责任。

本次对残疾人保障法进行修订,特别强调了对强迫残疾人劳动的禁止性规定。这主要是针对目前有的地方特别是一些农村的小作坊、小煤矿、小工厂频频发生强迫残疾人劳动的违法行为。如去年的山西"黑砖窑事件",今年河北的"奴主"事件,引起社会极大的关注。这些小作坊、小煤矿、小工厂的经营者为降低生产成本,诱骗一些身体有残疾的雇工,特别是一些智力残疾的劳动者,将其非法拘禁在特定场所,以极其残忍的手段强迫其劳动,严重侵犯劳动者的人身自由权和生命健康权。残疾人由于生理和心理功能存在某些障碍,容易被一些不法分子利用,如利用智力残疾人不能真正表达自己的意志、不能辨认自己的行为,对于侵害自己人身权利的不法行为没有反抗意识的弱点,对其实施拐骗或者暴力威胁等手段迫其劳动。为了有力地打击那些利用残疾人的身心缺陷和不利地位,侵犯残疾人人身权利和其他合法权利的犯罪活动,我国法律法规都有相应的处罚规定。本法第六十七条规定:"违反本法规定,侵害残疾人的合法权益,其他法律、法规规定行政处罚的,从其规定;造成财产损失或者其他损害的,依法承担民事责任;构成犯罪的,依法追究刑事责任。"刑法第二百三十八条规定:"非法拘禁他人或者以其他方法非法剥夺他人人身自由的,处三年以下有期徒刑、拘役、管制或者剥夺政治权利。具有殴打、污辱情节的,从重处罚。犯前款罪的,致人重伤的,处三年以上十年以下有期徒刑,致人死亡的,依照本法第二百三十四条、第二百三十二条的规定定罪处罚。"

第五章 文化生活

第四十一条 国家保障残疾人享有平等参与文化生活的权利。

各级人民政府和有关部门鼓励、帮助残疾人参加各种文化、体育、娱乐活动，积极创造条件，丰富残疾人精神文化生活。

【释义】 本条是关于残疾人文化生活权利的规定。

文化生活权利是指人人拥有平等享受文化资源的权利，这种权利不受性别、种族、身份、阶层等因素的影响。我国宪法规定，中华人民共和国公民有进行科学研究、文学艺术创作和其他文化活动的自由。国家对于从事教育、科学、技术、文学、艺术和其他文化事业的公民的有益于人民的创造性工作，给予鼓励和帮助。《世界人权宣言》规定，人人有权自由参加社会的文化生活，享受艺术，并分享科学进步及其产生的福利。人人对由于他所创作的任何科学、文学或美术作品而产生的精神的和物质的利益，有享受保护的权利。《经济、社会、文化权利国际公约》规定，本公约缔约各国承认人人有权：参加文化生活；享受科学进步及其应用所产生的利益；对其本人的任何科学、文学或艺术作品所产生的精神上和物质上的利益，享受被保护之权利。

残疾人文化生活权利包括四个基本方面：第一是残疾人享有平等参与的权利；第二是残疾人共享文化成果的权利；第三是残疾人开展文化创造的权利；第四是残疾人的文化创造受到保护。根据《残疾人权利公约》的规定，残疾人有权在与其他人平等的基础上参与文化生活，并应当采取一切适当措施，确保残疾人：(1)获得以无障碍模式提供的文化材料；(2)获得以无障碍模式提供的电视节目、电影、戏剧和其他文化活动；(3)进出文化表演或文化服务场所，例如剧院、博物馆、电影院、图书馆、旅游服务场所，并尽可能地可以进出在本国文化中具有重要意义的纪念物和纪念地。应当采取适当措施，使残疾人能够有机会为自身利益并为充实社会，发展和利用自己的创造、艺术和智力潜力。应当采取一切适当步骤，依照国际法的规定，确保保护知识产权的法律不构成不合理或歧视性障碍，阻碍残疾人获得文化材料。残疾人特有的文化和语言特性，包括手语和聋文化，应当有权在与其他人平等的基础上获得承认和支持。为了使残疾人能够在与其他人平等的基础上参加娱乐、休闲和体育活动，缔约国应当采取适当措施，以便：(1)鼓励和促进残疾人尽可能充分地参加各级主流体育活动；(2)确保残疾人有机会组织、发展和参加残疾人专项体育、娱乐活动，并为此鼓励在与其他人平等的基础上提供适当指导、训练和资源；(3)确保残疾人可以使用体育、娱乐和旅游场所；(4)确保残疾儿童享有与其他儿童一样的平等机会参加游戏、娱乐和休闲以及体育活动，包括在学校系统参加这类活动；(5)确保残疾人可以获得娱乐、旅游、休闲和体育活动的组织人提供的服务。

根据本法规定，保障残疾人享有平等参与文化生活的权利主要表现在以下几个方面：(1)政府和社会采取措施，丰富残疾人的精神文化生活；(2)政府和社会鼓励和帮助残疾人进行文学、艺术、教育、科学、技术和其他有益于人民的创造性劳动；(3)政府和社会促进残疾人与其他公民之间的相互理解和交流，宣传残疾人事业和扶助残疾人的事迹，弘扬残疾人自强不息的精神，倡导团结、友爱、互助的社会风尚。

各级人民政府和有关部门鼓励和帮助残疾人参加各种文化、体育、娱乐活动，积极创造条件，满足残疾人精神文化生活的需要。组织残疾人开展形式多样、健康有益的群众性文化、艺术、娱乐活动，丰富残疾人精神文化生活，激发残疾人参与社会主义先进文化建设的热情和潜能。通过广播、电影、电视、报刊、图书、网络等形式，及时宣传报道残疾人的工作、生活等情况，为残疾人服务。组织和扶持盲文读物、盲人有声读物及其他残疾人读物的编写和出版，根据盲人的实际需要，在公共图书馆设立盲文读物、盲人有声读物图书室。开办电视手语节目，开办残疾人专题广播栏目，推进电视栏目、影视作品加配字幕、解说。发展残疾人特殊艺术，培养优秀特殊艺术人才。组织和扶持残疾人开展群众性文化、体育、娱乐活动，举办特殊艺术演出和残疾人体育运动会，参加国际性比赛和交流。文化、体育、娱乐和其他公共活动场所，为残疾人提供方便和照顾。有计划地兴办残疾人活动场所。

第四十二条　残疾人文化、体育、娱乐活动应当面向基层，融于社会公共文化生活，适应各类残疾人的不同特点和需要，使残疾人广泛参与。

【释义】　本条是关于开展残疾人文体活动应遵循的指导原则的规定。

国家和社会开展残疾人文化、体育、娱乐活动，光有良好的动机是不够的，还要注意方式方法、遵循科学合理的指导原则。本条关于指导原则的规定主要包含以下三点要求：

首先，残疾人文化、体育、娱乐活动应当面向基层。在我国，绝大多数残疾人生活、工作在农村乡镇、城市街道、厂矿企业和机关学校这样一些基层单位。只有基层活跃了、搞好了，才能使更多的残疾人获得参与社会文化生活的机会。《中国残疾人事业"十一五"发展纲要(2006年—2010年)》提出,城市社区、农村乡镇的残疾人组织和特殊教育学校、福利企事业单位要因地制宜,根据各类残疾人的特点,开展形式多样、有益于残疾人身心健康的文化、艺术、健身、娱乐活动。

其次,残疾人文化、体育、娱乐活动应当融于社会公共文化生活。残疾人生活在社会中,自然有权涉足社会公共文化生活。残疾人的文化生活是整个社会文化生活的一部分,当然也就有和社会公共文化生活相同的一面。所以,大众文化传播媒介有责任反映、宣传、关注残疾人的生活;各级政府和社会组织也应当积极创造条件,使社会的公共文化设施也为残疾人提供服务;各种文化、艺术、体育、娱乐活动,都应该最大限度地吸收、接纳残疾人参加,为残疾人广泛参与提供并且创造机会。

最后,有残疾人参加、为残疾人组织的各项文体活动应当适应各类残疾人的不同特点和需要。作为公民,残疾人和健全公民是一样的;但是作为身体有残疾障碍的公民来说,他们的文化生活又有不同于社会公共文化生活的一面。不同类别的残疾人各有不同的生活障碍;而不同的障碍又导致了弥补、克服障碍的不同需要。比如盲人看不见,于是那些有声节目、有声读物、触摸文字就成了盲人的特殊需要;聋人听不见,可视形象、字幕和手语就必不可少了……总之,只有适应了各类残疾人的不同特点和需要,残疾人才能广泛地参与到各项社会公共文化生活中来。

第四十三条　政府和社会采取下列措施,丰富残疾人的精神文化生活:

(一)通过广播、电影、电视、报刊、图书、网络等形式,及时

宣传报道残疾人的工作、生活等情况,为残疾人服务;

(二)组织和扶持盲文读物、盲人有声读物及其他残疾人读物的编写和出版,根据盲人的实际需要,在公共图书馆设立盲文读物、盲人有声读物图书室;

(三)开办电视手语节目,开办残疾人专题广播栏目,推进电视栏目、影视作品加配字幕、解说;

(四)组织和扶持残疾人开展群众性文化、体育、娱乐活动,举办特殊艺术演出和残疾人体育运动会,参加国际性比赛和交流;

(五)文化、体育、娱乐和其他公共活动场所,为残疾人提供方便和照顾。有计划地兴办残疾人活动场所。

【释义】 本条是关于丰富残疾人的精神文化生活的规定。

国家和社会有责任满足残疾人在精神文化生活方面的需求。《残疾人权利公约》号召会员国保障残疾人参与文化生活、娱乐、休闲和体育活动的权利,公约第三十条规定如下:

(1)缔约国确认残疾人有权在与其他人平等的基础上参与文化生活,并应当采取一切适当措施,确保残疾人:①获得以无障碍模式提供的文化材料;②获得以无障碍模式提供的电视节目、电影、戏剧和其他文化活动;③进出文化表演或文化服务场所,例如剧院、博物馆、电影院、图书馆、旅游服务场所,并尽可能地可以进出在本国文化中具有重要意义的纪念物和纪念地。

(2)缔约国应当采取适当措施,使残疾人能够有机会为自身利益并为充实社会,发展和利用自己的创造、艺术和智力潜力。

(3)缔约国应当采取一切适当步骤,依照国际法的规定,确保保护知识产权的法律不构成不合理或歧视性障碍,阻碍残疾人获得文化材料。

(4)残疾人特有的文化和语言特性,包括手语和聋文化,应当有权在与其他人平等的基础上获得承认和支持。

(5)为了使残疾人能够在与其他人平等的基础上参加娱乐、休闲和体育活动,缔约国应当采取适当措施,以便:①鼓励和促进残疾人尽可能充分地参加各级主流体育活动;②确保残疾人有机会组织、发展和参加残疾人专项体育、娱乐活动,并为此鼓励在与其他人平等的基础上提供适当指导、训练和资源;③确保残疾人可以使用体育、娱乐和旅游场所;④确保残疾儿童享有与其他儿童一样的平等机会参加游戏、娱乐和休闲以及体育活动,包括在学校系统参加这类活动;⑤确保残疾人可以获得娱乐、旅游、休闲和体育活动的组织人提供的服务。

我国应当如何履行公约义务,落实丰富残疾人精神文化生活的责任呢?本条对于那些切实可行、可操作的措施作了如下规定:

(1)通过广播、电影、电视、报刊、图书、网络等形式,及时宣传报道残疾人的工作、生活等情况,为残疾人服务。

这些年来,人们越来越多地从广播、电视、网络中,可以看到有关残疾人的专题或者专栏节目,有的报纸也开设了相对固定的残疾人园地。这些做法有必要向中等城市和县、乡镇、街道等基层单位进一步扩展和推广。为了及时宣传报道残疾人的工作、生活等情况,促进社会公众对残疾人事业的理解,中国残联已经会同有关部门建立了“中国残疾人事业新闻宣传促进会”,以便寻求在新闻工作者和残疾人、残疾人工作者之间建立一条稳定、畅通的工作渠道。当然,有关的宣传报道和描写必须是实事求是、真实可信的。

(2)组织和扶持盲文读物、盲人有声读物及其他残疾人读物的编写和出版,在公共图书馆根据盲人的实际需要,设立盲文读物、盲人有声读物图书室。

残疾人特殊读物的编写和出版,是丰富残疾人精神文化生活的一个重要方面。无论是形式特殊、内容特殊,或者是普通读物辅以特殊手段,都只有在符合某种类型残疾人的特点和需要的前提下,才能够被他们接受。由于盲文读物、盲人有声读物等特殊读物的编写和出版比起一般读物来要复杂得多,所以要特别加以组织,实行必要的政策倾斜。《中国残疾人事业"十一五"发展纲要(2006年—2010年)》提出,"公共图书馆和街道(镇)、社区、村图书阅览室要为残疾人提供图书借阅服务,有条件的地方要开辟盲文及盲人有声读物场所"。

(3)开办电视手语节目,开办残疾人专题广播栏目,推进电视栏目、影视作品加配字幕、解说。

在我国残疾人群体中,聋哑人占的比例很高,为了满足这一群体与社会交流的需要,开办电视手语节目或者为电视栏目、影视作品加配字幕、解说很有必要。而且社会成本很低,在技术上不成问题,要贯彻落实起来比较容易。

(4)组织和扶持残疾人开展群众性文化、体育、娱乐活动,举办特殊艺术演出和残疾人体育运动会,参加国际性比赛和交流。

通过举办特殊艺术和特殊体育运动会,可以推动残疾人的群众性文体活动,也便于从中发现和掌握特殊规律,最终形成一个社会文化生活中别具特色的新门类。现在,残疾人精神文化生活在形式和内容上的特殊性已经被世界各国所认同,所以,国际间的残疾人文化交流还肩负着"和平、进步、友谊、人道"的使命。需要指出的是,因为残疾人自身存在着困难,在他们中间所开展的各项文化活动,都有赖于国家和社会给予多方面的扶持和帮助。

(5)文化、体育、娱乐和其他公共活动场所，为残疾人提供方便和照顾。有计划地兴办残疾人活动场所。

现有的公共文体娱乐场所向残疾人开放本来就是物尽其用，关键是要照顾残疾人的特点，为他们提供方便，并且逐步增添适合他们特点和需要的内容和设施。此外，国家也应该有计划地兴建一批适合残疾人特点的残疾人文化娱乐场所，诸如残疾人活动中心等，添置一些必要的设备和用具，以便于残疾人愉悦身心、展示才华。对这些场所的建设，以及在这些场所举办的演出和比赛，有关部门也应该给予必要的经费支持和减免税照顾。

第四十四条　政府和社会鼓励、帮助残疾人从事文学、艺术、教育、科学、技术和其他有益于人民的创造性劳动。

【释义】　本条是关于政府和社会鼓励、帮助残疾人从事创造性劳动的规定。

残疾人享受与健全人平等的文化生活权利，通过参加丰富多彩的文学、艺术、教育、科学、技术和其他活动，一方面可以愉悦身心，提高素质，使他们更好地融入社会；另一方面也可以发挥他们自身的潜力，进行创造地劳动，为国家贡献他们的聪明才智，实现其人生价值。可以说古今中外，不乏杰出的残疾人科学家、文学家、音乐家、画家等，他们以自身的杰出才华，为人类的文明进步做出了宝贵的贡献。当前，我国各条战线上涌现出不少残疾人的优秀代表，共有 437 名“自强模范”受到国家表彰，71 名优秀残疾人被评选为全国劳动模范和先进工作者。截至 2004 年年底，全国共有 3375 名残疾人及其亲属和残疾人工作者当选县级以上(含县级)人大代表、政协委员。此外，在体育活动方面,1988年以来,残疾人运动员在各项重大国际体育赛事中共获得700余枚金牌,为祖国赢得了荣誉。这些生动的事实表明,残疾人和健全人一样,可以通过自身的勤奋努力和进行创造性的劳动,为国家做出自己的贡献。

作为各级人民政府和社会各方面,要积极鼓励和帮助残疾人从事文学、艺术、教育、科学、技术和其他有益于人民的创造性劳动。一方面,要对优秀残疾人的事迹进行大力宣传,对他们的创造性劳动进行表彰和奖励,从而激励他们更好地施展和发挥聪明才智,贡献社会,同时对社会公众和其他残疾人也能起到良好的教育和示范作用;另一方面,要积极组织适合残疾人参与的各项文化、科技、教育等活动,使广大残疾人通过参加这些活动,发现自身的潜力和实力,从而树立信心,去进行创造地劳动,实现自己的人生价值。如举办特殊艺术演出和特殊体育运动会等,有助于展示残疾人的才华,增进社会对残疾人的理解,同时激励残疾人自尊、自重、自强、自立,促进残疾人平等地充分参与社会生活,提高残疾人自身的素质。此外,开展国际间的残疾人文化交流和体育比赛,有助于弘扬"和平、进步、友谊、人道"的精神,展示我国社会发展和人权保障的良好形象。由于残疾人自身存在着困难,开展上述适合残疾人特点的文化体育活动,需要得到国家和社会的扶持与帮助。因此,政府和社会有责任鼓励和帮助残疾人开展文学、艺术、教育、科学、技术等方面的活动,为他们从事创造性的劳动创造机会和条件。这是政府和社会的责任所有,也是保障残疾人权益,发展残疾人事业的一项重要内容。

第四十五条　政府和社会促进残疾人与其他公民之间的相互理解和交流,宣传残疾人事业和扶助残疾人的事迹,弘扬残疾

人自强不息的精神,倡导团结、友爱、互助的社会风尚。

【释义】 本条是关于政府和社会倡导良好的社会风尚,更好地帮扶残疾人的规定。

残疾人要走出家门,融入社会,除了需要一个包括物质环境、信息和交流的无障碍环境外,更需要一个理解、尊重、关心和帮助的社会环境和氛围。政府和社会有责任去创造这样一个和谐的社会环境,倡导团结、友爱、互助的社会风尚,从而保障残疾人的合法权益,促进残疾人事业的发展。政府和社会在此方面的责任有:

(一)促进残疾人与其他公民之间的相互理解和交流

促进残疾人与其他公民之间的理解与交流,是改善残疾人参与社会生活的精神环境的重要内容。要倡导社会形成正确的"残疾人"的观念,那就是"残疾人"不是"残废人",除了在身体的某一部分功能上存在障碍外,在其他方面与健全人是一样的,享有与其他公民同等的权利和人格尊严。残疾人一样可以通过自己的劳动,实现自身的价值,为社会贡献自己的聪明才智。政府和社会要通过广播、电视、报刊、互联网等媒体以及其他各种形式,广泛宣传现代文明社会的残疾人观;同时通过开展各种活动,促进残疾人与其他公民之间的相互理解和交流,消除对残疾人的各种歧视和偏见。

(二)宣传残疾人事业和扶助残疾人的事迹

残疾人事业是为残疾人服务,解决残疾人问题,改善残疾状况,促进残疾人"平等、参与、共享"的综合性社会事业。残疾人事业内涵丰富,涉及面广,包括康复、教育、劳动就业、文化、体育、福利、环境、条件,以及残疾人组织的建设等。政府和社会要通过各种形式,积极宣传残疾人事业,促进残疾人事业的发展。同时,还要积极宣传各种扶助残疾人的事迹,推动社会、邻里、家庭成员对残疾人的关爱、照顾和扶助。要在全社会广泛开展各种形式的扶助残疾活动，把扶残助残纳入社会主义精神文明建设之中，动员、组织广大社会成员为残疾人提供帮助和服务。

（三）弘扬残疾人自强不息的精神

一是要通过各种宣传手段，大力弘扬残疾人身残志坚、自强不息的精神，为残疾人，乃至社会公众树立楷模和榜样。20 世纪 80 年代对张海迪事迹的广泛宣传，不知激励了多少人学习海迪精神，不畏艰难，勇于拼搏奉献的意志，取得了非常好的社会效果。在 21 世纪的今天，我们仍然需要树立这样的楷模和榜样，去大力弘扬残疾人自强不息的精神，从而对社会公众，特别是青少年起到很好的教育作用。二是政府和社会还要在广大残疾人中开展自立、自强活动，鼓励和帮助广大残疾人乐观进取，自强自立，积极参与社会生活，不断提高自身的素质，从而更好地得到社会的理解和尊重。

政府和社会开展好上述两个方面的活动，对于形成理解、尊重、关心和帮助残疾人的社会环境和氛围，形成团结、友爱、互助的社会风尚，从而进一步做好残疾人权益保障工作，促进残疾人事业的发展，具有十分重要的意义。

第六章　社会保障

第四十六条　国家保障残疾人享有各项社会保障的权利。

政府和社会采取措施，完善对残疾人的社会保障，保障和改善残疾人的生活。

【释义】　本条是关于残疾人享有社会保障权利规定。

从社会保障制度的历史发展和各国实践来看，社会保障的本质在于通过经济的和非经济的手段对公民生活进行一定干预，以应对公民的生活风险，使每个公民的生存和发展得到保证，使每个公民的生存权和发展权得到实现。抽象意义上的社会保障，是指国家和社会为保障人们的生活安全、保证人们的生存权和发展权实现而采取的行为总和。我国的社会保障制度正处于建立健全过程中。一般可以将社会保障理解为：国家为了保持经济发展和社会稳定，在公民年老、疾病、伤残、失业、遭遇灾害、面临生活困难的情况下，由政府和社会依法给予物质帮助，以保障公民基本生活需要的制度。社会保障包括社会保险、社会救济、社会福利等。残疾人作为我国公民，当然享有作为中国公民所能享有的全部社会保障权利；同时，残疾人作为一类特殊群体，还享有一些特殊的社会保障权利。

我国宪法第四十五条规定，中华人民共和国公民在年老、疾病或者丧失劳动能力的情况下，有从国家和社会获得物质帮助的权利。国家和社会帮助安排盲、聋、哑和其他有残疾的公民的劳动、生活和教育。宪法的这一规定成为残疾人社会保障权利的宪法依据。围绕这一规定，我国已经建立了有关残疾人社会保障制度，包括宪法、法律、行政法规、部委规章、地方性法规和规章、其他规范性文件多层次的法律体系。在这个法律体系中，我国残疾人社会保障主要包括五部分内容：社会保险、社会救助、社会福利、社区保障和特别扶助。上述内容在本节中得到了集中规定。

（一）国家保障残疾人享有各项社会保障的权利

第一，依法享受各项社会保障是残疾人的法定权利。

社会保障有几个特点：一是国家性，社会保障制度主要由国家通过各层次的立法建立制度来提供的。二是普惠性，面向全体国民，凡是符合法定条件的都可以享受。三是扶助性，主要是向社会弱势群体提供。四是渐进性，一国的社会保障制度必然要与该国的国情和所处的历史发展阶段相适应。随着该国经济社会的发展，社会保障往往有一个从低到高，从局部到全面的发展过程。

根据社会保障的这些特点，就可以有以下几个判断：一是社会保障制度需要通过国家立法来建立。在社会保障制度尚未建立之前，公民可以通过政治层面等渠道呼吁建立社会保障制度，此时社会保障还没有成为一项权利。二是社会保障法律制度建立后，公民依法享有社会保障。只要符合法定条件，公民就可以要求有关政府部门给予相应社会保障。此时，社会保障不仅仅是有关政府部门应当依法履行的义务，同时成为公民享有的一项权利。三是公民享有社会保障的权利是具体的，不是抽象的。这项权利是有边际的，这个边际就是法律的明确规定。随着社会经济的发展，社会保障制度有一个发展过程，在某个发展阶段，公民享有的社会保障权利不能超越该阶段的法律规定。

第二，国家保障残疾人的社会保障权利。

国家通过各种途径保障残疾人的社会保障权利。立法应当在明确规定残疾人的社会保障权利的同时，还应当有保障这些社会保障权利实现的条款，如规定侵害残疾人社会保障权利行为的法律责任。行政法规、规章和其他规范性文件应当制定相应的配套性规定，以落实残疾人的各项社会保障权利。政府和有关部门应当加强残疾人社会保障法律法规的实施，保证执法的规范和有效性，切实保障残疾人的社会保障权利。有的还建议，国家应当完善制度，加快建立残疾人社会保障制度的实施与绩效评估机制，充分发挥残疾人社会保障制度的功能。政府有关部门应当依法规范社会保障的范围、对象、资金来源、缴费费率、待遇水平、发放办法、监督程序等，健全残疾人社会保障制度的运作机制，切实保障残疾人的社会保障权利。

（二）政府和社会有完善各项社会保障的义务

我国自1990年颁布残疾人保障法以来，残疾人社会保障工作取得了很大成绩，广大残疾人享受到了相应的社会保障。社会保障制度为提高和改善残疾人生活，构建社会主义和谐社会做出了很大的贡献。但应该看到，我国残疾人社会保障的水平还不是很高，有些社会保障项目还没有惠及所有的残疾人，有关社会保障制度本身还有待发展完善，残疾人社会保障与广大残疾人日益增长的保障需求还有距离。因此本条明确规定，国家除了要切实保障残疾人的社会保障权利之外，还要随着经济社会的发展，不断完善残疾人的各项社会保障，这也是国家的一项法定义务。国家不仅要保障残疾人与健全人平等享有社会保障，还要针对残疾人的特殊需求提供专项社会保障。当然，社会各方面，特别是残疾人组织也有义务为发展完善残疾人社会保障发挥应有作用。

第四十七条　残疾人及其所在单位应当按照国家有关规定参加社会保险。

残疾人所在城乡基层群众性自治组织、残疾人家庭，应当鼓励、帮助残疾人参加社会保险。

对生活确有困难的残疾人，按照国家有关规定给予社会保险补贴。

【释义】　本条是关于残疾人社会保险的规定。

社会保险是社会保障制度中的核心内容，主要是通过国家立法强制建立社会保险基金，与用人单位建立劳动关系的劳动者发生丧失劳动能力、疾病、失业等情形的，给予法定的物质帮助。我国社会保险分为养老保险、医疗保险、失业保险、工伤保险和生育保险五类。社会保险有不同的模式。我国的社会保险主要通过劳动者个人和用人单位缴费筹集社会保险基金，国家予以相应财政补贴，并在一定范围内对社会保险基金实行统筹调剂，在劳动者遭受劳动风险时给予必要的帮助。社会保险与其他社会保障都是国家和社会对公民的物质帮助，但也有很大区别。第一，社会保险体现了国家、用人单位和劳动者三方的权利义务，社会保险金的数额与劳动者的劳动付出相关联；而其他社会保障则主要体现了国家的财政支持，取决于税收和国家财政性收入的水平。第二，社会保险的前提是劳动者与用人单位建立劳动关系，或者按规定缴纳各项社会保险，换言之，必须是就业且按规定缴费的劳动者才能享受社会保险；而其他社会保障前提是社会弱势群体，不同的社会保障要求的条件不尽相同，但都是针对社会待扶助的人群。第三，社会保险金的数额是与劳动者的工资收入水平和缴费年限有关，其目的是基本维持劳动者原有的生活水平；而其他社会保障数额是法定的，其目的是“雪中送炭”，使陷入困境的公民能渡过难关，维持基本的生活水平。

社会保险对残疾人的养老、医疗等发挥着极大的保障作用。同时社会保险制度作为国家的强制性规定，无论是用人单位还是劳动者都有义务依法参加。我国政府明确要求依法将残疾人纳入社会保障范围，确保城镇残疾职工参加社会保险，并按国家规定享受基本养老、医疗、失业、工伤等保险待遇。实践中，有的地方为了使残疾人"老有所养、病有所医"，已经开始探索未就业的残疾人参加社会保险的制度。如由残疾人缴纳个人账户的钱，而由基层自治组织支付或者残疾人组织从残疾人就业保障金中支付。

实践中，鉴于残疾人就业较难的现状，有的用人单位以效益差、成本高等理由，拒绝或者未足额给残疾劳动者缴纳社会保险。这种情况严重侵害了残疾劳动者的合法权益，法律应当作出针对性规定。因此，本法明确规定了用人单位为残疾劳动者缴纳社会保险的义务。

一些残疾劳动者因为身体原因，在获知有关社会保险的法律规定，实际缴纳社会保险等方面存在一些客观障碍。因此基层群众性自治组织和残疾人家庭应当鼓励、帮助残疾人参加社会保险，使残疾劳动者正确理解社会保险制度，使残疾劳动者顺利地依法参加社会保险，解决用人单位、残疾人家庭及残疾人的后顾之忧。目前，我国社会保险制度正在建立健全过程中，基层群众性自治组织等有关单位应当鼓励和帮助残疾劳动者参加养老保险、医疗保险、工伤保险、失业保险和生育保险；同时还应帮助农村贫困残疾人参加新型农村合作医疗保险，帮助农村贫困残疾人参加农村社会养老保险等。

鉴于残疾人经济困难情况，我国一向重视对参加社会保险残疾人的补助工作。《中国残疾人事业"十一五"发展纲要

（2006 年—2010 年）》中提出，要落实和完善城镇贫困残疾人个体工商户参加基本养老保险补贴制度，鼓励并组织个体就业残疾人参加社会保险。各地对残疾人社会保险补贴情况不同，经济发达地区补贴的项目多点，补贴的水平要高点。根据目前实践中有些地方的做法，补贴主要表现在以下几个方面：一是对自谋职业的残疾人收入低于一定标准，如本地上年度最低工资标准的，可申请领取社会保险费补贴；二是符合一定条件的残疾人，如被评定一级伤残、未就业且未享受最低生活保障金，可以参加社会保险，如果办理失业登记 6 个月后仍未能安排就业的残疾人，可申请领取社会保险费补贴用以个人缴费部分；三是一次性缴费的残疾人，符合一定条件的，可以申请领取社会保险费补贴等；四是一些地方对残疾人参加城镇职工基本医疗保险、城镇居民基本医疗保险和新型农村合作医疗制度给予补贴。

第四十八条　各级人民政府对生活确有困难的残疾人，通过多种渠道给予生活、教育、住房和其他社会救助。

县级以上地方人民政府对享受最低生活保障待遇后生活仍有特别困难的残疾人家庭，应当采取其他措施保障其基本生活。

各级人民政府对贫困残疾人的基本医疗、康复服务、必要的辅助器具的配置和更换，应当按照规定给予救助。

对生活不能自理的残疾人，地方各级人民政府应当根据情况给予护理补贴。

【释义】　本条是关于残疾人社会救助的规定。

第二次全国残疾人抽样调查显示，至 2006 年 4 月 1 日，我国有残疾人 8296 万名，其中重度残疾人有 2457 万名。有残疾人的家庭为 7050 万户，其中有 2 个以上残疾人的家庭为 876 万户。在残疾人事业发展过程中，关于残疾人贫困问题较为突出。

由于社会环境和观念等原因,以及残疾人生理方面的缺陷导致残疾人就业能力较为困难,残疾人成为社会上最困难的群体,生活状况大大低于社会平均水平,近年来这种差距还有继续拉大的趋势。据残联提供的有关数据显示,全国有残疾人的家庭2005年人均收入城镇为4864元,农村为2260元;而当年全国人均收入水平城镇为11321元,农村为4631元。残疾人家庭人均收入不足全国平均水平的一半。12.95%的农村残疾人家庭年人均收入低于国家规定的683元贫困线,还有7.96%的农村残疾人家庭年人均收入低于944元的相对贫困线。因此,本法明确规定对残疾人提供社会救助显得非常必要和迫切。

(一)各级人民政府对生活确有困难的残疾人,通过多种渠道给予生活、教育、住房和其他社会救助

目前,社会救助主要有城市居民最低生活保障、农村五保供养等主要形式。城市居民最低生活保障制度是指持有非农业户口的城市居民,凡共同生活的家庭成员人均收入低于当地城市最低生活保障标准,均有从当地人民政府获得基本生活物质帮助的权利的制度。《城市居民最低生活保障条例》第七条第一款规定:申请享受城市居民最低生活保障待遇,由户主向户籍所在地的街道办事处或者镇人民政府提出书面申请,并出具有关证明材料,填写《城市居民最低生活保障待遇审批表》,经所在地的街道办事处或镇人民政府初审后,由县级人民政府民政部门审批。

农村五保供养主要依据《农村五保供养工作条例》的规定。农村五保供养是指对村民中无法定扶养义务人,或者虽有法定扶养义务人,但扶养义务人无扶养能力的;无劳动能力的;无生活来源的老年人、残疾人和未成年人,在吃、穿、住、医、葬方面给予生活照顾和物质帮助的一项农村集体福利事业。五保供养分集中供养和分散供养两种形式。五保供养的内容是:(1)供给

粮油和燃料;(2)供给服装、被褥等用品和零用钱;(3)提供符合基本条件的住房;(4)及时治疗疾病,对生活不能自理者有人照料;(5)妥善办理丧葬事宜。五保供养的实际标准,不应低于当地村民的一般生活水平。

除了农村五保供养外,有些地方实行了最低生活保障制度,将符合条件的残疾人纳入最低生活保障体系;有条件的地方还适当提高差额救助标准。

各地政府在落实现行社会保障措施基础上,有的还设立专项补助,对无业、重度残疾、一户多残和有特殊需求的贫困残疾人家庭给予特别扶助,解决其生活、就业、住房、子女入学等困难。

各地政府还在积极推动建立社会医疗救助和社会救济救助等制度,帮助解决无业贫困残疾人的医疗、养老和意外原因造成的困难。

2008 年《中共中央、国务院关于促进残疾人事业发展的意见》中明确提出,加快实施农村贫困残疾人家庭危房改造项目,城市廉租住房政策和农村危房改造计划,优先照顾贫困残疾人家庭。

各级政府还采取措施积极推动社会助残。各级政府组织机关、团体、企事业单位、社会各界和残疾人贫困户"结对子",开展多种形式的帮包带扶活动,解决残疾人生产、生活中存在的困难。将助残活动融入社区工作,充分利用现有社区资源、场地和服务网络,为残疾人提供生活、就医、康复训练、文化教育和法律服务等方面的帮助。将残疾人纳入"春蕾计划""幸福工程""希望工程""青年志愿者行动"等社会救助活动。

(二)县级以上地方人民政府对享受最低生活保障待遇后生活仍有特别困难的残疾人家庭,应当采取其他措施保障其基本生活

由于我国现行最低生活保障线制度按照统一的标准执行,

没有考虑贫困家庭的复杂情况，缺乏针对残疾人、老年人、儿童等不同贫困群体最低生活救助的实际需要，致使有些残疾人在扣除用于其残疾功能补偿方面的支出后，其实际生活水平离最低生活保障应达到的标准还有相当大的距离。针对这种情况，本法明确规定，对于享受了最低生活保障待遇后生活仍有特别困难的残疾人家庭，县级以上地方人民政府应当采取其他积极措施保障其基本生活。

（三）各级人民政府对贫困残疾人的基本医疗、康复服务、必要的辅助器具的配置和更换，应当按照规定给予救助

很多国家都鼓励残疾人融入社会，其中主要的一项措施是向残疾人提供辅助器具或相应的补贴。有的免费或者优惠给肢残人安装假肢、提供轮椅或者机动交通工具，为聋人提供助听器，为盲人提供盲杖等实物。有的根据残疾人的不同情况提供不同的交通补贴和辅助器具补贴。我国对此也有专门规定。2008 年《中共中央、国务院关于促进残疾人事业发展的意见》中明确提出，保障残疾人享有基本医疗卫生服务。城乡医疗救助制度要将贫困残疾人作为重点救助对象。健全残疾人康复服务保障措施。制定和完善残疾人康复救助办法，对贫困残疾人康复训练、辅助器具适配等基本康复需求给予补贴。优先开展残疾儿童抢救性治疗和康复，对贫困残疾儿童康复给予补助，研究建立残疾儿童康复救助制度。2006 年残联在《关于进一步加强残疾人辅助器具服务工作的意见》中明确提出对残疾人配置辅助器具予以补贴，实施“普及型假肢服务”“贫困残疾人辅助器具配发”等一批重点工程，为贫困残疾人配置辅助器具；各级残联应积极争取地方政府支持，落实配套资金，通过分级负担、减免费用等措施，扩大受益面。推动有条件的地区出台残疾人辅助器具配置的补偿和救助政策，逐步纳入相关社会保障体系，建

立起残疾人辅助器具配置的经费给付机制，确保残疾人辅助器具服务的可持续发展。有些地方已经制定了有关补助的规定。

(四)对生活不能自理的残疾人，地方各级人民政府应当根据情况给予护理补贴

对生活不能自理需要他人护理的残疾人，很多国家提供护理补贴。有的提供给残疾人本人，以供残疾人雇用护理人员。有的提供给护理残疾人的人，包括残疾人的家属。有的直接向残疾人提供免费护理人员。目前我国实践中有的残疾人需要依靠家庭供养和护理，不但残疾人本人难以就业，还影响家庭成员就业。往往是一个人残疾，拖累全家贫困。因此，本法明确规定要求地方各级人民政府根据情况给予护理补贴。实践中有些地方已经出台了护理补贴制度，有的地方规定补助标准："三无"对象生活不能自理者，按贫困乡镇、欠发达乡镇、发达乡镇(街道)分别给予每月 140 元、160 元、180 元的特别护理补助；贫困户生活不能自理者按贫困乡镇、欠发达乡镇、发达乡镇(街道)分别给予每月 100 元、110 元、120 元特别护理补助；其他生活不能自理者统一按每月 50 元实行补助。

第四十九条　地方各级人民政府对无劳动能力、无扶养人或者扶养人不具有扶养能力、无生活来源的残疾人，按照规定予以供养。

国家鼓励和扶持社会力量举办残疾人供养、托养机构。

残疾人供养、托养机构及其工作人员不得侮辱、虐待、遗弃残疾人。

【释义】　本条是关于残疾人社会福利的规定。

我国对无劳动能力、无生活来源、无扶养人或扶养人不具有抚养能力的社会弱势群体实行政府出资供养的制度。早在

1982年我国民政部就制定了《城市社会福利事业单位管理工作试行办法》。该办法规定民政部门在城市（包括城镇，下同）举办的社会福利院、儿童福利院、精神病院，统称社会福利事业单位，是国家福利事业的一个组成部分。社会福利事业单位收养的人员是：城市中无家可归、无依无靠、无生活来源的孤老残幼、精神病人。1994年国务院制定了《农村五保供养工作条例》，条例规定农村五保供养是指对村民中无法定扶养义务人，或者虽有法定扶养义务人，但扶养义务人无扶养能力的；无劳动能力的；无生活来源的老年人、残疾人和未成年人，在吃、穿、住、医、葬方面给予生活照顾和物质帮助的一项农村集体福利事业。五保供养可以进行集中供养。因此，在我国对无劳动能力，无法定抚养人、无生活来源的残疾人，属非农业户口的，一般由社会福利院或者民政部门供养、救济；属农业户口的，县级和乡镇人民政府应按五保户的标准安排其基本生活。近年来，我国敬老院、福利院、光荣院、优抚医院、救助管理站、精神病人福利院等福利优抚事业单位建设取得了长足进步。截至2006年年底，收养性社会福利单位4.2万个；床位187.1万张，比上年增长14.2%；收养147万人，比上年增长18.9%。

残疾人的社会福利有三个特点：一是残疾人的社会福利构成整个福利事业的一个部分，有关供养适用《城市社会福利事业单位管理工作试行办法》和《农村五保供养工作条例》等规定。二是残疾人社会福利的前提是“三无”，即无劳动能力、无扶养人或者扶养人不具有抚养能力、无生活来源。所谓无劳动能力是指丧失劳动能力的重残者，不包括一般或者轻度残疾的人员。所谓无扶养人，是指无依无靠，没有服务人员、成年子女和其他亲属承担扶养义务。无生活来源，是指没有劳动收入和其他收入。三是供养机构包括敬老院、福利院、光荣院、优抚医院、救助管理站、精神病人福利院等。

20世纪90年代后期，在国家举办社会福利难以满足社会需求的情况下，国家鼓励社会力量举办一些福利事业，以补充国家办福利事业的不足，缓解福利供需之间的突出矛盾。因此，1999年民政部制定《社会福利机构管理暂行办法》，明确规定社会福利机构享受国家有关优惠政策，标志着我国开始重视社会力量在兴办社会福利机构上的作用，积极鼓励、扶持社会力量投资兴办福利机构。有的地方动员督促社会组织及个人兴办福利事业，颁布鼓励社会力量兴办福利事业的优惠政策。如在经费方面，财政部门将采取民办公助的办法，将一部分资金用于鼓励、支持和资助各种社会力量兴办社会福利机构；在建设方面，社会福利机构的建设用地将划拨供地或在土地有偿使用费收取标准上适当降低，新建社会福利建设项目，市政基础设施配套建设将酌情减免，并免交城市污水处理费；在税收方面，社会福利机构的社会福利服务所取得的收入免征营业税，并按照现行国家税法规定，享受有关税收优惠政策等。本条也明确规定国家鼓励和扶持社会力量举办残疾人供养、托养机构。

实践中出现了有的残疾人供养、托养机构工作人员侮辱、虐待、遗弃残疾人的情况。尽管这种情况属于个别现象，但这种现象的社会影响是极其恶劣的，与我国残疾人社会福利事业的宗旨也是完全违背的。因此本条明确规定残疾人供养、托养机构及其工作人员不得侮辱、虐待、遗弃残疾人，否则将要承担法律责任。

第五十条　县级以上人民政府对残疾人搭乘公共交通工具，应当根据实际情况给予便利和优惠。残疾人可以免费携带随身必备的辅助器具。

盲人持有效证件免费乘坐市内公共汽车、电车、地铁、渡船等公共交通工具。盲人读物邮件免费寄递。

国家鼓励和支持提供电信、广播电视服务的单位对盲人、听力残疾人、言语残疾人给予优惠。

各级人民政府应当逐步增加对残疾人的其他照顾和扶助。

【释义】 本条是关于对残疾人实行社会扶助的规定。

为了保障残疾人平等地参与社会生活,本条规定了一些特别的社会扶助措施。

(一)县级以上人民政府对残疾人搭乘公共交通工具,应当根据实际情况给予便利和优惠。残疾人可以免费携带随身必备的辅助器具

残疾人保障法第五十五条规定,公共服务机构和公共场所应当创造条件,提供优先服务和辅助性服务。根据该条规定,本条中的"便利和优惠"主要是指:购票优先、设立专座和收费优惠。目前我国公共交通基础设施较为薄弱,铁路、公路、水路和航空等交通运力还较为紧张,车票的购买较为费心。根据本条的规定,残疾人在搭乘公共交通工具时,可以优先购买车船票、飞机票。对此,县级以上人民政府应当根据实际情况作出规定给予优先。一般的公共交通工具上都设有老弱病残专座,这也是便利残疾人的一项措施。收费优惠主要是指票款的减免。各地县级人民政府应该根据当地经济发展情况,制定残疾人搭乘公共工具票款优惠的规定,为残疾人的正常出行提供便利条件。

残疾人有一些随身必备的辅助器具,如下肢残疾人的轮椅、盲人的拐杖等,残疾人在搭乘公共交通时这些辅助器具可以免费携带,有关单位不得收取任何费用。

（二）盲人持有效证件免费乘坐市内公共汽车、电车、地铁、渡船等公共交通工具。盲人读物邮件免费寄递

在各类残疾人中，盲人是最困难的，由于看不见外界事物，盲人的行动尤其困难，因此需要国家和社会给予盲人出行更多的帮助。因此，本条规定盲人持有效证件免费乘坐交通工具。这里要注意两点：一是这里的交通工具是指市内的交通工具，出了本市有关交通工具票款的优惠由政府另行规定。二是须持盲人有效证件。当然，如盲人未携带有关证件，经司售人员认定是盲人，也可免费乘车。我国多数城市中都已经做到了盲人乘坐市内公共交通免费，这样为盲人参与社会生活创造了积极的条件。

盲人图书的成本较高，大约为普通文字图书的20倍，而盲人读者大多数家庭生活较为困难，无力承担购买盲文图书的费用。因此，盲人图书馆向盲人提供盲人读物借阅业务对盲人来说非常重要。1952年万国邮联布鲁塞尔会议确定了以水陆路或者非优先方式寄发的盲人读物免除邮资的规定。所谓盲人读物，是指供盲人使用的凸出点痕的书籍、刊物、信函和文件，但不包括盲人使用的特种纸张，这些盲人读物在邮寄时可以免费。我国早在1990年的残疾人保障法中就规定了盲人读物邮件免费寄递，本次修订延续了旧法的规定。在修订过程中，有的建议增加规定盲人有声读物也可以免费寄递；后考虑到现在盲人有声读物与一般有声读物难以区分，还有待实践中进一步发展，时机成熟后可以将盲人有声读物解释为盲人读物的一种。

（三）国家鼓励和支持提供电信、广播电视服务的单位对盲人、听力残疾人、言语残疾人给予优惠

一般来说残疾人的生活比较困难，为了使残疾人更好地融入社会，共享电信、广播电视服务的发展成果，同时考虑到盲人、

听力残疾人、言语残疾人在利用电信、广播电视服务中受到很大限制，如听力残疾人在收看电视节目时受到很大的限制，只能通过画面接受信息，一些地方的电信、广播电视服务单位已经开展了对盲人、听力残疾人、言语残疾人的优惠服务，如网络和有线电视安装费的优惠等，对此本法予以充分肯定。考虑到这些优惠是由企业提供的，政府不能作强制性规定，因此本法作出了倡导性规定，国家鼓励和支持提供电信、广播电视服务的单位对盲人、听力残疾人、言语残疾人给予优惠。

（四）各级人民政府应当逐步增加对残疾人的其他照顾和扶助

随着我国经济社会的发展，各级人民政府对残疾人的照顾和扶助也应该有所发展，以使残疾人能够与健全人同时享受到发展的成果。本法作出各级人民政府应当逐步增加对残疾人的其他照顾和扶助的规定，是对各级人民政府的义务性规定。

第五十一条　政府有关部门和残疾人组织应当建立和完善社会各界为残疾人捐助和服务的渠道，鼓励和支持发展残疾人慈善事业，开展志愿者助残等公益活动。

【释义】　本条是关于建立和完善社会对残疾人捐助和服务制度的规定。

残疾人是一个特殊而困难的群体，要帮助解决残疾人面临的困难，使残疾人能与健全人一起参与社会活动，仅靠政府的力量是做不到的，还需要全社会的理解、尊重、关心和帮助。因此，政府有关部门和残疾人组织有义务建立和完善捐助和服务渠道，鼓励和支持发展残疾人慈善事业，开展志愿者助残等公益活动，建立有效地帮扶困难残疾人的机制，使社会帮助残疾人有正常而顺畅的渠道，切实改善残疾人生活状况。

（一）建立和完善社会各界为残疾人捐助和服务的渠道

我国是礼仪之邦，社会各界对残疾人的实际困难是非常关心的。很多社会组织和个人都愿意向残疾人伸出援助之手，提供力所能及的帮助。这些对残疾人的援助和帮助要真正开展和实现，需要相应的制度配合，否则就会出现有心帮助却无法实现的尴尬局面。在需要帮助的残疾人与愿意帮助的社会组织和个人之间牵线搭桥，切实发挥好社会捐助的作用，这是政府有关部门和残疾人组织的法定义务。有的地方已经开展相应工作，建立了建立区县残联扶残助残捐赠站，在各街道建立爱心助残捐助站，并在一些社区建立了捐赠点，接受社区居民和单位的捐赠，形成区、街联动，广泛参与，资源共享，同献爱心的生动局面。

（二）鼓励和支持发展残疾人慈善事业

我国对慈善事业有一个认识逐步深入的过程。慈善事业是一些先富起来的群体回报社会的举措，慈善事业也为这些人提供一个回报社会的渠道和平台。党的十六届四中全会提出了“健全社会保险、社会救助、社会福利和慈善事业相衔接社会保障体系，构建社会主义和谐社会”的目标，将慈善事业第一次写入了中央文件，从根本上确立了慈善事业在我国国民经济和社会发展中的地位。2008 年《中共中央、国务院关于促进残疾人事业发展的意见》中明确提出，要支持发展残疾人社会福利和慈善事业。残疾人慈善事业是扶助残疾人的重要途径，政府有关部门和残疾人组织应当鼓励和支持。

（三）开展志愿者助残等公益活动

开展志愿者助残，是运用社会化工作方式，扶助残疾人的一种有效形式。开展志愿者助残活动，为残疾人提供经常的、切实有效的帮助，既能解决残疾人的实际困难，帮助他们平等参与社会生活，也有助于“奉献、友爱、互助、进步”的志愿者精神在全社会传播和发扬光大。还有一些帮助残疾人的公益活动，如举办爱心演唱会、义卖等公益活动。对这些公益活动，政府有关部门和残疾人组织应当予以鼓励和支持。

第七章 无障碍环境

第五十二条 国家和社会应当采取措施，逐步完善无障碍设施，推进信息交流无障碍，为残疾人平等参与社会生活创造无障碍环境。

各级人民政府应当对无障碍环境建设进行统筹规划，综合协调，加强监督管理。

【释义】 本条是关于国家和社会应当为残疾人平等参与社会生活创造无障碍环境的规定。

（一）无障碍环境

无障碍环境，是残疾人走出家门、参与社会生活的基本条件，也是方便老年人和社会全体成员的重要措施，是完善公共服务和城市功能不可或缺的一个基本元素。

无障碍环境包括物质环境和信息交流的无障碍。物质环境无障碍主要是要求：城市道路、公共建筑物和居住区的规划、设计、建设应方便残疾人通行和使用。如城市道路应方便坐轮椅者、拄拐杖者、视力残疾者和其他有特殊需求者通行，建筑物应考虑在出入口、地面、电梯、扶手、厕所、房间、柜台等设置残疾人可使用的相应设施，方便残疾人通行。信息和交流的无障碍主要是要求：公共服务、公共传媒应使听力、言语和视力残疾者能够获得信息，进行交流。如使用手语、盲文，影视作品、电视节目加配字幕和解说，制作盲人有声读物等。

（二）国际相关规定

国际社会普遍认为无障碍是残疾人的一项重要权利，并从立法上予以保障。一方面在有关残疾人的综合性法律中用大篇幅对无障碍予以规定，如德国残疾人法、美国残疾人法、西班牙残疾人社会融合法、澳大利亚残疾歧视法、我国台湾地区“身心障碍者权益保障法”等。同时，许多国家还制定多项专门的无障碍法律，如美国的建筑物无障碍法、住房无障碍法、选举无障碍法、航空器无障碍法等。几十年来，联合国一直努力推动各国的无障碍建设。在联合国大会1982年通过的《关于残疾人的世界行动纲领》和1993年通过的《残疾人机会均等标准规则》中，都对无障碍环境作出了相关的要求。2006年12月13日第六十一届联大通过的《残疾人权利公约》更是规定，拒绝为残疾人提供合理便利构成基于残疾的歧视，要求各国从立法上保障残疾人的无障碍权利。

（三）我国无障碍建设现状

我国1990年残疾人保障法只是在第四十六条规定“国家和社会逐步实行方便残疾人的城市道路和建筑物设计规范，采取无障碍措施”，未包括信息交流无障碍内容，对物质环境无障碍的规定也不全面，且只是倡导性的规定。

由于无障碍立法滞后，我国的无障碍建设只能靠政策来推动。600多个城市中只有少数城市相对系统地开展了无障碍建设。大部分城市的道路、公共建筑、居住小区、公共交通未进行无障碍改造，新建的设施还存在不规范、不符合无障碍规范要求的问题，已建无障碍设施管理亟待加强。信息交流无障碍工作较为薄弱，盲人、聋人不能及时获得有效信息，不能参加中考、高考和诸多的职业（执业）资格考试。

近年来，有关部门制定了《城市道路和建筑物无障碍设计规范》《铁路旅客车站无障碍设计规范》《民用机场旅客航站区无障碍设施设备配置标准》《特殊教育学校建筑设计规范》等行业无障碍规章或规范性文件。许多省、市还出台了无障碍建设的法规、规章。如北京市人大常委会通过了《北京市无障碍设施建设和管理条例》,广东、安徽、天津、上海、大连、青岛、南京、杭州、厦门等省市政府也出台了无障碍设施建设管理规定。这些法规、规章和标准的制定与实施,规范了无障碍建设的规划、设计、施工、管理,使无障碍建设有章可循,保证了无障碍建设的健康有序开展,也为本次在残疾人保障法修改中增加“无障碍环境”内容奠定了基础。

(四)政府责任

各级人民政府应当对无障碍环境建设进行统筹规划,综合协调,加强管理。主要从以下几个方面进行:

第一,积极营造全社会关注无障碍建设的良好氛围。采取措施,多形式、多渠道进行无障碍建设的宣传,提高全社会无障碍意识。

第二,系统、科学、规范地推进无障碍建设。以一系列行业无障碍规章或规范性文件为依据,结合地方性法规或规章,开展无障碍环境创建工作。

第三,健全相关法规、标准、规范的制定,举办培训班,对有关部门和单位的工作人员进行无障碍环境建设知识的普及和培训。

第四,加强无障碍建设的监督检查。研究加强无障碍建设和管理的措施,密切结合工程建设和城市管理有关制度,组织专家给予技术指导,推动残疾人等有关方面代表参与无障碍监督检查,建立信息反馈制度,形成无障碍监督检查机制。

第五,为奥运会、残奥会成功举办提供无障碍建设保障。配合北京等相关城市、北京奥组委及有关部门，依据国际残奥委会和我国无障碍规范、标准有关要求，积极支持奥运会、残奥会无障碍建设和改造。

第六，推进信息无障碍建设。采取措施，为残疾人获取公共信息提供便利，鼓励研制、开发适合残疾人使用的信息交流技术。

（五）无障碍环境建设的积极意义

无障碍环境，是残疾人走出家门、参与社会生活的基本条件，也是方便老年人、妇女儿童和其他社会成员的重要措施。同时它也直接影响着我国的城市形象与国际形象。加强无障碍环境建设，是物质文明和精神文明的集中体现，是社会进步的重要标志，对培养全民公共道德意识，推动精神文明建设、创建社会主义和谐社会等具有重要的社会意义。

第五十三条　无障碍设施的建设和改造，应当符合残疾人的实际需要。

新建、改建和扩建建筑物、道路、交通设施等，应当符合国家有关无障碍设施工程建设标准。

各级人民政府和有关部门应当按照国家无障碍设施工程建设规定，逐步推进已建成设施的改造，优先推进与残疾人日常工作、生活密切相关的公共服务设施的改造。

对无障碍设施应当及时维修和保护。

【释义】　本条是关于无障碍设施建设和改造标准的规定。

（一）无障碍设施建设问题的由来

20 世纪初，由于人道主义的呼唤，建筑学界产生了一种新的建筑设计方法——无障碍设计。它运用现代技术建设和改造环境，为广大残疾人提供行动方便和安全空间，创造一个“平等、参与”的环境。国际上对于物质环境无障碍的研究可以追溯到20世纪30年代初，当时在瑞典、丹麦等国家就建有专供残疾人使用的设施。1961年，美国制定了世界上第一个无障碍标准。此后，英国、加拿大、日本等几十个国家和地区相继制定了有关法规。

（二）我国无障碍设施建设的现状

我国无障碍设施的建设是从无障碍设计规范的提出与制定开始的。1985年3月，在“残疾人与社会环境研讨会”上，中国残疾人福利基金会、北京市残疾人协会、北京市建筑设计院联合发出了“为残疾人创造便利的生活环境”的倡议。北京市政府决定将西单至西四等四条街道作为无障碍改造试点。1985年4月，在全国人大六届三次会议和全国政协六届三次会议上，部分人大代表、政协委员提出“在建筑设计规范和市政设计规范中考虑残疾人需要的特殊设置”的建议和提案。1986年7月，建设部、民政部、中国残疾人福利基金会共同编制了我国第一部《方便残疾人使用的城市道路和建筑物设计规范（试行）》，于1989年4月1日颁布实施。

十多年来，随着经济发展和社会进步，我国的无障碍设施建设取得了一定成绩，北京、上海、天津、广州、深圳、沈阳、青岛等大中城市比较突出。在城市道路中，为方便盲人行走修建了盲道，为方便乘轮椅残疾人修建了缘石坡道。建筑物方面，大型公共建筑中修建了许多方便乘轮椅残疾人从室外进入室内的坡道，以及方便使用的无障碍设施（楼梯、电梯、电话、洗手间、扶手、轮椅位、客房等）。但总的来看，设计规范没有得到较好执行，同残疾人的需求及发达国家和地区的情况相比，我国的无障碍设施建设还较为落后，有较大差距。

（三）我国相关规定

1. 推动无障碍设施建设的法规、政策

1990年12月全国人大常委会颁布的《中华人民共和国残疾人保障法》第四十六条规定："国家和社会逐步实行方便残疾人的城市道路和建筑物设计规范，采取无障碍措施。"国务院批准执行的中国残疾人事业的五年工作纲要、"八五"、"九五"、"十五"、"十一五"计划纲要，也都规定了建设无障碍设施的任务与措施。1998年4月，建设部发出《关于做好城市无障碍设施建设的通知》，主要内容是有关部门应加强城市道路、大型公共建筑、居住区等建设的无障碍规划、设计审查和批后管理、监督。1998年6月，建设部、民政部、中国残联联合发布《关于贯彻实施方便残疾人使用的城市道路和建筑物设计规范的若干补充规定的通知》，主要内容是切实有效加强工程审批管理，严格把好工程验收关，公共建筑和公共设施的入口、室内，新建、在建高层住宅，新建道路和立体交叉中的人行道，各道路路口、单位门口，人行天桥和人行地道，居住小区等均应进行有关无障碍设计。

2. 无障碍设施工程建设标准

2001年8月1日起正式实施的《城市道路和建筑物无障碍设计规范》，详细地规定了各类新建、扩建、改建的城市道路、房屋建筑、居住小区等有残疾人生活与工作场所的无障碍设计标准。其主要内容有：

（1）城市道路。实施无障碍的范围是人行道、过街天桥与过街地道、桥梁、隧道、立体交叉的人行道、人行道口等。无障碍内容是，设有路缘石（马路牙子）的人行道，在各种路口应设缘石坡道；城市中心区、政府机关地段、商业街及交通建筑等重点地段应设盲道，公交候车站地段应设提示盲道；城市中心区、商业区、居住区及主要公共建筑设置的人行天桥和人行地道应设符合轮椅通行的轮椅坡道或电梯,坡道和台阶的两侧应设扶手,上口和下口及桥下防护区应设提示盲道;桥梁、隧道入口的人行道应设缘石坡道,桥梁、隧道的人行道应设盲道;立体交叉的人行道口应设缘石坡道,立体交叉的人行道应设盲道。

(2)居住区。实施无障碍的范围主要是道路、绿地等。无障碍要求是,设有路缘石的人行道,在各路口应设缘石坡道;主要公共服务设施地段的人行道应设盲道,公交候车站应设提示盲道;公园、小游园及儿童活动场的通路应符合轮椅通行要求,公园、小游园及儿童活动场通路的入口应设提示盲道。

(3)房屋建筑。实施无障碍的范围是办公、科研、商业、服务、文化、纪念、观演、体育、交通、医疗、学校、园林、居住建筑等。无障碍要求是建筑入口、走道、平台、门、门厅、楼梯、电梯、公共厕所、浴室、电话、客房、住房、标志、盲道、轮椅席等应依据建筑性能配有相关无障碍设施。

(四)无障碍设施的建设和改造,应当符合残疾人的实际需要

道路和建筑物的修建是为满足人们的物质生产和文化生活的需要,不同的需要应有与之相适应的条件,因此道路和建筑物的使用功能以及相应设施,应能方便全社会的使用。但是长期以来,城市中的市政建设、房屋建筑及环境设施,从规划到设计,从施工到使用,其依据基本上是按照健全成年人的尺度和人体活动空间参数考虑的,其中的许多设施也是按照健全成年人的活动模式和使用需要进行制定的,因而不适合残疾人使用。这些与人的生活密切相关的方面,却给残疾人带来了物质的、精神的和社会的障碍,有的甚至是不可逾越的障碍。这些障碍不仅给他们的生活造成了诸多不便,而且将众多的残疾人排除在正

常的社会活动和社会生活之外，令他们的心理和精神产生压抑和不安。城市道路和建筑物设施的使用，在设计上应符合残疾人通行和使用的实际需要，这是保障残疾人权益的一个重要方面。

（五）无障碍设施的改造

新建、改建和扩建建筑物、道路、交通设施，各级人民政府和有关部门以及有关专业技术人员、工程设计人员、施工人员都要提高无障碍意识，注意听取残疾人和残疾人组织的意见，严格执行《城市道路和建筑物无障碍设计规范》等有关强制性标准中对无障碍设施建设的要求。主管部门要把好规划审批、设计审查关和工程验收关。要加强对已建成的无障碍设施的维护和管理，确保正常使用，并根据残疾人的实际需求因地制宜地进行改造。对于那些与残疾人日常工作、生活密切相关的公共服务设施，如商业中心区、大型文化体育场馆、机场、火车站、交通枢纽、康复中心等残疾人工作与生活集中的场所，不论项目多少和规模大小，都应考虑到残疾人的特殊利益。如在主要入口的地面有高差时，必须要修建方便轮椅通行和进出的坡道，为残疾人在购物、办理事务、学习、就医、娱乐等方面可方便地进入室内；凡设有洗手间的公共服务设施要安排好乘轮椅残疾人使用的厕位或专用洗手间；设有电梯的公共服务设施要适合乘轮椅和视力残疾者使用；设有楼梯的公共服务设施要适合拄拐杖残疾人使用；设有公用电话、查询、饮水器、服务台、自动售物等设施，要适合肢体残疾者使用的要求；离公共服务建筑停车场最近的停车车位要供给残疾人使用等。各级人民政府和有关部门应当优先推进这类公共服务设施的改造，为残疾人生活和工作提供方便。

（六）无障碍设施的维修和保护

目前，无障碍设施被非法占用和损毁的情况比较普遍，严重损害了残疾人的正常通行权益。城市道路和建筑物的所有权人或授权经营管理者,应做好无障碍设施与交通标志标线设置的协调;处理好辖区内的城市道路无障碍设施与建筑物其他设施的衔接关系,做好街区道路、建筑物无障碍设施的改造工作;城市道路和建筑物养护维修单位,应切实做好无障碍设施的养护维修工作。有关部门应把无障碍设施的维护情况作为考核养护、维修单位工作和拨付资金的重要指标,确保无障碍设施的完好;城市建设、市政、综合执法部门要加大管理力度,整顿清理无障碍设施被占用、被破坏的现象。根据《城市道路管理条例》建立相关的管理制度,加大对上述现象的处罚。要制定相关的管理规定,并定期组织对已建无障碍设施的检查,对占用、损坏无障碍设施的行为予以查处。

第五十四条　国家采取措施,为残疾人信息交流无障碍创造条件。

各级人民政府和有关部门应当采取措施,为残疾人获取公共信息提供便利。

国家和社会研制、开发适合残疾人使用的信息交流技术和产品。

国家举办的各类升学考试、职业资格考试和任职考试,有盲人参加的,应当为盲人提供盲文试卷、电子试卷或者由专门的工作人员予以协助。

【释义】　本条是关于大力发展信息交流无障碍建设的规定。

（一）当前形势

当今世界信息技术和信息产业的快速发展,极大地促进了社会生产力水平的提高,对于人们的工作和生活方式产生了深刻的影响。但是,信息通信技术在促进经济和社会发展的同时,也在一定程度上带来了人与人之间信息享有和信息使用能力的差距,产生了"数字鸿沟"。而残疾人作为社会弱势群体,在社会大潮中所面临的被信息社会"边缘化"的危险同样应该引起政府部门和社会各界的关注。

信息无障碍在整个世界都具有前瞻性,我国在这一领域的发展还处在刚刚起步阶段。近年来,我国对于残疾人的无障碍关怀在设施无障碍方面取得了重大进展,但在信息无障碍领域与发达国家相比差距较大,还处于较低的水平。主要表现在:一是我国残疾人数量比较大,目前能够享受到信息无障碍成果和参与信息无障碍建设的残疾人只占了很小一部分,还有更多的残疾人参与不了。二是开展信息无障碍建设的资金严重不足,残疾人缺少培训经费。三是适合我国残疾人信息无障碍的产品开发刚刚起步,产品单一,还需要开发更多的实用技术和产品。

(二)信息交流无障碍

信息交流无障碍就是指利用先进的信息技术手段,让残疾人可以和正常人一样无障碍地获取信息资源,为残疾人创建一个平等、参与、共享的和谐社会。信息无障碍建设是残疾人事业发展的重要组成部分。发展信息无障碍事业,将为广大残疾人群体无障碍获得信息、利用信息平等参与社会生活提供良好的基础条件和社会条件,可以使广大残疾人的合法权益得到更好的实现。

(三)获取公共信息便利

各级人民政府和有关部门应当采取措施,为残疾人获取公共信息提供便利。政府和社会应当组织和扶持盲文读物、盲人有声读物及其他残疾人读物的编写和出版,在公共图书馆根据盲人的实际需要,设立盲文读物、盲人有声读物图书室;开办电视手语节目，开办残疾人专题广播栏目，积极推进在电视栏目、影视作品加配字幕、解说；在政府的服务窗口和社区培训一批掌握手语的残疾人工作者，能与听力、言语残疾人进行直接交流等。

（四）研制、开发信息交流技术

开发利用适合残疾人使用的信息通信技术和产品，是推进信息无障碍的关键因素。如何针对具有不同障碍的残疾人开发适合不同需要的通信技术和产品，是全社会面临的共同课题。国家和社会应当积极倡导有关企业和机构关注残疾人这一社会群体的需求，抓住机会，开拓市场，并以高度的社会责任感为信息无障碍工作作出贡献。

自 2004 年起，我国有关部门已经成功举办了四届中国信息无障碍论坛，得到了政府和社会各界的高度关注和积极支持，为推动信息无障碍的进程起到了重要作用。其中第四届中国信息无障碍论坛将重点放在进一步探讨中国应如何更好地使用信息无障碍技术、产品，推动了信息无障碍在各领域内的应用，表彰了在信息无障碍技术研发和产品服务方面取得突出成绩的优秀单位。政府主管部门和残疾人组织、专业性行业组织、专家及企业的有机结合，更有效地推动了我国信息无障碍的发展，为政府部门、科研院所、信息提供商、投资商、内容服务提供商、辅助技术提供商等社会各界搭建起全方位、多层次的信息沟通与资源互动平台，从而推动信息无障碍与互联网、电信、计算机产业的共融发展。

在国家和社会的推动下，一些企业研究开发了盲人计算机系统、盲人读书机、触摸屏幕、声控手机等技术，为残疾人掌握和使用信息通信技术提供了有效的工具和手段；电信经营企业推出了方便残疾人使用的信息服务，如可以使盲人通过手机短信查询信息、在线读报、定位导向等功能的短信听业务；有的公司设计开发了无障碍信息服务平台，该平台可为残障人士提供医疗保健、健康资讯、教育培训、创业就业、政策法规等信息，以及供交友、沟通等方面的服务，帮助他们实现互相沟通，丰富精神文化生活。

（五）考试无障碍

随着我国对残疾人教育越来越重视，残疾人教育现在已经非常普及。根据本法规定，县级以上人民政府应当根据残疾人的数量、分布状况和残疾类别等因素，合理设置残疾人教育机构，并鼓励社会力量办学、捐资助学。普通教育机构对具有接受普通教育能力的残疾人实施教育，并为其学习提供便利和帮助。教育法、义务教育法、未成年人保护法、职业教育法、高等教育法等有关法律都对残疾人接受教育作了相关规定，残疾人的受教育权已得到有力的法律保障。本法和劳动合同法、就业促进法等有关法律也对残疾人平等就业作出了规定。但是残疾人的考试问题却成为残疾人在升学、就业过程中的最大障碍。执业医师法实施以后，从事盲人医疗按摩工作的专业技术人员进行执业医师注册非常困难。按规定要参加全国统一考试，目前由于没有相应的盲文试卷，因此盲人医疗按摩专业技术人员无法进行执业医师注册。根据本法规定，在国家举办的各类升学考试、职业资格考试和认知考试中，有盲人参加的，应当为盲人提供盲文试卷、电子试卷或者有专门的工作人员予以协助。

1. 盲文试卷

盲文试卷是将普通试卷翻译成盲文，再通过盲文复印机印制出来的盲人学生专用试卷。盲人学生利用写盲文的器具答完之后，再由专业人员翻译成普通试卷交由相关机构批改。通过盲文试卷，残疾人能够正常地参与各类考试，接受考核，从而完成升学、考取职业资格、任职等行为。

2. 电子试卷

电子试卷是利用日益成熟的计算机技术及语音识别技术，创设的一种具有语音技术支持的计算机考试系统，用来提高残疾考生的考试效率。如针对视障人员的视力缺陷，通过其听力来实现其缺陷补偿，以键盘操作为主，通过语音提示给予及时的引导和反馈，并辅以简单的界面和鼠标操作。这种电子试卷，不仅为残疾考生参加考试提供了方便，也是教师对残疾考生试卷进行及时有效评判的一个较好途径。

盲文试卷和电子试卷都需要比较高的成本。在缺乏经济条件、技术条件或者是参加考试的残疾考生数量较少的情况下，也可以由专门的工作人员对残疾考生参加考试予以协助。总之我们应当为参加人参加考试提供最大的方便，使他们能够正常地行使自己应有的权利。

（六）重要意义

国家和社会应当大力发展信息无障碍事业，这不仅体现了国家、社会人文关怀的精神，对共同营造更加融洽的社会氛围，全面建设和谐社会，具有重要的现实和长远意义。信息无障碍是我国信息化建设发展的必然要求，也是消除信息鸿沟、弘扬现代文明的重要途径。

第五十五条　公共服务机构和公共场所应当创造条件，为残疾人提供语音和文字提示、手语、盲文等信息交流服务，并提供优先服务和辅助性服务。

公共交通工具应当逐步达到无障碍设施的要求。有条件的公共停车场应当为残疾人设置专用停车位。

【释义】 本条是关于公共服务机构、公共场所和公共交通应当为残疾人提供优先服务和辅助性服务的规定。

(一)特殊信息交流服务

视觉、听觉有障碍的人需要盲文、手语等特殊的交际手段,这是他们了解社会,参与社会生活的不可或缺的工具。实现障碍者与非障碍者之间的无障碍沟通需要双方的努力,也需要政府、社会的关注。通过完善无障碍设施,提供特殊的信息交流服务,逐步实现无障碍信息沟通。常用的特殊信息主要有以下几个方面:

1. 语音和文字提示

通过语音或文字的形式对残疾人起到提示、引导和帮助的作用。如在城市中的一些公共场所和公共建筑、公园、旅游点中,设置导盲声体,指引视力残疾者行进。

2. 手语

手语是由于聋人交际的需要而产生的,它已作为聋人的一种语言,逐渐为人们所接受。手语包括手指语和手势语。手指语是用手指的指式变化和动作代表字母,并按照拼音顺序依次拼出词语。在远古时代,全人类都处在简单的有声语言阶段,常常用手做各种姿势来表示意思,这样的手势大多数是指示性和形象性的动作,叫做自然手势。此后,随着社会的进步,特别是聋教育的产生与发展,开始创造出具有语言性质的手势。这种在有声语言和文字基础上产生的,与有声语言密切结合的手语,称为人为手势。自然手势和人为手势结合成为手势语。

由于我国幅员辽阔,人口众多,如同汉语有各地方言一样,手语也有各种不同的地方手语。1990 年,中国聋人协会编辑的《中国手语》工具书正式出版发行,1994 年又组织编写、出版了《中国手语》续集,对推广手语,规范手语,有着重要意义。我们应当创造条件,在从事服务行业尤其是公共服务行业的工作人员队伍里,培养一批掌握一定手语技能的工作人员,为听力残疾人、言语残疾人提供信息交流服务。

3. 盲文

盲文,是专为盲人设计、靠触觉感知的文字。1829 年法国盲人路易·布莱尔发明了点字。它是用六个凸点组成的符号体系,以点数的多少和点位的不同来区分不同的符形,可变化成 63 个不同的图形符号,是现代国际上普遍使用的盲文形式。1975 年,历经十几年的研究和探索,盲文工作者提出了盲文改革,确定了"汉语双拼盲文"方案。现在,包括中国在内的许多国家在建筑物的有关标识上都标有盲文,在北京市正在建设的地铁奥运支线里楼梯扶手两端都刻上了引导用盲文。

(二)优先服务和辅助性服务

公共服务机构和公共场所对残疾人的优先服务和辅助性服务,体现在劳动就业、文化生活、社会保障等各个方面。

1. 劳动就业

国家对从事个体经营的残疾人,免除行政事业性收费;政府采购,在同等条件下,应当优先购买残疾人福利性单位的产品或者服务;对于申请从事个体经营的残疾人,有关部门应当优先核发营业执照;对于从事各类生产劳动的农村残疾人,有关部门应当在生产服务、技术指导、农用物资供应、农副产品收购和信贷等方面,给予帮助;县级以上人民政府设立的公共就业服务机构,应当为残疾人免费提供就业服务;残疾人联合会举办的残疾人就业服务机构,应当组织开展免费的职业指导、职业介绍和职业培训,为残疾人就业和用人单位招用残疾人提供服务和帮助。

2. 文化生活

政府和社会组织和扶持盲文读物、盲人有声读物及其他残疾人读物的编写和出版,在公共图书馆根据盲人的实际需要,设立盲文读物、盲人有声读物图书室;开办电视手语节目,开办残疾人专题广播栏目,推进电视栏目、影视作品加配字幕、解说。

3. 社会保障

各级人民政府对贫困残疾人的基本医疗、康复服务、必要的辅助器具的配置和更换,应当按照规定给予救助;对生活不能自理的残疾人,地方各级人民政府应当根据情况给予护理补贴。县级以上人民政府对残疾人搭乘公共交通工具,应当根据实际情况给予便利和优惠。残疾人可以免费携带随身必备的辅助器具;盲人持有效证件免费乘坐市内公共汽车、电车、地铁、渡船等市内公共交通工具。盲人读物邮件免费寄递。

(三)无障碍公共交通工具

公共交通工具是残疾人重要的出行工具,为残疾人提供无障碍服务的公共交通工具中的无障碍设施主要包括:

1. 运行信息标示设施:用文字或图案标示交通工具的路线、班次、航班或机船名等信息。

2. 入站播报设施:用语音播报,提示盲人入站车辆的路线、班次及到站名称等信息。

3. 声音导引设施:用语音提示盲人车门的位置及开闭状态。

4. 升降设备:可上下活动的机械式平台,可以负载轮椅进出交通工具。

5. 站名播报或显示设施:用语音播报或文字显示,告知公共交通工具上的盲人和聋人即将到达的站名、目的地等信息。

6. 上下阶梯、轮椅停靠、固定设施、残疾人专用座位、扶手及防滑地板。

（四）残疾人专用停车位

目前，美国、日本等发达国家都为残疾人划定了专门的停车位。建设部等有关部门就文化、体育、医疗、学校、交通等场所划定残疾人专用停车车位作出了专门规定。根据规定，残疾人专用停车位须用蓝底白图案标明，其设计的位置必须是车辆进出非常方便的地方，为了方便残疾人上下车，残疾人专用停车位所占的面积必须大于一般车位的面积。

第五十六条　组织选举的部门应当为残疾人参加选举提供便利；有条件的，应当为盲人提供盲文选票。

【释义】 本条是关于组织选举的部门应当为残疾人参加选举提供便利的规定。

保障残疾人的合法权益，我们首先想到的是残疾人的吃饭穿衣、康复就业等方面的问题，而常常忽视了保障残疾人的政治权益。本法第三条明确规定："残疾人在政治、经济、文化、社会和家庭生活等方面享有同其他公民平等的权利。"这表明，我们关心残疾人、保护残疾人合法权益应当是全方位的，在贯彻和实施残疾人保障法，保障残疾人合法权益时，不仅要关心残疾人的生活、康复及就业等方面的问题，而且要关心和注重保护残疾人的政治权利。

残疾人是特殊困难的弱势群体。由于诸多的原因，歧视、虐待、侮辱、遗弃残疾人的现象还严重存在，残疾人参与社会生活的能力和范围受到多种因素制约，残疾人的政治权益更容易被忽视。传统观念认为：残疾人是"废人"，只要有吃有穿就行了，把残疾人权益保障局限于"供养"的层面上。人是社会的人，人的权益是一个全面系统的范畴，它既包括经济、文化、身体等权益，更应当包括人的政治权利。忽视了政治权益，其他诸如经济、文化、家庭等权益和人格尊严就是残缺不全的、不完整的。残疾人是社会中一个特殊的群体，不仅需要生活上的关心和爱护，还需要在政治上的尊重和平等，需要得到在政治上的平等参与的机会和条件。残疾人不是“废人”，他们同样是社会物质、精神、政治文明的创造者和享有者。他们中确有一批有胆有识、有志气、有能力之士，完全能够在政治生活中发挥聪明才智。政治舞台和政治生活中应当有他们的合法地位。

选举权是残疾人的政治权利中十分重要的组成部分。但即使在科技最发达的国家，残疾人选举权的行使，也仍会受到根本性的侵犯。例如，在美国 2000 年大选中，至少在 18 个州，存在着残疾人进不了投票点、选票难以辨识，以及在投票过程中缺乏保密性和独立性等问题。

选举权是公民的基本政治权利。公民只有享有选举权，才能选举出能够代表人民利益的人参加管理国家大事的工作。在我国，公民的选举权是平等的、广泛的。根据我国宪法和选举法的规定，除了依法被剥夺政治权利的人，只要是年满 18 周岁的中华人民共和国公民，不分民族、种族、性别、职业、社会出身、宗教信仰、教育程度、财产状况和居住期限，都具有选举权。

残疾人享有选举权，即要有法律保障，还要有物质保障。由于身体状况的特殊性，残疾人在行使选举权利的过程中难免会受到各种阻碍，如难以进入投票点、选票难以辨认等。各级选举委员会，应当努力维护残疾人在选举过程中的政治权利，积极推动选举场所和选举工作的无障碍设施建设工作，积极推进选票的无障碍化，对有需求的残疾人提供盲文选票和各种形式的扶助，使残疾人能够自主参加选举活动。组织选举的部门应当从以下几个方面为残疾人参加选举提供便利。

(1)投票点应当尽量选在符合通用的无障碍设计标准的场所。国际通用的无障碍设计标准大致有六个方面:①在一切公共建筑的入口处设置取代台阶的坡道,其坡度应不大于1/12;②在盲人经常出入处设置盲道,在十字路口设置利于盲人辨向的音响设施;③门的净空廊宽度要在0.8米以上,采用旋转门的需另设残疾人入口;④所有建筑物走廊的净空宽度应在1.3米以上;⑤公厕应设有带扶手的座式便器,门隔断应做成外开式或推拉式,以保证内部空间便于轮椅进入;⑥电梯的入口净宽均应在0.8米以上。

(2)有条件的,应当为盲人提供盲文选票。各级选举组织应当根据当地情况资料,在经济条件、技术条件允许的情况下,为盲人提供盲文选票。

(3)在选举现场提供相应的辅助措施,如提供轮椅、手摇车、拐杖、放大镜、助听器等,方便残疾人行动及视听。

(4)配备工作人员对残疾人提供各种形式的扶助。有相关工作人员帮助和引导需要的残疾人进行填写选票、投票等相关选举活动。有条件的,应配备一些懂得手语的工作人员,为聋哑人提供服务。

第五十七条　国家鼓励和扶持无障碍辅助设备、无障碍交通工具的研制和开发。

【释义】　本条是关于国家鼓励和扶持无障碍辅助设备、无障碍交通工具的研制和开发的规定。

为残疾人创造无障碍环境,离不开各种无障碍辅助设备和无障碍交通工具。

(一)无障碍辅助设备

国际标准化组织在1992年颁布了国际标准ISO－9999《残

疾人辅助器具分类》,将残疾人辅助器具分为十大类。

1. 治疗和训练辅助器具

治疗和训练辅助器具是在一般设施的基础上,加上一个残疾人能够识别与操作的特殊界面、接口装置,以利于残疾人能独自使用。如人工呼吸装置、肌肉刺激器、平行杠、节制用闹钟。

2. 矫形器和假肢

矫形器和假肢是残疾人辅助器具行业的发源地,已有两千多年的历史,也是这一行业中发展最完善的部分。

(1)矫形器

用于人体四肢、躯干等部位,通过力的作用以预防、矫正畸形,治疗骨关节及神经肌肉疾患并补偿其功能的器械。使用目的是辅助排列,限制运动,调整排列,模拟身体某部位功能。如足矫形器、手矫形器、腰部矫形器等。

(2)假肢

假肢是为恢复原有四肢的形态或功能,以补偿截肢造成的肢体部分缺损而制作和装配的人工肢体。

3. 生活自理及防护辅助器具

生活自理及防护辅助器具包括残疾人的衣帽鞋袜等着装及穿脱辅助器具、大小便收集器具、五官肢体防护器具、洗漱浴等洁身辅助器具及残疾人用来测量体温、体重、身高及计时的辅助器具等。

4. 个人移动辅助器具

个人移动辅助器具包括各种拐杖、助行器、轮椅、机动车和自力车及附件;各种翻身、升降辅助器具及附件和操作、导向辅助器具。

5. 家务管理辅助器具

家务管理辅助器具主要是解决残疾人“食”的特殊问题。

一是用于饮食物品的准备、储存、进食等的特殊餐饮器具，及清洗存放问题；二是清扫房间及缝补衣服的有关问题。如单手切菜板、夹持式筷子、重残人的喂食用具等。

6. 家庭及其他场所使用的家具及适配件

家庭及其他场所使用的家具及适配件，是一些以“住”为主带有特殊界面、接口装置，适合残疾人使用的桌、椅、床、柜、灯等家具和门、窗、梯、安全报警设施及开关调整控辅助器具。

7. 通讯、信息及信号辅助器具

除了衣、食、住、行等需要一些特殊界面、接口装置以辅助残疾人生存外，为使他们全面康复尚需建立一些沟通信息的界面、接口设备如通讯、信息及信号辅助器具，以辅助他们参与社会交往。这方面包括视、听、读、写辅助器具；计算机等信息处理系统；交通信号及警报装置；风、雨、雪、昼、夜等天气指示系统等产品。如盲文阅读机、盲文电话机、聋人用闪光门铃、聋人用振动闹钟、盲人用语言板时钟和表等。

8. 产品及物品管理辅助器具

产品及物品管理辅助器具是为解决残疾人就业而建立的一些操作控制的特殊界面、接口装置，主要包括货物存放、搬运、拿取、操作控制、标志识别、测量及特殊机器人等工作所需要的辅助器具。

9. 环境改善辅助器具和设备、工具及机器

环境改善辅助器具和设备、工具及机器主要是辅助残疾人改善他们回归社会所遇到的空间、气候、震动、噪音、光线、空气等不利的环境条件，可用环境的维护、修整、监测、调控等方面的特殊界面、接口设备。如气候控制设备、残疾人专用工作台等。

10. 休闲娱乐辅助器具

残疾人回归社会平等参与的另一个方面是休闲娱乐。休闲

娱乐辅助器具包括游戏、玩耍、嗜好、音乐、美术工艺创作、竞赛和体育运动等活动的辅助器具。如扇形纸牌架。

（二）无障碍交通工具

无障碍交通工具是残疾人尤其是肢体残疾人正常参与社会生活的重要代步工具，生活中常用的是残疾人专用机动车。残疾人专用机动车是专供下肢残疾的人单人乘用的代步工具。为保障残疾人的交通安全，交通法规定残疾人专用机动车按非机动车管理，设计时速不准超过 20 公里。但是，目前有些企业制造和投入市场的残疾人专用机动车，动力和速度明显超过规定标准，有的还增设货厢，改制双排座位等。这不仅严重影响正常的交通秩序，而且给残疾人驾驶这种车辆带来困难，增加了不安全的隐患。因此，根据我国有关规定，只有列入目录的残疾人专用机动车才能按公安交通管理部门的具体规定销售，并在非机动车道上行驶。残疾人专用机动车必须符合下列条件：(1)有一个供驾驶员乘坐的固定座椅；(2)没有载货的贷厢或货架，但允许有存放驾驶员随身携带物品的货筐或货箱；(3)发动机排量不超过 50 毫升；(4)最高设计车速不超过 20 公里/小时；(5)车辆外廓尺寸：长不超过 2 米，宽不超过 0.8 米，且上下方便；(6)转向操纵系统和制动器灵敏、有效，有驻车制动装置；(7)前照灯、转向灯、示宽灯、制动灯、牌照灯、后视镜、喇叭等安全设施应符合要求。

在美国、欧洲及日本等发达国家，以及在我国的香港、澳门和台湾，残疾人可以驾驶汽车。残疾人被认为是最需要汽车的群体。残疾人按照自身残疾特点，定制汽车和适合自己的驾驶装置，然后参加与健全人同样的驾驶员考试。世界各国目前对残疾人买汽车都采取了税费减免、专用停车位等特殊政策，鼓励残疾人买车、开车，推动残疾人可以自行驾驶的带有驾驶辅助装置的车辆的普及。但是在我国，目前还不允许残疾人驾驶汽车。国内有企业专门从事残疾人驾驶汽车手动辅助装置研制，以满足下肢残疾群体的迫切需求而研制和开发的新型操纵系统，适应于各类无级变速车、电动车等车型。去年，奇瑞汽车销售有限公司与北京美倍力残疾人文化中心就曾举办过“残疾人手操纵汽车驾驶装置演示、体验”活动，来自北京市的十余位残疾人士亲自试驾了通过改装后适合双下肢残疾的人驾驶的轿车。目前国内还没有厂家设计生产残疾人专用汽车，只有依据个人需要加工的改装车。虽然很多残疾人有购车的能力和需要，但国内残疾人驾车合法化问题和专用汽车生产滞后等问题还有待解决。

第五十八条　盲人携带导盲犬出入公共场所，应当遵守国家有关规定。

【释义】　本条是关于盲人应当按照国家有关规定携带导盲犬出入公共场所的规定。

鉴于我国在申办 2008 年奥运会时曾承诺导盲犬可以入境，同时考虑到许多国家在其法律中也均有盲人可以携带导盲犬出入公共场所的规定，因此修订草案规定：“盲人携带导盲犬出入公共场所，应当遵守国家有关规定。”

导盲犬是盲人出行、参与社会生活的重要工具，属工作犬，能帮助盲人独立自主地融入社会。

导盲犬对狗的品种和血统要求很高，必须性情温和，喜欢与人在一起，不具有任何攻击性，最常见的品种为拉布拉多、黄金猎犬、德国狼犬、贵宾犬。导盲犬的训练通常需要 2 年时间，淘汰率高达 30% 以上，服役期却只有 8 年到 10 年。一只导盲犬的国际市场价格一般为 5 万美元，需要吃专门的食物，驯养成本高,普通盲人家庭很难负担。

国外系统训练导盲犬始于1780年,训练使用导盲犬现在已是十分成熟普遍的做法。每年的四月,为国际导盲犬月。许多国家成立了导盲犬协会。全世界目前共有110多个导盲犬训练机构,2万多只导盲犬在服役。国际导盲犬联盟成立于1989年,84个导盲犬训练机构为其成员。在许多国家和地区,免费使用导盲犬是盲人享有的一项社会福利。对盲人使用导盲犬的权利,至少有30多个国家通过立法予以保障。导盲犬佩戴易识别的特殊设备,盲人可以携带导盲犬出入公共场所和公共交通工具。

我国在申办2008年奥运会时承诺,导盲犬可以入境。国际残奥委会也要求竞赛场馆"要其提供适合使用拐杖、导盲犬和助听系统、装置的人群使用的加宽的无障碍座位"。国际奥委会还决定,来自大连导盲犬训练基地的11只导盲犬为2008年奥运会的预备役导盲犬。

近年来,导盲犬得训练得到了公安部等有关部门和上海、大连等地方政府的支持,在大连、上海建立了导盲犬训练基地。2007年3月2日,公安部南京警犬研究所、日本导盲犬协会、上海市残联共同发起导盲犬项目,公安部南京警犬研究所正式投入6只拉布拉多幼犬用于导盲犬训练。

出于公共安全卫生的考虑,犬类出入公共场所是受到一定限制的。如《北京市养犬管理规定》第十七条规定,携犬乘坐小型出租汽车时,应当征得驾驶员同意,并为犬戴嘴套,或者将犬装入犬袋、犬笼,或者怀抱;携犬乘坐电梯的,应当避开乘坐电梯的高峰时间,并为犬戴嘴套,或者将犬装入犬袋、犬笼;携犬出户时,应当对犬束犬链,由成年人牵领,携犬人应当携带养犬登记证,并应当避让老年人、残疾人、孕妇和儿童;携犬出户时,对犬在户外排泄的粪便，携犬人应当立即清除；养犬不得干扰他人正常生活；犬吠影响他人休息时，养犬人应当采取有效措施予以制止；定期为犬注射预防狂犬病疫苗；不得虐待、遗弃所养犬等。

为了使盲人使用导盲犬的权利和其他公众的安全权益等合法权益得到平衡，本法明确规定，盲人携带导盲犬出入公共场所，应当遵守国家有关规定。如《中国民用航空旅客、行李国际运输规则》第五十三条规定：盲人或者持有医生证明的聋人旅客携带导盲犬或者助听犬乘机，按下列规定办理：(1)经承运人同意携带的导盲犬或者助听犬，连同其容器和食物，可以免费运输而不计算在免费行李额内；(2)带进客舱的导盲犬或者助听犬，必须在上航空器前为其戴上口套和系上牵引绳索，并不得占用座位和让其任意跑动，装在货舱内运输的，其容器必须符合本规则第四十九条第(4)项的规定；(3)收运导盲犬或者助听犬的其他运输条件，按照本规则第四十九条第(1)、(3)项和第五十一条的规定办理；(4)在中途不降停的长距离飞行航班上或者在某种型号的航空器上，不适宜运输导盲犬或者助听犬的，承运人可以不接受运输。

第八章 法律责任

第五十九条　残疾人的合法权益受到侵害的，可以向残疾人组织投诉，残疾人组织应当维护残疾人的合法权益，有权要求有关部门或者单位查处。有关部门或者单位应当依法查处，并予以答复。

残疾人组织对残疾人通过诉讼维护其合法权益需要帮助的，应当给予支持。

残疾人组织对侵害特定残疾人群体利益的行为，有权要求有关部门依法查处。

【释义】　本条是关于残疾人的合法权益受到侵害的，可以向残疾人组织投诉，以及残疾人组织在维权方面的责任的规定。

（一）残疾人的合法权益受到侵害的，可以向残疾人组织投诉

这里的“残疾人组织”是指中国残疾人联合会及其地方组织，以及其他残疾人民间组织。中国残联是经国务院批准和国家法律确认的将残疾人自身代表组织、社会福利团体和事业管理机构融为一体的残疾人事业团体，其主要职能是代表残疾人共同利益，维护残疾人合法权益，团结教育残疾人，为残疾人服务。截至2006年年底，全国省、市、县、乡四级残联共有43,981个，社区（村）残疾人协会总数达431,371个。另外，残疾人民间组织近年来有了一定发展。有作为社团登记的，有作为民间非企业组织登记的，有作为企业在工商部门登记，还有一部分未

经登记。

残疾人的合法权益受到侵害的,可以向中国残疾人联合会各级组织,及其他残疾人组织进行投诉,以维护自己的合法权益。

(二)残疾人组织在维权方面的责任

残疾人组织在维护残疾人权益方面,承担了重要的责任,包括:

1. 残疾人组织有权就残疾人权益受侵害行为要求有关部门或者单位查处

应当说,维护残疾人权益的责任主要由各级政府及其有关部门来承担。残联等残疾人组织作为社会团体,在维护残疾人权益方面,它的角色是协助和配合政府及其有关部门工作。所以,对受害残疾人的投诉,残联等残疾人组织要积极向政府有关部门、单位反映,要求有关部门或者单位查处。

2. 有关部门或者单位应当依法查处,并予以答复

对于残疾人组织所反映的情况和予以查处的要求,有关部门或者单位应当认真对待,并依法予以调查处理,绝不能推诿、拖延、压制,不予查处。关于各级政府及其有关部门对维护残疾人权益方面的职责,本法是有明确规定的,包括:"各级人民政府和有关部门,应当密切联系残疾人,吸取残疾人的意见,按照各自的职责,做好残疾人工作。""国家机关、社会团体、企业事业单位和城乡基层群众性自治组织,应当做好所属范围内的残疾人工作。"因此,各级政府及其有关部门要认真履行各自的职责,不仅要认真查处有关违反残疾人保障法,侵害残疾人合法权益的违法行为,还要将最后处理的结果向反映情况的残疾人组织予以答复。

3. 残疾人组织对残疾人通过诉讼维护其合法权益需要帮助的,应当给予支持

目前,在保障残疾人权益方面,我国已基本形成了以各级人

民政府为主导,司法机关配合,社会各界广泛参与、残疾人组织积极发挥作用的社会化工作格局。在这一格局中,各级残联组织以其自身的特点和优势,发挥了十分重要的作用。许多地方的残联组织与司法、民政、公安部门、法院、城乡基层群众性自治组织以及高校等单位合作,支持受害残疾人进行维权诉讼。对于残疾人通过诉讼维护其合法权益需要帮助的,残疾人组织应当通过各种方式给予支持。

4. 残疾人组织对侵害特定残疾人群体利益的行为,有权要求有关部门依法查处

对侵害特定残疾人群体利益的行为,残疾人联合会等残疾人组织有权要求有关部门依法查处。这里的"侵害特定残疾人群体利益的行为"是指贬低损害残疾人群体的人格尊严的行为,如宣传媒体、广告和文艺作品中出现的有损残疾人人格和群体利益的作品等。对于发生的此类违法行为,残联可以通过大众传播媒介揭露、批评,并有权要求有关部门依法查处。

应当指出的是,本条规定的是对残疾人权益受侵害的一个救助措施。所谓救助措施是指对受害残疾人权利救济的渠道和有关方面对受害残疾人予以救助的职责。救护措施与法律责任在保障残疾人权益方面相辅相成,缺一不可:一是,救助措施从时间上侧重于对残疾人权益进行事先、事中的维护,使他们在遇到侵权行为时能够获得及时的救助,避免受到更大的伤害。而法律责任则侧重于一种事后救济,因为对违法者追究法律责任需要一段时间过程,有关部门、司法机关需要经过法定的程序来调查处理。所以单靠法律责任有时不能及时对受害的残疾人予以帮助。二是,从针对的对象上说,救助措施直接针对的是权益受侵害的残疾人。而法律责任则针对的是侵权人,是通过对侵权人追究法律责任的方式,来打击和制裁各种侵害残疾人权益

的违法行为。总之,救助措施和法律责任二者在维护残疾人权益方面是各有侧重,互为补充,构成了一个有效维护残疾人权益的全过程和整体网络。

第六十条　残疾人的合法权益受到侵害的,有权要求有关部门依法处理,或者依法向仲裁机构申请仲裁,或者依法向人民法院提起诉讼。

对有经济困难或者其他原因确需法律援助或者司法救助的残疾人,当地法律援助机构或者人民法院应当给予帮助,依法为其提供法律援助或者司法救助。

【释义】 本条是关于残疾人有权依法维护自身的合法权益,以及依法获得法律援助或者司法救助的规定。

(一)残疾人的合法权益受到侵害的,有权要求有关部门依法处理,或者依法向仲裁机构申请仲裁,或者向人民法院提起诉讼

残疾人本身必须要有依法维护自身权利的意识,当自身的合法权益受到侵害时,要积极向有关部门投诉,要求有关部门依法处理,或者依法向仲裁机构申请仲裁,或者向人民法院提起诉讼,以法律的武器维护自身的合法权益。

这里规定的"残疾人的合法权益受到侵害的,有权要求有关部门依法处理"是指残疾人有权要求与侵权事件有关的主管部门依法处理。如对于侵害残疾人受教育权益的,受害残疾人可以向教育部门投诉,要求处理;对于侵害残疾人劳动和社会保障权益的,受害人可以要求劳动和社会保障部门予以处理,等等。

这里规定的"或者依法向仲裁机构申请仲裁",是指残疾人可以就侵犯自身权益的违法行为,依据仲裁法、劳动争议调解仲裁法、农村土地承包法等法律申请仲裁。具体是:

第一,对于民事纠纷,可以依仲裁法申请民事仲裁。仲裁,

亦称公断，是指发生民事经济纠纷的当事人按照合同中订立的仲裁条款和以其他书面形式在纠纷发生前或者纠纷发生后达成的请求仲裁的协议，自愿将有关争议提交仲裁机构，仲裁机构以第三者的身份居中调解，并按照一定程序作出对双方当事人都具有约束力的判断和裁决，当事人必须履行裁决的一种法律制度。根据仲裁法的规定，民事仲裁实行仲裁终局制度，当事人对仲裁裁决不服的，不能向人民法院提起诉讼。

第二，对于劳动争议，可以依据劳动争议调解仲裁法的规定向劳动争议仲裁机构申请劳动仲裁。劳动仲裁一般是作为公民向法院起诉的前置程序规定的。这主要是考虑到劳动争议方面纠纷的处理专业性比较强，需要专业仲裁机构先行处理一道。这样一方面有利于快速解决纠纷，方便当事人；另一方面也可以缓解法院审判的压力。对于申请劳动仲裁后，仲裁机构不予受理，或者对仲裁裁决不服的，当事人可以依法向人民法院提起民事诉讼。

第三，对于农村土地承包纠纷，可以依据农村土地承包法向农村土地仲裁机构申请仲裁。农村土地承包仲裁机构的仲裁，不是向法院诉讼的前置程序，而是给当事人以选择权，或者申请仲裁，或者到法院诉讼。对于申请仲裁后，对仲裁裁决不服的，还可以向法院提起诉讼。在这一点上，此种仲裁与劳动仲裁有相似之处，即对于这两种仲裁裁决不服的，公民都可以依法向人民法院提起诉讼。

这里规定的“或者依法向人民法院提起诉讼”，是指受害残疾人依据侵害行为的性质，直接向人民法院提起民事诉讼、行政诉讼或者刑事自诉。如对于侵害残疾人人身权、财产权、婚姻家庭权益的违法行为，受害人都可以依法提起民事诉讼；对于行政机关侵害残疾人权益的行为，包括直接侵权的和间接以不作为的方式侵权的违法行为，受害的残疾人可以依法提起行政诉讼；

对于受到遗弃、家庭暴力、虐待等,情节严重构成犯罪的,受害人可以向法院提起刑事自诉,请求法院追究有关人员的刑事责任。

(二)对有经济困难需要法律援助或者司法救助的残疾人,当地法律援助机构或者人民法院应当给予帮助,依法为其提供法律援助或者司法救助

1. 法律援助

法律援助是指对于经济困难的公民给予必要的法律服务,包括法律咨询、代理、刑事辩护等无偿法律服务。对想诉讼而因经济困难无法获得必要的法律服务的公民,实行法律援助制度,是国际上通行的做法。我国在刑事诉讼法、律师法等法律中对这一制度作出了规定。2003 年 9 月 1 日起施行的《法律援助条例》对法律援助制度更是作出了具体的规定。根据该条例的规定,法律援助的范围包括:(1)依法请求国家赔偿的;(2)请求给予社会保险待遇或者最低生活保障待遇的;(3)请求发给抚恤金、救济金的;(4)请求给付赡养费、抚养费、扶养费的;(5)请求支付劳动报酬的;(6)主张因见义勇为行为产生的民事权益的。对于上述事项的申请,该条例规定:(1)请求国家赔偿的,向赔偿义务机关所在地的法律援助机构提出申请;(2)请求给予社会保险待遇、最低生活保障待遇或者请求发给抚恤金、救济金的,向提供社会保险待遇、最低生活保障待遇或者发给抚恤金、救济金的义务机关所在地的法律援助机构提出申请;(3)请求给付赡养费、抚养费、扶养费的,向给付赡养费、抚养费、扶养费的义务人住所地的法律援助机构提出申请;(4)请求支付劳动报酬的,向支付劳动报酬的义务人住所地的法律援助机构提出申请;(5)主张因见义勇为行为产生的民事权益的,向被请求人住所地的法律援助机构提出申请。

如果残疾人申请法律援助的,应当提交本人身份证或者其

他有效的身份证明；代理申请人还应当提交有代理权的证明；同时，还应当提交经济困难的证明，以及与所申请法律援助事项有关的案件材料。

申请法律援助应当采用书面形式，填写申请表；以书面形式提出申请确有困难的，可以口头申请，由法律援助机构工作人员或者代为转交申请的有关机构工作人员作书面记录。对于公民的申请，由法律援助机构负责受理、审查，指派或者安排人员为符合规定的公民提供法律援助。律师应当依照律师法和法律援助条例的规定履行法律援助义务，为受援人提供符合标准的法律服务，依法维护受援人的合法权益，接受律师协会和司法行政部门的监督。

2. 司法救助

司法救助，是指人民法院对于当事人为维护自己的合法权益，向人民法院提起民事、行政诉讼，但经济确有困难的，实行诉讼费的缓交、减交、免交制度。实行司法救助制度的目的是使经济确有困难的当事人能够依法行使诉讼权利，维护其合法权益。最高人民法院于2000年7月通过了《关于对经济确有困难的当事人提供司法救助的规定》，2005年4月又对该规定进行了修订。根据新修订的最高人民法院《关于对经济确有困难的当事人提供司法救助的规定》，可以向人民法院申请司法救助的当事人包括：(1)追索赡养费、扶养费、抚育费、抚恤金的；(2)孤寡老人、孤儿和农村“五保户”；(3)没有固定生活来源的残疾人、患有严重疾病的人；(4)国家规定的优抚、安置对象；(5)追索社会保险金、劳动报酬和经济补偿金的；(6)交通事故、医疗事故、工伤事故、产品质量事故或者其他人身伤害事故的受害人，请求赔偿的；(7)因见义勇为或为保护社会公共利益致使自己合法权益受到损害，本人或者近亲属请求赔偿或者经济补偿的；

(8)进城务工人员追索劳动报酬或其他合法权益受到侵害而请求赔偿的;(9)正在享受城市居民最低生活保障、农村特困户救济或领取失业保险金,无其他收入的;(10)因自然灾害等不可抗力造成生活困难,正在接受社会救济,或者家庭生产经营难以为继的;(11)起诉行政机关违法要求农民履行义务的;(12)正在接受有关部门法律援助的;(13)当事人为社会福利机构、敬老院、优抚医院、精神病院、SOS 儿童村、社会救助站、特殊教育机构等社会公共福利单位的。

残疾人需要申请司法救助的,如果符合上述司法救助的范围,即可以在起诉或者上诉时提交申请司法救助的书面申请和足以证明其确有经济困难的证明材料。

这里应当指出的是,本法规定的对残疾人实施法律援助和司法救助,是要依照国家相关的法律、法规及司法解释进行,是包含在国家现行的法律援助和司法救助制度之内的,而不是脱离现行的这些制度,另搞一套针对残疾人的制度。

第六十一条　违反本法规定,对侵害残疾人权益行为的申诉、控告、检举,推诿、拖延、压制不予查处,或者对提出申诉、控告、检举的人进行打击报复的,由其所在单位、主管部门或者上级机关责令改正,并依法对直接负责的主管人员和其他直接责任人员给予处分。

国家工作人员未依法履行职责,对侵害残疾人权益的行为未及时制止或者未给予受害残疾人必要帮助,造成严重后果的,由其所在单位或者上级机关依法对直接负责的主管人员和其他直接责任人员给予处分。

【释义】　本条是关于国家工作人员违反本法规定的行为,所应承担的法律责任的规定。

本条法律责任针对的责任主体是国家工作人员。根据刑法第九十三条的规定,国家工作人员是指国家机关从事公务的人员。国有公司、企业、事业单位、人民团体中从事公务的人员和国家机关、国有公司、企业、事业单位委派到非国有公司、企业、事业单位、社会团体从事公务的人员,以及其他依照法律从事公务的人员,以国家工作人员论。

(一)对侵害残疾人权益的申诉、控告、检举,推诿、拖延、压制不予查处的,或者对提出申诉、控告、检举的人进行打击报复的,由其所在单位、主管部门或者上级机关责令改正,并依法对直接负责的主管人员和其他直接责任人员给予处分

对侵害残疾人权益的申诉、控告、检举,任何机关、组织、企业事业单位都要认真对待,依法予以查处,绝不能推诿、拖延、压制不予查处的,更不能对提出申诉、控告、检举的人进行打击报复。对于发生本款规定的违法行为,要由违法行为人所在单位、主管部门或者上级机关责令改正,并依法对直接负责的主管人员和其他直接责任人员给予处分,情节严重,构成犯罪的,还要依法追究刑事责任,包括渎职罪和打击报复罪。

(二)国家机关及其工作人员未依法履行职责,对侵害残疾人权益的行为未及时制止或者未给予受害残疾人必要帮助,造成严重后果的,由其所在单位或者上级机关对直接负责的主管人员和其他直接责任人员依法给予处分

国家机关及其工作人员依法承担维护残疾人权益的职责,对侵害残疾人权益的行为应当及时制止,并且对受害残疾人应当给予必要的帮助。如果国家机关及其工作人员未依法履行职责,造成严重后果的,由其所在单位或者上级机关对直接负责的主管人员和其他直接责任人员依法给予行政处分,情节严重,构成犯罪的,还要依法追究行为者的玩忽职守罪。

（三）本条规定的法律责任

本条规定的法律责任，包括行政处分和刑事责任。

1. 行政处分

行政处分是行政机关内部，上级对有隶属关系的下级违反纪律的行为或者是对尚未构成犯罪的轻微违法行为所给予的纪律制裁。在公务员法颁布之前，其法律依据主要有三个：一个是1957年国务院颁布的《关于国家行政机关工作人员的奖惩暂行规定》。该规定对奖惩的目的、条件、种类及其适用程序，都作了比较详细的规定；同时规定，事业单位也参照执行。另一个是1988年国务院颁布的《国家行政机关工作人员贪污贿赂行政处分暂行规定》。该规定着重对贪污贿赂行为的行政处分作了比较全面和具体的规定，实际上是对1957年奖惩暂行规定部分内容的修改和补充。第三个是《国家公务员暂行条例》。由于三十多年来各种情况的发展变化，1957年的奖惩暂行规定已不适应当前工作的需要。1993年8月14日，国务院颁布了《国家公务员暂行条例》，该条例对行政处分的种类和适用作了规定。2005年4月全国人大常委会通过了公务员法，对行政处分的适用情节、种类及程序作出了更加明确的规定，是对公务员实施行政处分的主要法律依据。

2. 刑事责任

对于违反本条规定的违法行为，如果情节严重，构成犯罪的，要依法追究当事人的刑事责任。这里主要涉及报复陷害罪和玩忽职守罪等罪名。

（1）报复陷害罪。国家机关工作人员滥用职权、假公济私，对提出申诉、控告、检举的残疾人进行报复陷害的，依据刑法第二百五十四条的规定，要对行为人处二年以下有期徒刑或者拘役；情节严重的，处二年以上七年以下有期徒刑。

(2)玩忽职守罪。玩忽职守是指国家机关工作人员严重不负责任,不履行或者不正确地履行职责,致使公共财产、国家和人民利益受到损失的行为。如果国家机关及其工作人员未依法履行维护残疾人权益的法定职责,造成严重后果的,要依据刑法第三百九十七条关于玩忽职守罪的规定追究刑事责任。刑法第三百九十七条规定:“国家机关工作人员滥用职权或者玩忽职守,致使公共财产、国家和人民利益遭受重大损失的,处三年以下有期徒刑或者拘役;情节特别严重的,处三年以上七年以下有期徒刑。本法另有规定的,依照规定。国家机关工作人员徇私舞弊犯前款罪的,处五年以下有期徒刑或者拘役;情节特别严重的,处五年以上十年以下有期徒刑。本法另有规定的,依照规定。”

第六十二条[①] **违反本法规定,通过大众传播媒介或者其他方式贬低损害残疾人人格的,由文化、广播电影电视、新闻出版或者其他有关主管部门依据各自的职权责令改正,并依法给予行政处罚。**

【释义】 本条是关于对通过大众传播媒介或者其他方式贬低损害残疾人人格的违法行为追究法律责任的规定。

(一)通过大众传播媒介或者其他方式贬低损害残疾人人格的违法行为

残疾人保障法第三条明确规定,“残疾人的公民权利和人格尊严受法律保护。”“禁止基于残疾的歧视。禁止侮辱、侵害残疾人。禁止通过大众传播媒介或者其他方式贬低损害残疾人

---

① 2018年10月26日《全国人民代表大会常务委员会关于修改〈中华人民共和国野生动物保护法〉等十五部法律的决定》将本条中的“广播电影电视”修改为“广播电视、电影”。

人格。”这就明确规定了国家依法保障残疾人的人格权,严禁通过大众传播媒介或者其他方式贬低损害残疾人人格。

所谓“通过大众传播媒介或者其他方式贬低损害残疾人人格”,主要是指通过广告、报纸、期刊、图书、音像制品、电子出版物、网络等大众传播媒介,对残疾人的人格尊严进行贬低损害,如制作的电视广告,其广告画面和广告解说词中包含有损害残疾人人格尊严的内容,即构成通过大众传播媒介贬低损害残疾人人格的违法行为。对于发生的此类违法行为,残疾人联合会可以通过大众传播媒介揭露、批评,并有权要求有关部门依法查处。

(二)由文化、广播电影电视、新闻出版或者其他有关主管部门依据各自的职责责令改正,并依法给予行政处罚

1. 由文化、广播电影电视、新闻出版或者其他有关主管部门依据各自的职责责令改正

责令改正并不是一种行政处罚。因为1996年10月1日起施行的行政处罚法在关于行政处罚的种类的规定中,只规定了警告、罚款、没收违法所得、没收非法财物、责令停产停业、暂扣或者吊销许可证、暂扣或者吊销执照、行政拘留这六种行政处罚的种类,并没有将“责令改正”也列入行政处罚的种类当中。在制定行政处罚法的过程当中,关于“责令改正”是有如下考虑的:我国现行的法律、法规中,在行政处罚的手段上都有这样的规定,责令改正违法行为,或者规定责令限期消除违法行为的后果等。考虑到对任何一种违法行为,均应当予以改正,责令改正不应当是一种处罚,而是实施每一种行政处罚的一个前置条件,一个必经过程。即实施每一种行政处罚之前,都应当首先责令当事人改正违法行为,消除违法行为后果,然后才是实施行政处罚。因为实施行政处罚的目的绝不是为罚而罚,而是为了维护公共利益和社会秩序,保护公民、法人或者其他组织的合法权

益，纠正违法行为，教育公民、法人自觉守法。为此，行政处罚法第二十三条明确规定："行政机关实施行政处罚，应当责令当事人改正或者限期改正违法行为。"对于通过大众传播媒介或者其他方式贬低损害残疾人人格的违法行为，文化、广播电影电视、新闻出版等部门可以通过批评教育的方法，责令有关当事人改正违法行为。

2. 由文化、广播电影电视、新闻出版或者其他有关主管部门依法给予行政处罚

行政处罚是国家法律制度的重要组成部分，是行政机关依法进行行政管理，保障法律贯彻实施的重要手段，是行政责任中的一种形式。第八届全国人民代表大会第四次会议审议通过了《中华人民共和国行政处罚法》，这部法律从行政处罚的设定、实施机关、处罚程序等方面对行政处罚进行了规范，从而完善了我国的法律责任制度，对于保障和监督行政机关有效实施行政管理，维护公共利益和社会秩序，保护公民、法人或者其他组织的合法权益具有十分重要的意义。根据行政处罚法的规定，公民、法人或者其他组织违反行政管理秩序的行为，应当给予行政处罚的，依照行政处罚法由法律、法规或者规章规定，并由行政机关依照行政处罚法规定的程序实施。行政处罚的种类有：警告；罚款；没收违法所得、没收非法财物；责令停产停业；暂扣或者吊销许可证、暂扣或者吊销执照；行政拘留。本条规定的处罚种类为警告、罚款、没收违法所得、吊销执业证书。

这里的依法予以行政处罚中的"依法"是一个广义的概念，既包括国家的法律，也包括行政法规、地方性法规及规章等，都可以作为执法部门处罚的依据。文化、广播电影电视、新闻出版或者其他有关主管部门要依据各自的职权范围，依据国家的有关法律、法规和规章的规定，对通过大众传播媒介或者其他方式

贬低损害残疾人人格的违法行为，给予行政处罚。

第六十三条 违反本法规定，有关教育机构拒不接收残疾学生入学，或者在国家规定的录取要求以外附加条件限制残疾学生就学的，由有关主管部门责令改正，并依法对直接负责的主管人员和其他直接责任人员给予处分。

【释义】 本条是关于教育机构侵害残疾人受教育权利的违法行为所应承担的法律责任的规定。

（一）有关教育机构拒不接收残疾学生入学的违法行为

这里的“有关教育机构”是指各级各类学校，既包括实施学前教育的幼儿园、实施义务教育的学校，也包括普通高级中等学校、中等职业学校和高等学校等非义务教育阶段学校；既包括普通学校，也包括专门对残疾学生实施教育的特殊学校。这里的“残疾学生”包括学前教育阶段的幼儿、义务教育阶段的残疾儿童、少年，也包括非义务教育阶段的残疾考生等。

1. 普通教育机构应当接受残疾学生入学

残疾人保障法第二十五条第二款明确规定，“普通小学、初级中等学校，必须招收能适应其学习生活的残疾儿童、少年入学”；第三款规定：“普通幼儿教育机构应当接收适应其生活的残疾幼儿。”义务教育法第十九条第二款规定：“普通学校应当接收具有接受普通教育能力的残疾适龄儿童、少年随班就读，并为其学习、康复提供帮助。”残疾儿童、少年除了在盲校、聋哑学校等特殊教育学校、班级就读外，一些肢体残疾、轻重智力残疾的孩子要到普通学校随班就读，作为普通学校有义务接受这些具有接受普通教育能力的残疾孩子入学，并为其学习、康复提供帮助。如果学校拒绝接收具有接受普通教育能力的残疾儿童、少年入学的，就违反了残疾人保障法，也违反了义务教育法，要依法承担相应的法律责任。

2. 特殊教育机构应当履行招收残疾学生入学的义务

残疾人保障法第二十六条第一款规定,残疾幼儿教育机构、普通幼儿教育机构附设的残疾儿童班、特殊教育机构的学前班对残疾儿童实施学前教育。第二款规定:“初级中等以下特殊教育机构和普通教育机构附设的特殊教育班,对不具有接受普通教育能力的残疾儿童、少年实施义务教育。”对不能进入普通学前教育机构生活和不具有接收普通教育能力的视力残疾、听力残疾、言语残疾、中度以上智力残疾的儿童、少年,盲校、聋哑学校、盲校、聋哑学校、弱智儿童学校等特殊教育机构,以及普通学校设置的特殊教育班,应当履行招收残疾儿童、少年入学的义务,否则要承担相应的法律责任。

(二)教育机构在国家规定的录取要求以外附加条件限制残疾学生就学的违法行为

此种违法行为的主体是非义务教育机构的教育机构,包括普通高级中等学校、中等职业学校和高等学校等。残疾人保障法第二十五条第二款明确规定,“普通高级中等学校、中等职业学校和高等学校,必须招收符合国家规定的录取要求的残疾考生入学,不得因其残疾而拒绝招收”。如果教育机构违反这一规定,在国家规定的录取要求以外附加条件限制残疾学生就学的,就要依法承担相应的法律责任。

(三)本条规定的法律责任

对于有关教育机构拒不接收残疾学生入学,或者在国家规定的录取要求以外附加条件限制残疾学生就学的违法行为,本条规定的法律责任为:由有关主管部门责令改正,并依法对直接负责的主管人员和其他直接责任人员给予处分。这里的“有关主管部门”主要是指教育行政部门。

根据公务员法的规定，行政处分的种类有六种，从轻到重依次为警告、记过、记大过、降级、撤职、开除。(1)警告，有提醒注意、不致再犯的意思，属于申诫处分。它可以是口头的，也可以是书面的，由处分机关选择适用。警告一般适用于轻微的行政违法行为，是行政处分中最轻的一种。根据公务员法的规定，公务员受警告处分期间，可以晋升工资档次，但不得晋升职务和级别。(2)记过、记大过。这是两种程度有所区别的行政处分。一般来说，记过、记大过适用于公务员的行为违反了法律法规的规定，给国家和人民造成了一定的损失，给予警告处分过轻，给予降级处分过重的情况。(3)降级。作为一种行政处分，降级的含义是降低公务员的职务级别。根据公务员法的规定，公务员的职务分为领导职务和非领导职务，领导职务包括国家级正职、国家级副职、省部级正职、省部级副职、省级副职、厅局级正职、厅局级副职、县处级正职、县处级副职、乡科级正职、乡科级副职。非领导职务包括巡视员、副巡视员、调研员、副调研员、主任科员、副主任科员、科员、办事员。给予降职的行政处分就是由原来的职务级别往下降，如由局级降为处级，由处级降为科级等；同时，对公务员工资中的级别工资也要予以相应地降低。公务员实行职级工资制，工资主要有职务工资、级别工资、基础工资和工龄工资构成。降级也要降低工资中的级别工资。受降级处分期间，不得晋升职务和级别，也不得晋升工资档次。(4)撤职。公务员的行政违法行为，给国家和人民利益造成重大损失，不适合继续担任原职务的，可以给予撤职处分。受撤职处分的，同时降低级别和职务工资。受撤职处分期间，不得晋升工资和级别，并不能晋升工资档次。(5)开除。开除是指受处分人不适合继续在国家机关工作，国家机关取消其公务员资格令其离开的处分形式。开除是最严厉的一种处分，适用于公务员犯有违法行为，给国家和人民造成了极其严重的损失，丧失了国家公务员的资格的情况。开除的行政处分不能解除。根据公务员法的规定，公务员受开除以外的行政处分，在受处分期间有悔改表现，并且没有再发生违纪行为的，处分期满后由原处分决定机关解除行政处分。但是，解除降级、撤职处分不视为恢复原级别、原职务。解除行政处分后，晋升职务、级别和工资档次不再受行政处分的影响。行政处分决定和解除行政处分的决定应当以书面形式通知本人。

第六十四条　违反本法规定，在职工的招用等方面歧视残疾人的，由有关主管部门责令改正；残疾人劳动者可以依法向人民法院提起诉讼。

【释义】　本条是关于在职工的招用等方面歧视残疾人的违法行为所应承担的法律责任的规定。

在国家法律保护和优惠政策扶持下，我国残疾人劳动就业得到了很大发展。通过实行集中与分散相结合的方针，使残疾人集中就业单位的优惠政策得到落实，分散按比例就业取得一定的进展，自主择业和自主创业得到国家和社会的扶持。但是我们必须看到，残疾人就业形势仍然非常严峻。在城镇就业年龄段残疾人口中，在业的仅有 297 万人。一些单位在职工的招用等方面存在歧视残疾人的现象。这一歧视问题的存在，损害了残疾人的工作机会和就业权利，违反了公平就业的原则，使他们在已经处于社会弱势的情况下陷入更大的困境。为了促进公平就业，保护残疾人劳动者的平等就业权，残疾人保障法明确规定“禁止基于残疾的歧视”“国家保障残疾人劳动的权利”，以及“在职工的招用、转正、晋级、职称评定、休息休假、劳动报酬、生活福利、社会保险等方面，不得歧视残疾人”。对于违反上述规定，在职工的招用、聘用方面歧视残疾人的，要由人力资源行政部门责令改正，残疾人劳动者还可以依法向人民法院提起诉讼，依法追究用人单位的民事法律责任。

民事责任是根据民法的规定，公民或法人在违反自己的民事义务或侵犯他人的民事权利时所应承担的法律后果。构成民事责任的条件包括：(1)损害事实；(2)违法行为；(3)因果关系；(4)主观过错。承担民事责任的形式，在财产关系方面，表现为恢复被违法行为所破坏的财产权利；在人身方面，除恢复人身权利外，还必须赔偿因此而受到的财产损失。我国民法通则所规定承担民事责任的方式有：(1)停止侵害；(2)排除妨害；(3)消除危害；(4)返还财产；(5)恢复原状；(6)修理、重作、更换；(7)赔偿损失；(8)支付违约金；(9)消除影响、恢复名誉；(10)赔礼道歉。

如果法院依法判决用人单位在招工中确实对残疾人劳动者有歧视行为，则该用人单位需要依据民法通则的规定，承担民事赔偿责任。

第六十五条　违反本法规定，供养、托养机构及其工作人员侮辱、虐待、遗弃残疾人的，对直接负责的主管人员和其他直接责任人员依法给予处分；构成违反治安管理行为的，依法给予行政处罚。

【释义】　本条是关于供养、托养机构及其工作人员侮辱、虐待、遗弃残疾人的法律责任的规定。

残疾人保障法明确规定："地方各级人民政府对无劳动能力、无扶养人或者扶养人不具有扶养能力、无生活来源的残疾人，按照规定予以供养。""国家鼓励和扶持社会力量举办残疾人供养、托养等机构。""残疾人供养、托养机构及其工作人员不得侮辱、虐待、遗弃残疾人。”对无劳动能力、无扶养人或者扶养人不具有扶养能力、无生活来源的残疾人予以供养、托养是对残疾人实施社会救助的一项重要措施。供养、托养机构及其工作人员应当依法履行好自己的工作职责,关心、爱护残疾人,不得侮辱、虐待、遗弃残疾人,否则要依法承担相应的法律责任,包括处分、行政处罚和刑事责任。

(一)有关处分的法律责任

供养、托养机构及其工作人员侮辱、虐待、遗弃残疾人的,要由主管的部门,主要是民政部门对直接负责的主管人员和其他直接责任人员依法给予处分。这里的处分,包括行政处分和其他纪律处分。

根据公务员法的规定,行政处分的种类有六种,从轻到重依次为警告、记过、记大过、降级、撤职、开除。

行政处分和行政处罚虽然同属行政责任的一种,但二者是不同的:

第一,适用对象不同。行政处分只适用于国家公职人员,不适用于社会上一般的公民;而行政处罚则适用于所有的公民、法人或其他组织。

第二,适用的违法行为不同。行政处分与行政处罚都适用于行政违法行为,但行政处分适用的是一般的违法失职行为;而行政处罚则适用于违反某种特定的,设定有行政处罚的法律、法规、规章的违法行为。

第三,实施处罚的机关不同。实施行政处分的机关必须是被处分人员所在单位或者行政监察机关;实施行政处罚的机关是国家法律规定的具有行政处罚权的行政机关、法律、法规授权的具有管理公共事务职能的组织和行政机关依照法律、法规、规章的规定,在其法定权限内委托的组织。

第四,执行不同。行政处分只能由国家机关和具有公共事务管理职能的事业单位执行;而行政处罚则由行政机关执行,也可由行政机关申请人民法院强制执行。

第五,救济的渠道不同。行政处罚的救济渠道为行政复议和行政诉讼。当事人对行政处罚不服的,可以向该行政机关的上级行政机关申请行政复议,也可以向人民法院就行政机关的行政处罚行为提起行政诉讼。行政处分的救济渠道为复核和申诉。当事人对行政处分不服的,可以自知道该处理之日起三十日向原处理机关申请复核;对复核结果不服的,可以自接到复核决定之日起十五日内,按照规定向同级公务员主管部门或者作出处理的机关的上一级机关提出申诉;也可以不经复核,自知道处理决定之日起三十日内直接提出申诉。对省级以下机关作出的申诉处理决定不服的,可以向作出处理决定的上一级机关提出申诉。行政机关公务员对处分不服向行政监察机关申诉的,监察机关经审查认为原行政处分决定是错误的,应当及时予以纠正;造成名誉损害的,应当负责恢复名誉、消除影响、赔礼道歉;造成经济损失的,应当负赔偿责任。

如果违法人员不是国家公务员的,要依法给予纪律处分。

(二)行政处罚

供养、托养机构及其工作人员侮辱、虐待、遗弃残疾人的,构成违反治安管理行为的,要依法给予行政处罚,具体包括:

(1)侮辱残疾人。如果供养、托养机构及其工作人员公然侮辱残疾人,或者多次发送侮辱信息,干扰残疾人正常生活的,要依据治安管理处罚法第四十二条的规定,由公安机关处五日以下拘留或者五百元以下罚款;情节较重的,处五日以上十日以下拘留,可以并处五百元以下罚款。

(2)虐待残疾人。如果供养、托养机构及其工作人员对供养、托养的残疾人实施殴打、伤害等虐待行为的，要依据治安管理处罚法第四十三条第二款第（二）项的规定，处十日以上十五日以下拘留，并处五百元以上一千元以下罚款。

（3）遗弃残疾人的。供养、托养机构及其工作人员遗弃残疾人的，要由公安机关依据治安管理处罚法第四十五条的规定，处五日以下拘留或者警告。

（三）刑事责任

供养、托养机构及其工作人员侮辱、虐待、遗弃残疾人的，除了依法予以行政处罚外，如果情节严重构成犯罪的，还要依法追究行为人的刑事责任，具体是：

（1）侮辱罪。刑法第二百四十六条规定："以暴力或者其他方法公然侮辱他人或者捏造事实诽谤他人，情节严重的，处三年以下有期徒刑、拘役、管制或者剥夺政治权利。""前款罪，告诉的才处理。但是严重危害社会秩序和国家利益的除外。"所谓"情节严重"，是指侮辱、诽谤他人手段恶劣、后果严重或者影响很坏等情况。一般是指以暴力的方式对他人进行污辱、诽谤，但这里的暴力，其目的不是为损害他人的身体健康。如果在实施侮辱的过程中造成他人死亡或者伤害后果的，即构成杀人罪或者故意伤害罪，不构成污辱、诽谤罪。这里应当指出的是，对于侮辱罪，只有被污辱人亲自向人民法院控告的，人民法院才能受理；对于被侮辱人不控告的，司法机关不能主动受理，追究侮辱人的刑事责任。但也有例外，一是根据刑法第九十八条的规定，如果被害人受强制或者威吓而无法告诉的，人民检察院和被害人的近亲属也可以告诉；二是依照刑法第二百四十六条第二款的规定，严重危害社会秩序和国家利益的除外。这里所说的"严重危害社会秩序和国家利益"，主要是指侮辱行为造成被害人精神失常或者自杀的，可由人民检察院提起公诉。

(2)故意伤害罪。供养、托养机构及其工作人员以故意伤害的方式虐待残疾人,构成犯罪的,要依据故意伤害罪追究刑事责任。刑法第二百三十四条规定:“故意伤害他人身体的,处三年以下有期徒刑、拘役或者管制。”“犯前款罪,致人重伤的,处三年以上十年以下有期徒刑;致人死亡或者以特别残忍手段致人重伤造成严重残疾的,处十年以上有期徒刑、无期徒刑或者死刑。本法另有规定的,依照规定。”所谓“致人重伤”,依照刑法第九十五条的规定,是指有下列情形之一的伤害:使人肢体残废或者毁人容貌的;使人丧失听觉、视觉或者其他器官机能的;其他对于人身健康有重大伤害的。“其他对于人身健康有重大伤害的”,主要是指能够引起威胁生命的并发症,以及其他严重影响人体健康的损伤,主要包括颅脑损伤、颈部损伤、胸部损伤、腹部损伤、骨盆部损伤以及烧伤、烫伤、冻伤、电击伤、物理、化学或者生物等致伤因素引起的损伤。

(3)遗弃罪。遗弃罪是指对于年老、年幼、患病或者其他没有独立生活能力的人,负有扶养义务而拒绝扶养,情节恶劣的行为。如果供养、托养机构及其工作人员对残疾人实施遗弃行为,情节严重构成犯罪的,要依据刑法第二百六十一条的规定追究刑事责任,即处五年以下有期徒刑或者拘役。

第六十六条　违反本法规定,新建、改建和扩建建筑物、道路、交通设施,不符合国家有关无障碍设施工程建设标准,或者对无障碍设施未进行及时维修和保护造成后果的,由有关主管部门依法处理。

【释义】　本条是关于新建、改建和扩建建筑物、道路、交通设施,不符合无障碍设施工程建设标准,或者对无障碍设施未进行及时维修和保护造成后果的违法行为所应承担的法律责任的规定。

（一）新建、改建和扩建建筑物、道路、交通设施，不符合国家有关无障碍设施工程建设标准的违法行为

残疾人保障法第五十三条明确规定，无障碍设施的建设和改造，应当符合残疾人的实际需要。新建、改建和扩建建筑物、道路、交通设施等，应当符合国家有关无障碍设施工程建设标准。各级人民政府和有关部门应当按照国家无障碍设施工程建设规定，逐步推进已建成设施的改造，优先推进与残疾人日常工作、生活密切相关的公共服务设施的改造。无障碍设施，是残疾人走出家门、参与社会生活的基本条件，是残疾人的一项重要权利，也是完善公共服务和城市功能不可或缺的一个基本元素。无障碍设施主要是要求：城市道路、公共建筑物和居住区的规划、设计、建设应方便残疾人通行和使用。如城市道路应方便坐轮椅者、拄拐杖者、视力残疾者和其他有特殊需求者通行，建筑物应考虑在出入口、地面、电梯、扶手、厕所、房间、柜台等设置残疾人可使用的相应设施，方便残疾人通行。

近些年来，我国无障碍建设工作取得积极进展。北京、上海、天津、广东、山东、辽宁、福建、安徽、深圳等已经出台了无障碍建设地方性法规或规章。此外有关主管部门制定了无障碍设施建设的强制性规范。如《城市道路和建筑物无障碍设计规范》《铁路旅客车站无障碍设计规范》《民用机场旅客航站区无障碍设施设备配置标准》《特殊教育学校建筑设计规范》等，明确了国家无障碍设施工程建设的标准。如果新建、改建和扩建建筑物、道路、交通设施，不符合上述无障碍设施工程建设的强制性标准的，要依法承担相应的法律责任。

（二）对无障碍设施未进行及时维修和保护造成后果的违法行为

残疾人保障法第五十三条第四款明确规定：“对无障碍设

施应当及时维修和保护。”无障碍设施建成后,必须进行经常性的维护,避免受到损坏,同时还要加强管理,避免受到非法占用。如果因无障碍设施未进行及时维修和保护造成后果的,要依法承担相应的法律责任。

(三)本条规定的法律责任

对于新建、改建和扩建建筑物、道路、交通设施,不符合国家有关无障碍设施工程建设标准,或者对无障碍设施未进行及时维修和保护造成后果的,要由有关主管部门依法处理。这里的“有关主管部门”主要是指建设、市政等行政部门。建设、市政等行政部门要依据建筑法、《建设工程质量管理条例》和《城市道路管理条例》等有关法律、法规予以处罚。具体是:

1. 新建、改建和扩建建筑物、道路、交通设施,不符合国家有关无障碍设施工程建设标准的法律责任

无障碍设施工程建设标准属于工程建设强制性标准。建筑工程勘察、设计、施工必须符合这一标准的要求,否则应由建设部门按照建筑法、《建设工程质量管理条例》的规定追究相应的法律责任。包括:

(1)建筑法第七十三条规定:“建筑设计单位不按照建筑工程质量、安全标准进行设计的,责令改正,处以罚款;造成工程质量事故的,责令停业整顿,降低资质等级或者吊销资质证书,没收违法所得,并处罚款;造成损失的,承担赔偿责任;构成犯罪的,依法追究刑事责任。”

(2)建筑法第七十二条规定:“建设单位违反本法规定,要求建筑设计单位或者建筑施工企业违反建筑工程质量、安全标准,降低工程质量的,责令改正,可以处以罚款;构成犯罪的,依法追究刑事责任。”

(3)《建设工程质量管理条例》第六十三条规定:“违反本条

例规定,有下列行为之一的,责令改正,处以 10 万元以上 30 万元以下的罚款:(一)勘察单位未按照工程建设强制性标准进行勘察的;(二)设计单位未根据勘察成果文件进行工程设计的;(三)设计单位指定建筑材料人、建筑构配件的生产厂、供应商的;(四)设计单位未按照工程建设强制性标准进行设计的。有前款所列行为,造成工程质量事故的,责令停业整顿,降低资质等级;情节严重的,吊销资质证书;造成损失的,依法承担赔偿责任。”

(4)《建设工程质量管理条例》第六十四条规定:“违反本条例规定,施工单位在施工中偷工减料的,使用不合格的建筑材料、建筑构配件和设备的,或者有不按照工程设计图纸或者施工技术标准施工的其他行为的,责令改正,处工程合同价款百分之二以上百分之四以下的罚款;造成建设工程质量不符合规定的质量标准的,负责返工、修理,并赔偿并因此造成的损失;情节严重的,责令停业整顿,降低资质等级或者吊销资质证书。”

2. 对无障碍设施未进行及时维修和保护造成后果的法律责任

城市建设、市政部门要加强对无障碍设施的维修和管理,整顿和清理无障碍设施被占用、被破坏的现象,并加强对承担城市道路养护、维修的单位的监管。对于无障碍设施未进行及时维修和保护造成残疾人人身、财产受到损害的后果的,要依据《城市道路管理条例》第四十一条的规定追究相应的法律责任,即承担城市道路养护、维修的单位违反本条例的规定,未定期对城市道路进行养护、维修或者未按照规定的期限修复竣工,并拒绝接受市政工程行政主管部门监督、检查的,由市政工程行政主管部门责令限期改正,给予警告;对负有直接责任的主管人员和其他直接责任人员,依法给予行政处分。

第六十七条　违反本法规定,侵害残疾人的合法权益,其他法律、法规规定行政处罚的,从其规定;造成财产损失或者其他损害的,依法承担民事责任;构成犯罪的,依法追究刑事责任。

【释义】 本条是关于违反本法规定的违法行为所应承担的法律责任的一个综合性的规定。

对于违反本法规定的违法行为,本法没有全部规定具体的法律责任,而是与其他法律、法规相衔接,其他法律、法规规定了法律责任的,就依照其规定。作为保障残疾人各方面合法权益的一个综合性的法律,其不可避免地存在与其他相关的法律的关系问题,如义务教育法、劳动法、婚姻法、治安管理处罚法等。如何处理与这些法律的关系是本法面临的一个重要问题。我们在立法中考虑,一方面,要注意与这些相关法律的衔接,一些必要的重复性的规定在相关的各方面的权益保障方面一定要有,否则难以保障本法体系的完整性;另一方面,在"法律责任"一章中,设计了本条这样一个综合性的法律责任的规定,其他法律、法规已经规定法律责任的,本法即从其规定。这样避免了一些不必要的重复,也保证了与其他法律、法规的衔接。

本条规定了行政处罚、民事责任和刑事责任三种法律责任。

(一)行政处罚

对于违反残疾人保障法,侵害残疾人合法权益的违法行为,除了本章"法律责任"第六十二条规定的通过大众传播媒介或者其他方式贬低损害残疾人人格的违法行为,由文化、广播电影电视、新闻出版或者其他有关部门依据各自的职权依法给予行政处罚;第六十五条规定的供养、托养机构及其工作人员侮辱、虐待、遗弃残疾人,构成违反治安管理行为的,依法给予行政处罚;第六十六条规定的新建、改建和扩建建筑物、道路、交通设施,不符合国家有关无障碍设施工程建设标准,或者对无障碍设施未进行及时维修和保护造成后果的，由有关主管部门依法予以行政处罚外，对于其他违法行为的行政处罚责任，本章法律责任虽然没有一一具体规定，但不是不需要予以行政处罚，而是要依据有关法律、法规的规定予以行政处罚。这其中主要有：

（1）虐待残疾人的。家庭成员虐待残疾人，被虐待的残疾人要求处理的，依据治安管理处罚法的规定，由公安机关处五日以下拘留；情节轻微的，可以处警告。

（2）猥亵残疾人的。依据治安管理处罚法的规定，猥亵智力残疾、精神残疾妇女的，由公安机关处十日以上十五日以下拘留。

（3）非法拘禁残疾人的。依据治安管理处罚法第四十条第（三）项的规定，非法拘禁残疾人的，由公安机关处十日以上十五日以下拘留，并处五百元以上一千元以下罚款；情节较轻的，处五日以上十日以下拘留，并处二百元以上五百元以下罚款。

（4）以暴力、威胁等手段强迫残疾人劳动的。近些年来，一些地方出现了使用暴力、威胁、非法拘禁等暴力手段对一些智力有障碍的残疾人进行强迫劳动的恶性案件，严重地侵害了残疾人的合法权益，造成了恶劣的社会影响。为此，残疾人保障法明确规定，任何组织和个人不得以暴力、威胁或者非法限制人身自由的手段强迫残疾人劳动。对于违反这一规定的，尚不构成犯罪的，要依据劳动合同法第八十八条和治安管理处罚法第四十条第（二）项的规定给予行政处罚，包括处十日以上十五日以下拘留，并处五百元以上一千元以下罚款；情节较轻的，处五日以上十日以下拘留，并处二百元以上五百元以下罚款。

（5）组织、胁迫、诱骗残疾人进行恐怖、残忍表演的。依据治安管理处罚法第四十条第（一）项的规定，组织、胁迫、诱骗残疾人进行恐怖、残忍表演的，由公安机关处十日以上十五日以下拘留，并处五百元以上一千元以下罚款；情节较轻的，处五日以上十日以下拘留，并处二百元以上五百元以下罚款。

(6)胁迫、诱骗或者利用残疾人乞讨的。根据治安管理处罚法第四十一条第一款的规定，胁迫、诱骗或者利用残疾人乞讨的，由公安机关处十日以上十五日以下拘留，可以并处一千元以下罚款。

(二)民事责任

违反残疾人保障法规定，侵害残疾人的合法权益，造成财产损失或者其他损害的，依法承担侵权的民事责任。侵权民事责任主要是一种财产责任，它以财产赔偿的方式制裁致害人，从而补偿受害人所受到的损失。侵权民事责任的构成要件有：第一，侵权损害事实。所谓损害，是指由一定的行为或事件给人身或财产造成的不良后果和不良状态，包括一切受法律保护的权利和利益所遭受的不良后果(如财产减损、利润丧失、健康恶化、名誉玷污)和不良状态(如财物被侵占、经营受妨碍、环境被污染、行动受限制)。侵权民事责任以损害事实的存在为要件，没有损害事实的，不承担民事责任。第二，必须有民事违法行为的存在。违法的加害行为有两种。一种是违法的作为。如殴打他人、污辱诽谤他人等，这种积极的违法行为造成他人损害要负赔偿责任是没有无疑义的。另一种是违法的不作为。凡不作为的赔偿责任，必须是法律明文规定当事人有作为的义务，当事人不尽这种义务，即不作为，因而造成他人损害的，才负赔偿责任。第三，侵权行为与损害结果之间有因果关系。正是由于行为人的侵权行为造成受害人的损害。如该损害事实并非该违法行为所造成，则该行为人不能负赔偿责任。第四，行为人主观上有过错。过错是构成违法行为承担民事责任的基本条件。也就是说，违法行为人对自己的行为在主观上有过错时才承担责任；否则，即使有了损害事实和违法行为，行为人也不承担赔偿责任。

所谓主观过错，就是故意和过失。行为人能预见自己行为的后果，但希望这样的结果发生或放任这种结果的发生，称为故意；行为人对行为的结果应当预见而没有预见到，或者虽然预见到，但又轻信能够避免，称为过失。故意是行为人的恶意，对社会的危害性也大；而过失违法行为对社会的危害性要小一些。

对于侵害残疾人合法权益的违法行为，只有符合上述侵权民事责任的四个构成要件，才构成民事侵权行为，应当依据民法通则的规定承担赔偿责任。

（三）刑事责任

刑事责任，又称刑罚，是依据国家刑事法律规定，对实施犯罪行为的行为人所给予的处罚。所谓犯罪，是指一切危害国家主权、领土完整和安全，分裂国家、颠覆人民民主专政的政权和推翻社会主义制度，破坏社会秩序和经济秩序，侵犯国有资产或者劳动群众集体所有的财产，侵犯公民私人所有的财产，侵犯公民的人身权利、民主权利和其他权利，以及其他危害社会，依照法律应当受刑罚处罚的行为。依照我国刑法的规定，刑罚包括主刑和附加刑两种。主刑有管制、拘役、有期徒刑、无期徒刑和死刑；附加刑有罚金、剥夺政治权利和没收财产。此外，对于犯罪的外国人，可以独立适用或者附加适用驱逐出境。

对于违反本法规定，侵害残疾人的合法权益的违法行为，如果情节严重，构成犯罪的，要依法追究犯罪人的刑事责任。原残疾人保障法第五十二条专门规定了侵害残疾人权益的几类犯罪行为，包括侮辱罪、虐待罪、遗弃罪、强奸罪等的刑事责任。此次修订法律，删去了这一条规定。这主要考虑到本章法律责任的体例是，关于刑事责任的规定统一在一条中规定（即本条的规定），而且规定不涉及具体的罪名内容，是与刑法相衔接。凡是违反本法的行为，只要依刑法构成犯罪的，即依刑法的规定追究刑事责任。这样处理,一是条文比较简洁,二是内容完整,避免因为专门规定几类犯罪行为而漏掉其他犯罪行为,这种处理模式也是当前立法中的通常做法。

除了本章前面几条规定的违法行为所涉及的刑事责任外,侵害残疾人权益的犯罪行为,主要还有:

(1)非法拘禁残疾人的,构成非法拘禁罪。非法拘禁罪是指非法拘禁他人或者以其他方法剥夺他人人身自由的犯罪行为。残疾人的合法权益和人格尊严不受侵犯。对于一些智力、精神残疾的残疾人,任何组织和个人,包括其家人都不得对其进行非法拘禁,否则要依法承担刑事责任。刑法第二百三十八条规定:非法拘禁他人或者以其他方法剥夺他人人身自由的,处三年以下有期徒刑、拘役、管制或者剥夺政治权利。具有殴打、侮辱情节的,从重处罚。犯前款罪,致人重伤的,处三年以上十年以下有期徒刑;致人死亡的,处十年以上有期徒刑。使用暴力致人伤残、死亡的,依照本法第二百三十四条(故意伤害罪)、第二百三十二条(故意杀人罪)的规定定罪处罚。国家机关工作人员利用职权犯前两款罪的,依照前两款的规定从重处罚。如果父母或者其他监护人对未成年子女实施非法拘禁,构成犯罪的,要依据非法拘禁罪追究刑事责任。

(2)强迫残疾人劳动的,构成强迫劳动罪。以暴力、威胁等手段强迫残疾人劳动,如果情节严重构成犯罪的,要依据刑法第二百四十四条的规定追究刑事责任,即用人单位违反劳动管理法规,以限制人身自由方法强迫职工劳动,情节严重的,对直接责任人员,处三年以下有期徒刑或者拘役,并处或者单处罚金。

(3)虐待残疾人的,构成虐待罪。家庭成员对残疾人实施虐待,情节恶劣的,要根据刑法第二百六十条的规定,处二年以下有期徒刑、拘役或者管制,致使被害人重伤、死亡的,处二年以上七年以下有期徒刑。所谓"致人重伤",是指依照刑法第九十五条的规定,是指有下列情形之一的伤害:使人肢体残废或者毁人容貌的;使人丧失听觉、视觉或者其他器官机能的;其他对于人身健康有重大伤害的。"其他对于人身健康有重大伤害的",主要是指能够引起威胁生命的并发症,以及其他严重影响人体健康的损伤,主要包括颅脑损伤、颈部损伤、胸部损伤、腹部损伤、骨盆部损伤以及烧伤、烫伤、冻伤、电击伤、物理、化学或者生物等致伤因素引起的损伤。

对于犯虐待罪的,如果没有造成被害人重伤、死亡的严重后果,是遵循不告不理的原则,即告诉的才处理。这是因为对这类犯罪行为的刑事追究往往涉及被害人的利益,所以法律允许被害人权衡利弊,作出是否提起刑事诉讼的决定。但如果被害人受强制或者威吓而无法告诉的,人民检察院和被害人的近亲属也可以告诉。但对于造成被害人重伤、死亡的严重后果的虐待行为,则要由司法机关主动依法对行为人追究刑事责任,不受被害人是否告诉的限制。

(4)奸淫智力、精神残疾人的,构成强奸罪。刑法第二百三十六条规定:"以暴力、胁迫或者其他手段强奸妇女的,处三年以上十年以下有期徒刑。强奸妇女、奸淫幼女,有下列情形之一的,处十年以上有期徒刑、无期徒刑或者死刑:(一)强奸妇女、奸淫幼女情节恶劣的;(二)强奸妇女、奸淫幼女多人的;(三)在公共场所当众强奸妇女的;(四)二人以上轮奸的;(五)致使被害人重伤、死亡或者造成其他严重后果的。"奸淫因智力残疾或者精神残疾不能辨认自己行为的残疾人的,属于以"其他手段强奸妇女"的犯罪行为,应当依照刑法第二百三十六条有关强奸罪的规定追究刑事责任。

第九章 附 则

第六十八条 本法自 2008 年 7 月 1 日起施行。

【释义】 本条是关于法律生效日期的规定。

法律生效日期的问题，是任何一部法律都要涉及的问题。一部法律通过以后，就产生了从什么时候开始起生效、在什么地域范围内生效、对什么人有效的问题，这些问题就是法律的效力范围问题。法律效力范围包括时间效力、空间效力和对人的效力三个方面。法律的生效日期是法律的时间效力问题的规定。立法法第五十一条规定：“法律应当明确规定施行日期。”法律的施行日期即生效时间，是法律效力的起点。

法律从何时开始生效，要根据法律的性质和实际需要来决定。我国立法法实践通常有三种生效方式：第一种是法律公布后，经过一段时间才施行，法律中明确规定生效施行的具体日期。本法采用的是这种形式。第二种是在法律条文中没有直接规定具体的生效日期，而是规定“本法自公布之日起施行”。但法律何时公布，根据我国宪法关于法律由国家主席公布的规定，则由国家主席发布主席令来确定。目前，国家主席一般都是于全国人大或者全国人大常委会通过法律的当天发布命令、公布法律。如全国人民代表大会和地方各级人民代表大会组织法、集会游行示威法等。第三种是法律公布后先试行或者暂行，而后由制定机关加以修改补充，再通过为正式法律，公布施行。在试行或者暂行期间，也有约束力。本法采用第一种形式。

关于修改的法律主要有修改决定、修正案和修订三种形式:

(1)修改决定是全国人大或其常委会单独通过一个决定,指明对某个法律有关条文做出修改的一种法律修改形式。这是我国法律修改最基本、最主要的形式。

(2)修正案是全国人大或其常委会通过一个修正案,指明对某个法律有关条文做出修改的一种法律修改形式,是我国法律修改偶尔采用的形式。修正案单独公布,独立于原法律而生效,可以单独适用。

(3)修订是全国人大或其常委会对某个法律进行修改后,重新公布法律文本以代替原法律文本的一种法律修改形式。

因此,法律修改后的生效日期也有三种形式:(1)属于修改决定的,一般不修改法律的生效日期,只是规定修改决定的实施日期。对于原法修改的部分执行修改决定的生效日期,未修改的部分执行原来法律规定的生效日期。(2)属于修正案的,因为修正案独立于原法律而生效,一般直接规定生效日期。(3)属于修订的,一般重新公布法律的生效日期。本法是对1990年《中华人民共和国残疾人保障法》进行的修订,采用直接规定生效日期的形式。

第二部分 附　　录

中华人民共和国残疾人保障法

（1990 年 12 月 28 日第七届全国人民代表大会常务委员会第十七次会议通过　2008 年 4 月 24 日第十一届全国人民代表大会常务委员会第二次会议修订）

目　　录

第一章　总　　则

第一条　为了维护残疾人的合法权益,发展残疾人事业,保障残疾人平等地充分参与社会生活,共享社会物质文化成果,根据宪法,制定本法。

第二条　残疾人是指在心理、生理、人体结构上,某种组织、功能丧失或者不正常,全部或者部分丧失以正常方式从事某种活动能力的人。

残疾人包括视力残疾、听力残疾、言语残疾、肢体残疾、智力残疾、精神残疾、多重残疾和其他残疾的人。

残疾标准由国务院规定。

第三条　残疾人在政治、经济、文化、社会和家庭生活等方面享有同其他公民平等的权利。

残疾人的公民权利和人格尊严受法律保护。

禁止基于残疾的歧视。禁止侮辱、侵害残疾人。禁止通过大众传播媒介或者其他方式贬低损害残疾人人格。

第四条　国家采取辅助方法和扶持措施,对残疾人给予特别扶助,减轻或者消除残疾影响和外界障碍,保障残疾人权利的实现。

第五条　县级以上人民政府应当将残疾人事业纳入国民经济和社会发展规划,加强领导,综合协调,并将残疾人事业经费列入财政预算,建立稳定的经费保障机制。

国务院制定中国残疾人事业发展纲要,县级以上地方人民政府根据中国残疾人事业发展纲要,制定本行政区域的残疾人事业发展规划和年度计划,使残疾人事业与经济、社会协调发展。

县级以上人民政府负责残疾人工作的机构,负责组织、协调、指导、督促有关部门做好残疾人事业的工作。

各级人民政府和有关部门,应当密切联系残疾人,听取残疾人的意见，按照各自的职责，做好残疾人工作。

第六条 国家采取措施，保障残疾人依照法律规定，通过各种途径和形式，管理国家事务，管理经济和文化事业，管理社会事务。

制定法律、法规、规章和公共政策，对涉及残疾人权益和残疾人事业的重大问题，应当听取残疾人和残疾人组织的意见。

残疾人和残疾人组织有权向各级国家机关提出残疾人权益保障、残疾人事业发展等方面的意见和建议。

第七条 全社会应当发扬人道主义精神，理解、尊重、关心、帮助残疾人，支持残疾人事业。

国家鼓励社会组织和个人为残疾人提供捐助和服务。

国家机关、社会团体、企业事业单位和城乡基层群众性自治组织，应当做好所属范围内的残疾人工作。

从事残疾人工作的国家工作人员和其他人员，应当依法履行职责，努力为残疾人服务。

第八条 中国残疾人联合会及其地方组织，代表残疾人的共同利益，维护残疾人的合法权益，团结教育残疾人，为残疾人服务。

中国残疾人联合会及其地方组织依照法律、法规、章程或者接受政府委托，开展残疾人工作，动员社会力量，发展残疾人事业。

第九条 残疾人的扶养人必须对残疾人履行扶养义务。

残疾人的监护人必须履行监护职责，尊重被监护人的意愿，维护被监护人的合法权益。

残疾人的亲属、监护人应当鼓励和帮助残疾人增强自立能力。

禁止对残疾人实施家庭暴力，禁止虐待、遗弃残疾人。

第十条 国家鼓励残疾人自尊、自信、自强、自立，为社会主义建设贡献力量。

残疾人应当遵守法律、法规，履行应尽的义务，遵守公共秩序，尊重社会公德。

第十一条 国家有计划地开展残疾预防工作，加强对残疾预防工作的领导，宣传、普及母婴保健和预防残疾的知识，建立健全出生缺陷预防和早期发现、早期治疗机制，针对遗传、疾病、药物、事故、灾害、环境污染和其他致残因素，组织和动员社会力量，采取措施，预防残疾的发生，减轻残疾程度。

国家建立健全残疾人统计调查制度，开展残疾人状况的统计调查和分析。

第十二条 国家和社会对残疾军人、因公致残人员以及其他为维护国家和人民利益致残的人员实行特别保障，给予抚恤和优待。

第十三条 对在社会主义建设中做出显著成绩的残疾人，对维护残疾人合法权益、发展残疾人事业、为残疾人服务做出显著成绩的单位和个人，各级人民政府和有关部门给予表彰和奖励。

第十四条 每年5月的第三个星期日为全国助残日。

第二章 康 复

第十五条 国家保障残疾人享有康复服务的权利。

各级人民政府和有关部门应当采取措施，为残疾人康复创造条件，建立和完善残疾人康复服务体系，并分阶段实施重点康复项目，帮助残疾人恢复或者补偿功能，增强其参与社会生活的能力。

第十六条 康复工作应当从实际出发，将现代康复技术与我国传统康复技术相结合；以社区康复为基础，康复机构为骨干，残疾人家庭为依托；以实用、易行、受益广的康复内容为重点，优先开展残疾儿童抢救性治疗和康复；发展符合康复要求的科学技术，鼓励自主创新，加强康复新技术的研究、开发和应用，为残疾人提供有效的康复服务。

第十七条 各级人民政府鼓励和扶持社会力量兴办残疾人康复机构。

地方各级人民政府和有关部门，应当组织和指导城乡社区服务组织、医疗预防保健机构、残疾人组织、残疾人家庭和其他社会力量,开展社区康复工作。

残疾人教育机构、福利性单位和其他为残疾人服务的机构,应当创造条件,开展康复训练活动。

残疾人在专业人员的指导和有关工作人员、志愿工作者及亲属的帮助下,应当努力进行功能、自理能力和劳动技能的训练。

第十八条　地方各级人民政府和有关部门应当根据需要有计划地在医疗机构设立康复医学科室,举办残疾人康复机构,开展康复医疗与训练、人员培训、技术指导、科学研究等工作。

第十九条　医学院校和其他有关院校应当有计划地开设康复课程,设置相关专业,培养各类康复专业人才。

政府和社会采取多种形式对从事康复工作的人员进行技术培训;向残疾人、残疾人亲属、有关工作人员和志愿工作者普及康复知识,传授康复方法。

第二十条　政府有关部门应当组织和扶持残疾人康复器械、辅助器具的研制、生产、供应、维修服务。

第三章　教　育

第二十一条　国家保障残疾人享有平等接受教育的权利。

各级人民政府应当将残疾人教育作为国家教育事业的组成部分,统一规划,加强领导,为残疾人接受教育创造条件。

政府、社会、学校应当采取有效措施,解决残疾儿童、少年就学存在的实际困难,帮助其完成义务教育。

各级人民政府对接受义务教育的残疾学生、贫困残疾人家庭的学生提供免费教科书,并给予寄宿生活费等费用补助;对接受义务教育以外其他教育的残疾学生、贫困残疾人家庭的学生按照国家有关规定给予资助。

第二十二条　残疾人教育,实行普及与提高相结合、以普及为重点的方针，保障义务教育，着重发展职业教育，积极开展学前教育，逐步发展高级中等以上教育。

第二十三条 残疾人教育应当根据残疾人的身心特性和需要，按照下列要求实施：

（一）在进行思想教育、文化教育的同时，加强身心补偿和职业教育；

（二）依据残疾类别和接受能力，采取普通教育方式或者特殊教育方式；

（三）特殊教育的课程设置、教材、教学方法、入学和在校年龄，可以有适度弹性。

第二十四条 县级以上人民政府应当根据残疾人的数量、分布状况和残疾类别等因素，合理设置残疾人教育机构，并鼓励社会力量办学、捐资助学。

第二十五条 普通教育机构对具有接受普通教育能力的残疾人实施教育，并为其学习提供便利和帮助。

普通小学、初级中等学校，必须招收能适应其学习生活的残疾儿童、少年入学；普通高级中等学校、中等职业学校和高等学校，必须招收符合国家规定的录取要求的残疾考生入学，不得因其残疾而拒绝招收；拒绝招收的，当事人或者其亲属、监护人可以要求有关部门处理，有关部门应当责令该学校招收。

普通幼儿教育机构应当接收能适应其生活的残疾幼儿。

第二十六条 残疾幼儿教育机构、普通幼儿教育机构附设的残疾儿童班、特殊教育机构的学前班、残疾儿童福利机构、残疾儿童家庭，对残疾儿童实施学前教育。

初级中等以下特殊教育机构和普通教育机构附设的特殊教育班，对不具有接受普通教育能力的残疾儿童、少年实施义务教育。

高级中等以上特殊教育机构、普通教育机构附设的特殊教育班和残疾人职业教育机构，对符合条件的残疾人实施高级中等以上文化教育、职业教育。

提供特殊教育的机构应当具备适合残疾人学习、康复、生活特点的场所和设施。

第二十七条　政府有关部门、残疾人所在单位和有关社会组织应当对残疾人开展扫除文盲、职业培训、创业培训和其他成人教育，鼓励残疾人自学成才。

第二十八条　国家有计划地举办各级各类特殊教育师范院校、专业，在普通师范院校附设特殊教育班，培养、培训特殊教育师资。普通师范院校开设特殊教育课程或者讲授有关内容，使普通教师掌握必要的特殊教育知识。

特殊教育教师和手语翻译，享受特殊教育津贴。

第二十九条　政府有关部门应当组织和扶持盲文、手语的研究和应用，特殊教育教材的编写和出版，特殊教育教学用具及其他辅助用品的研制、生产和供应。

第四章　劳动就业

第三十条　国家保障残疾人劳动的权利。

各级人民政府应当对残疾人劳动就业统筹规划，为残疾人创造劳动就业条件。

第三十一条　残疾人劳动就业，实行集中与分散相结合的方针，采取优惠政策和扶持保护措施，通过多渠道、多层次、多种形式，使残疾人劳动就业逐步普及、稳定、合理。

第三十二条　政府和社会举办残疾人福利企业、盲人按摩机构和其他福利性单位，集中安排残疾人就业。

第三十三条　国家实行按比例安排残疾人就业制度。

国家机关、社会团体、企业事业单位、民办非企业单位应当按照规定的比例安排残疾人就业，并为其选择适当的工种和岗位。达不到规定比例的，按照国家有关规定履行保障残疾人就业义务。

国家鼓励用人单位超过规定比例安排残疾人就业。

残疾人就业的具体办法由国务院规定。

第三十四条 国家鼓励和扶持残疾人自主择业、自主创业。

第三十五条 地方各级人民政府和农村基层组织，应当组织和扶持农村残疾人从事种植业、养殖业、手工业和其他形式的生产劳动。

第三十六条 国家对安排残疾人就业达到、超过规定比例或者集中安排残疾人就业的用人单位和从事个体经营的残疾人，依法给予税收优惠，并在生产、经营、技术、资金、物资、场地等方面给予扶持。国家对从事个体经营的残疾人，免除行政事业性收费。

县级以上地方人民政府及其有关部门应当确定适合残疾人生产、经营的产品、项目，优先安排残疾人福利性单位生产或者经营，并根据残疾人福利性单位的生产特点确定某些产品由其专产。

政府采购，在同等条件下应当优先购买残疾人福利性单位的产品或者服务。

地方各级人民政府应当开发适合残疾人就业的公益性岗位。

对申请从事个体经营的残疾人，有关部门应当优先核发营业执照。

对从事各类生产劳动的农村残疾人，有关部门应当在生产服务、技术指导、农用物资供应、农副产品购销和信贷等方面，给予帮助。

第三十七条 政府有关部门设立的公共就业服务机构，应当为残疾人免费提供就业服务。

残疾人联合会举办的残疾人就业服务机构，应当组织开展免费的职业指导、职业介绍和职业培训，为残疾人就业和用人单位招用残疾人提供服务和帮助。

第三十八条 国家保护残疾人福利性单位的财产所有权和经营自主权，其合法权益不受侵犯。

在职工的招用、转正、晋级、职称评定、劳动报酬、生活福利、休息休假、社会保险等方面,不得歧视残疾人。

残疾职工所在单位应当根据残疾职工的特点,提供适当的劳动条件和劳动保护,并根据实际需要对劳动场所、劳动设备和生活设施进行改造。

国家采取措施,保障盲人保健和医疗按摩人员从业的合法权益。

第三十九条 残疾职工所在单位应当对残疾职工进行岗位技术培训,提高其劳动技能和技术水平。

第四十条 任何单位和个人不得以暴力、威胁或者非法限制人身自由的手段强迫残疾人劳动。

第五章 文化生活

第四十一条 国家保障残疾人享有平等参与文化生活的权利。

各级人民政府和有关部门鼓励、帮助残疾人参加各种文化、体育、娱乐活动,积极创造条件,丰富残疾人精神文化生活。

第四十二条 残疾人文化、体育、娱乐活动应当面向基层,融于社会公共文化生活,适应各类残疾人的不同特点和需要,使残疾人广泛参与。

第四十三条 政府和社会采取下列措施,丰富残疾人的精神文化生活:

(一)通过广播、电影、电视、报刊、图书、网络等形式,及时宣传报道残疾人的工作、生活等情况,为残疾人服务;

(二)组织和扶持盲文读物、盲人有声读物及其他残疾人读物的编写和出版,根据盲人的实际需要,在公共图书馆设立盲文读物、盲人有声读物图书室;

(三)开办电视手语节目,开办残疾人专题广播栏目,推进电视栏目、影视作品加配字幕、解说；

（四）组织和扶持残疾人开展群众性文化、体育、娱乐活动，举办特殊艺术演出和残疾人体育运动会，参加国际性比赛和交流；

（五）文化、体育、娱乐和其他公共活动场所，为残疾人提供方便和照顾。有计划地兴办残疾人活动场所。

第四十四条 政府和社会鼓励、帮助残疾人从事文学、艺术、教育、科学、技术和其他有益于人民的创造性劳动。

第四十五条 政府和社会促进残疾人与其他公民之间的相互理解和交流，宣传残疾人事业和扶助残疾人的事迹，弘扬残疾人自强不息的精神，倡导团结、友爱、互助的社会风尚。

第六章 社会保障

第四十六条 国家保障残疾人享有各项社会保障的权利。

政府和社会采取措施，完善对残疾人的社会保障，保障和改善残疾人的生活。

第四十七条 残疾人及其所在单位应当按照国家有关规定参加社会保险。

残疾人所在城乡基层群众性自治组织、残疾人家庭，应当鼓励、帮助残疾人参加社会保险。

对生活确有困难的残疾人，按照国家有关规定给予社会保险补贴。

第四十八条 各级人民政府对生活确有困难的残疾人，通过多种渠道给予生活、教育、住房和其他社会救助。

县级以上地方人民政府对享受最低生活保障待遇后生活仍有特别困难的残疾人家庭，应当采取其他措施保障其基本生活。

各级人民政府对贫困残疾人的基本医疗、康复服务、必要的辅助器具的配置和更换，应当按照规定给予救助。

对生活不能自理的残疾人，地方各级人民政府应当根据情况给予护理补贴。

第四十九条　地方各级人民政府对无劳动能力、无扶养人或者扶养人不具有扶养能力、无生活来源的残疾人，按照规定予以供养。

国家鼓励和扶持社会力量举办残疾人供养、托养机构。

残疾人供养、托养机构及其工作人员不得侮辱、虐待、遗弃残疾人。

第五十条　县级以上人民政府对残疾人搭乘公共交通工具，应当根据实际情况给予便利和优惠。残疾人可以免费携带随身必备的辅助器具。

盲人持有效证件免费乘坐市内公共汽车、电车、地铁、渡船等公共交通工具。盲人读物邮件免费寄递。

国家鼓励和支持提供电信、广播电视服务的单位对盲人、听力残疾人、言语残疾人给予优惠。

各级人民政府应当逐步增加对残疾人的其他照顾和扶助。

第五十一条　政府有关部门和残疾人组织应当建立和完善社会各界为残疾人捐助和服务的渠道，鼓励和支持发展残疾人慈善事业，开展志愿者助残等公益活动。

第七章　无障碍环境

第五十二条　国家和社会应当采取措施，逐步完善无障碍设施，推进信息交流无障碍，为残疾人平等参与社会生活创造无障碍环境。

各级人民政府应当对无障碍环境建设进行统筹规划，综合协调，加强监督管理。

第五十三条　无障碍设施的建设和改造，应当符合残疾人的实际需要。

新建、改建和扩建建筑物、道路、交通设施等，应当符合国家有关无障碍设施工程建设标准。

各级人民政府和有关部门应当按照国家无障碍设施工程建设规定，逐步推进已建成设施的改造，优先推进与残疾人日常工作、生活密切相关的公共服务设施的改造。

对无障碍设施应当及时维修和保护。

第五十四条　国家采取措施，为残疾人信息交流无障碍创造条件。

各级人民政府和有关部门应当采取措施，为残疾人获取公共信息提供便利。

国家和社会研制、开发适合残疾人使用的信息交流技术和产品。

国家举办的各类升学考试、职业资格考试和任职考试，有盲人参加的，应当为盲人提供盲文试卷、电子试卷或者由专门的工作人员予以协助。

第五十五条　公共服务机构和公共场所应当创造条件，为残疾人提供语音和文字提示、手语、盲文等信息交流服务，并提供优先服务和辅助性服务。

公共交通工具应当逐步达到无障碍设施的要求。有条件的公共停车场应当为残疾人设置专用停车位。

第五十六条　组织选举的部门应当为残疾人参加选举提供便利；有条件的，应当为盲人提供盲文选票。

第五十七条　国家鼓励和扶持无障碍辅助设备、无障碍交通工具的研制和开发。

第五十八条　盲人携带导盲犬出入公共场所，应当遵守国家有关规定。

第八章　法律责任

第五十九条　残疾人的合法权益受到侵害的，可以向残疾人组织投诉,残疾人组织应当维护残疾人的合法权益,有权要求有关部门或者单位查处。有关部门或者单位应当依法查处,并予以答复。

残疾人组织对残疾人通过诉讼维护其合法权益需要帮助的,应当给予支持。

残疾人组织对侵害特定残疾人群体利益的行为,有权要求有关部门依法查处。

第六十条 残疾人的合法权益受到侵害的,有权要求有关部门依法处理,或者依法向仲裁机构申请仲裁,或者依法向人民法院提起诉讼。

对有经济困难或者其他原因确需法律援助或者司法救助的残疾人,当地法律援助机构或者人民法院应当给予帮助,依法为其提供法律援助或者司法救助。

第六十一条 违反本法规定,对侵害残疾人权益行为的申诉、控告、检举,推诿、拖延、压制不予查处,或者对提出申诉、控告、检举的人进行打击报复的,由其所在单位、主管部门或者上级机关责令改正,并依法对直接负责的主管人员和其他直接责任人员给予处分。

国家工作人员未依法履行职责,对侵害残疾人权益的行为未及时制止或者未给予受害残疾人必要帮助,造成严重后果的,由其所在单位或者上级机关依法对直接负责的主管人员和其他直接责任人员给予处分。

第六十二条 违反本法规定,通过大众传播媒介或者其他方式贬低损害残疾人人格的,由文化、广播电影电视、新闻出版或者其他有关主管部门依据各自的职权责令改正,并依法给予行政处罚。

第六十三条 违反本法规定,有关教育机构拒不接收残疾学生入学,或者在国家规定的录取要求以外附加条件限制残疾学生就学的，由有关主管部门责令改正，并依法对直接负责的主管人员和其他直接责任人员给予处分。

第六十四条 违反本法规定，在职工的招用等方面歧视残疾人的，由有关主管部门责令改正；残疾人劳动者可以依法向人民法院提起诉讼。

第六十五条 违反本法规定，供养、托养机构及其工作人员侮辱、虐待、遗弃残疾人的，对直接负责的主管人员和其他直接责任人员依法给予处分；构成违反治安管理行为的，依法给予行政处罚。

第六十六条 违反本法规定，新建、改建和扩建建筑物、道路、交通设施，不符合国家有关无障碍设施工程建设标准，或者对无障碍设施未进行及时维修和保护造成后果的，由有关主管部门依法处理。

第六十七条 违反本法规定，侵害残疾人的合法权益，其他法律、法规规定行政处罚的，从其规定；造成财产损失或者其他损害的，依法承担民事责任；构成犯罪的，依法追究刑事责任。

第九章 附 则

第六十八条 本法自2008年7月1日起施行。

关于《中华人民共和国残疾人保障法（修订草案）》的说明

——2008 年 2 月 26 日在第十届全国人民代表大会常务委员会第三十二次会议上

民政部部长 李学举

委员长、各位副委员长、秘书长、各位委员：

我受国务院委托，现对《中华人民共和国残疾人保障法（修订草案）》作说明。

《中华人民共和国残疾人保障法》（以下简称《残疾人保障法》）自 1991 年 5 月 15 日施行以来，对于促进残疾人事业发展，保障残疾人的合法权益发挥了重要作用。实践证明，《残疾人保障法》确立的基本制度是正确的，有关残疾人事业发展和残疾人权益保障的规定也是切实可行的。同时，随着我国经济社会的发展，在残疾人权益保障方面出现了一些新情况、新问题，需要从制度上进一步完善：一是残疾人参与国家和社会事务管理的方式和渠道有待进一步拓宽；二是为了保障残疾人的基本康复需求，需要进一步完善康复服务体系，鼓励兴办康复机构；三是为了保障残疾人的教育权利，需要进一步解决残疾儿童、残疾青少年以及贫困残疾人子女就学的实际困难；四是为了保障残疾人的劳动就业权益，需要进一步完善有关劳动就业方面的制度、措施；五是针对残疾人的生活状况低于社会平均水平的状况，需要进一步完善有关社会保障制度；六是为了满足残疾人出行和社会交流的实际需要，有必要加强有关无障碍设施工程建设和信息交流、公共服务无障碍建设；七是针对严重侵犯残疾人合法权益的现象，需要进一步完善相应的法律责任。

为了解决上述问题，深入贯彻落实《中共中央关于构建社会主义和谐社会若干重大问题的决定》提出的“发扬人道主义精神，发展残疾人事业，保障残疾人合法权益”的要求，民政部、中国残疾人联合会（以下简称中国残联）经过深入调查研究，在认真总结《残疾人保障法》实施经验的基础上，起草了《中华人民共和国残疾人保障法（修订草案）（送审稿）》（以下简称送审稿），于2006年10月报请国务院审议。法制办收到此件后，即征求了中央组织部、全国人大内务司法委、全国人大常委会法工委、高法院、高检院、全国总工会和财政部、劳动保障部、发展改革委等51个有关部门以及31个省级地方人民政府的意见，并多次召开座谈会，听取有关部门的意见。在此基础上，法制办会同民政部、中国残联对送审稿进行了反复研究、修改，形成了《中华人民共和国残疾人保障法（修订草案）》（以下简称修订草案）。修订草案已经2008年1月23日国务院第206次常务会议讨论通过。现就修订草案的主要内容说明如下：

一、关于残疾人合法权益的保障

鉴于目前在保障残疾人权益方面出现的新情况和新问题，为了适应社会主义市场经济条件下保障残疾人合法权益的需要，修订草案主要从以下几个方面完善或者增加了有关残疾人权益保障的规定：

（一）在参与国家事务和社会事务管理方面，修订草案规定：国家采取措施,保障残疾人依照法律规定,通过各种途径和形式,管理国家事务、经济和文化事业、社会事务;在制定法律、法规、规章和公共政策时,对涉及残疾人权益的重大问题,应当听取残疾人联合会的意见;残疾人和残疾人组织有权向各级国家机关提出残疾人权益保障、残疾人事业发展方面的意见和建议。(第七条)

(二)在康复服务方面,修订草案规定:各级人民政府和有关部门应当采取措施,为残疾人康复创造条件,建立和完善残疾人康复服务体系,并分阶段实施重点康复项目,帮助残疾人恢复或者补偿功能,增强其参与社会生活的能力;各级人民政府鼓励和扶持社会力量兴办残疾人康复机构。(第十六条、第十八条)

(三)在教育权益方面,修订草案规定:县级以上人民政府应当根据残疾人的数量、残疾类别和分布状况等,合理设置残疾人教育机构,并鼓励社会力量办学、捐资助学;各级人民政府对接受义务教育的残疾学生、贫困残疾人家庭的学生提供免费教科书,并给予寄宿生活费等费用补助;对接受义务教育以外其他教育的残疾学生、贫困残疾人家庭的学生按照国家有关规定给予资助。(第二十五条、第二十二条)

(四)在劳动就业方面,修订草案规定:各级人民政府应当采取必要措施保障残疾人按比例就业,鼓励用人单位超过规定比例安排残疾人就业;政府采购,在同等条件下,应当优先购买残疾人福利性企业事业单位的产品或者服务;公共就业服务机构应当为残疾人免费提供就业服务,残疾人就业服务机构应当组织开展免费的职业指导、职业介绍和职业培训。(第三十四条、第三十七条、第三十八条)

(五)在文化生活方面,修订草案规定:政府和社会组织扶持盲文读物、盲人有声读物及其他残疾人读物的编写和出版;县级以上人民政府建立的公共图书馆,应当根据盲人的实际需要,设立盲文及盲人有声读物图书室;电视台开办手语节目,广播电台开办残疾

人专题栏目,影视作品加配字幕,并酌情加配解说。(第四十三条)

(六)在社会保障方面,修订草案规定:残疾人及其所在单位应当参加社会保险,国家对生活确有困难的残疾人给予社会保险补贴;县级以上地方人民政府应当依法向残疾人家庭提供最低生活保障,对享受最低生活保障待遇后仍有特别困难的残疾人家庭,应当采取其他措施保障其基本生活;国家鼓励和支持提供电信、广播电视服务的单位对盲人、听力残疾人、言语残疾人给予优惠。(第四十七条、第四十八条、第五十条)

此外,修订草案还规定:对有经济困难或者其他原因确需法律援助或者司法救助的残疾人,当地法律援助机构或者人民法院应当依法提供法律援助或者司法救助。(第十五条)

二、关于无障碍环境

为了给残疾人出行和社会交流提供更好的便利,进一步规范和推进无障碍环境建设,修订草案除将第七章章名"环境"修改为"无障碍环境"外,主要从以下几个方面完善或者增加了有关无障碍环境的规定:

(一)在设施建设方面,修订草案规定:新建、改建和扩建建筑物等设施,应当符合国家无障碍设施工程建设标准;各级人民政府和有关部门应当按照国家无障碍设施工程建设规定,逐步推进已建成设施的改造;对无障碍设施应当及时维修和保护。(第五十三条)

(二)在信息交流方面,修订草案规定:各级人民政府和有关部门应当为残疾人获取公共信息提供便利;国家和社会研制、开发适合残疾人使用的信息交流技术;国家举办的各类升学考试、职业资格考试和任职考试,有条件的,应当为盲人提供盲文试卷、电子试卷或者由专门的工作人员予以协助。(第五十四条)

(三)在公共服务方面,修订草案规定:公共服务机构和公共场所应当为残疾人提供语音和文字提示等信息交流服务;公共交通工具应当逐步达到无障碍设施的要求;有条件的公共停车场应当为残疾人设置专用停车位。(第五十五条)

此外,鉴于我国在申办2008年奥运会时曾承诺导盲犬可以入境,同时考虑到许多国家在其法律中也均有盲人可以携带导盲犬出入公共场所的规定,修订草案规定:盲人携带导盲犬出入公共场所,应当遵守国家有关规定。(第五十八条)

三、关于法律责任

为了使本法规定的保障残疾人权益的各项措施得以顺利实施,修订草案对下列严重损害残疾人合法权益的行为,规定了相应的法律责任:

一是对侵害残疾人权益行为的申诉、控告、检举,推诿、拖延、压制不予查处的,或者对提出申诉、控告、检举的人进行打击报复的,由有关部门责令改正,并依法给予处分。(第五十九条)

二是对通过大众传播媒介或者其他方式贬低损害残疾人人格的,由有关部门责令改正,并依法给予行政处罚。(第六十条)

三是对教育机构拒不接收残疾学生入学或者在国家规定的录取要求以外附加条件限制残疾学生就学的,由有关主管部门责令改正,并依法给予处分。(第六十一条)

四是对在职工的招用、聘用方面歧视残疾人的,由有关主管部门责令改正;残疾人劳动者可以依法向人民法院提起诉讼。(第六十二条)

五是对供养、托养机构及其工作人员虐待、遗弃残疾人的,依法给予处分;违反治安管理的,依法给予处罚;构成犯罪的,依法追究刑事责任。(第六十三条)

六是新建、改建和扩建建筑物、道路、交通设施,不符合国家有关无障碍设施工程建设标准,或者对无障碍设施未进行及时维修

和保护造成后果的，由有关主管部门依法处理。（第六十四条）

此外，为了加强残疾人权益保障工作，修订草案还进一步明确了县级以上人民政府负责残疾人工作的机构和中国残疾人联合会及其地方组织的职能和作用。（第六条、第九条）

《中华人民共和国残疾人保障法（修订草案）》和以上说明是否妥当，请审议。

十届全国人大常委会
第三十二次会议分组审议残疾人保障法（修订草案）的意见

十届全国人大常委会第三十二次会议分组审议了残疾人保障法（修订草案）。大家普遍认为，修订草案总结了多年来残疾人事业发展的经验，体现了以人为本，保障残疾人权益和发展残疾人事业的先进理念，有利于构建社会主义和谐社会，修改得比较好。现将审议中提出的主要意见简报如下：

一、关于总则

修订草案第一条规定了立法目的。有的常委会组成人员提出，“发展残疾人事业”的表述不够准确，建议修改为“发展残疾人救助事业”、“扶持残疾人事业”或者“发展残障人保障事业”。

修订草案第二条第一款对残疾人的概念进行了界定。有的常委会组成人员提出，心理残疾难以界定，建议将残疾人的概念修改为：“在人体组织结构、生理功能或精神行为方面全部或者部分丧失以正常方式从事某种活动能力的人。”

第二条第三款规定：“残疾标准由国务院规定。”有的常委会组成人员建议修改为：“残疾人标准和范围由国务院规定。”有的常委会组成人员建议残疾标准应根据需要适时作出修改。

第二条第四款规定:"国家建立健全残疾人统计调查制度,开展残疾人状况的统计调查。"有的常委会组成人员提出,这一规定属于具体操作层面的问题,放在总则中不太合适,建议移入其他章节或者在第十二条中予以规定。

修订草案第三条第三款规定,禁止歧视、侮辱、侵害残疾人。有的常委会组成人员和专门委员会委员提出,现实生活中除直接歧视残疾人外,还有基于残疾的歧视,如对残疾人的亲属进行歧视等。建议增加"禁止基于残疾的歧视"的规定。

修订草案第五条规定:"国家和社会对残疾军人、因公致残人员以及其他为维护国家和人民利益致残的人员实行特别保障,给予抚恤和优待。"有的常委会组成人员建议对这些人的保障有更加明确、具体的规定。

修订草案第七条第二款规定:"在制定法律、法规、规章和公共政策时,对涉及残疾人权益的重大问题,应当听取残疾人联合会的意见。"有的专门委员会委员提出,对涉及残疾人权益的重大问题,还应当听取残疾人的意见;有的常委会组成人员建议将这一款修改为:"在制定法律、法规、规章和公共政策时,对涉及残疾人权益和残疾人事业发展的重大问题,应当听取残疾人和残疾人组织的意见。"

第七条第三款规定:"残疾人和残疾人组织有权向各级国家机关提出残疾人权益保障、残疾人事业发展等方面的意见和建议。"有的专门委员会委员建议增加"督促政府有关部门依照本法履行职责"的规定。

修订草案第八条第二款规定:"国家鼓励社会组织和个人为残疾人提供捐助和服务。"有的常委会组成人员提出,应扩大为残疾人提供捐助和服务的组织的范围,建议修改为:"国家鼓励社会组织、机关、团体、企事业单位和个人为残疾人提供捐助和服务。"

第八条第五款规定:"每年 5 月的第三个星期日,为全国助残日。”有的常委会组成人员建议将这一款单列一条规定。

修订草案第九条规定了中国残疾人联合会及其地方组织的性质和职能。有的常委会组成人员建议将残联的性质规定得更明确些。

修订草案第十一条第二款规定了残疾人应履行的义务。有的常委会组成人员提出，为顺应社会管理的需要，应加强残疾人应尽的责任和义务方面的规定，建议修改为：“残疾人应当遵守法律、法规，履行应尽的责任和义务，服从社会管理，尊重公共秩序，尊重社会公德。”

修订草案第十二条对残疾预防工作作了规定。有的常委会组成人员提出，应当建立健全预防新生儿缺陷机制，明确各级政府在预防和早期发现残疾中的责任。有的常委会组成人员建议将“残疾预防”单列一章予以规定。有的常委会组成人员建议对生育残疾子女的父母实行免费体检。有的常委会组成人员建议实行免费孕检制度。有的常委会组成人员建议从源头上控制致残因素。

有的常委会组成人员提出，在残疾人保障方面，除政府发挥作用外，还应当发挥社会各方面的作用。

有的常委会组成人员提出，残疾人除享有平等权利外，还应当根据其自身特点给予特殊保护。

有的常委会组成人员建议明确本法的执法主体，理顺管理体制。

有的常委会组成人员提出，总则篇幅较长，有些头重脚轻，建议精简、合并，将部分内容移入其他章节。

二、关于康复和教育

修订草案第十六条第二款规定，各级人民政府和有关部门应当采取措施，为残疾人康复创造条件。有的常委会组成人员建议增加“各级人民政府和有关部门统筹规划”的内容。有的常委会组成人员建议在县、市一级设立残疾人康复中心。

修订草案第二十二条第三款规定："政府、社会、学校应当采取有效措施，解决残疾儿童、少年就学存在的实际困难，帮助其完成义务教育。"有的常委会组成人员建议将"有效措施"加以细化，如规定"政府应当设立残疾人教育专项助学金"等。

修订草案第二十三条第一项规定，残疾人教育，根据残疾人的身心特征和需要，在进行思想教育、文化教育的同时，加强身心补偿和职业教育。有的常委会组成人员建议将"身心补偿"的表述修改为"心理辅导"。

修订草案第二十四条规定了残疾人教育应当"着重发展义务教育和职业教育"。有的常委会组成人员提出，根据义务教育法的规定，对残疾人的义务教育已不是"着重发展"，而是"切实保障"，建议修改为："切实保障残疾人的义务教育，着重发展残疾人的职业教育。"

修订草案第二十五条规定了县级以上人民政府应当合理设置残疾人教育机构。有的常委会组成人员提出，这一规定比较原则，建议明确规定"普通学校应当为残疾人的教育提供条件"。

有的常委会组成人员提出，残疾人的康复工作和服务需要科技支撑，应当提高自主创新能力，发展符合残疾人康复要求的科学技术，并给予政策扶持。有的常委会组成人员提出，很多残疾人在文体、艺术等领域具有特殊才能，建议设立专门研究机构，形成发现、培养特殊才能残疾人的机制。

三、关于劳动就业

修订草案第三十四条第一款规定，机关、团体、企业事业单位、民办非企业单位，应当按一定比例安排残疾人就业。省、自治区、直辖市人民政府可以根据实际情况规定具体比例。有的常委会组成人员提出，2007 年 5 月 1 日实施的《残疾人就业条例》中规定了

“用人单位安排残疾人就业的比例不得低于本单位在职职工总数的1.5%。具体比例由省、自治区、直辖市人民政府根据本地区的实际情况规定。”修订草案的规定可能让人产生“省、自治区、直辖市可以不受1.5%的限制任意规定比例”的误解，造成法律规定与条例不一致。有的常委会组成人员提出，本法应明确规定，用人单位不按规定比例安排残疾人就业的，应缴纳残疾人就业保证金。有的常委会组成人员提出，应规定“残疾人就业保障金的使用应当接受监督”。有的常委会组成人员提出，一部分小型企业可能无法做到按比例安排残疾人就业，建议增加“符合一定条件的小型微利企业可以不安排残疾人就业”的规定，以利于小型企业的发展。

修订草案第三十七条第一款规定，国家对安排残疾人就业的用人单位和从事个体经营的残疾人，依法给予税收优惠。有的常委会组成人员建议将“用人单位”限定为“专门安排残疾人就业的用人单位”。

第三十七条第五款规定：“对于申请从事个体工商业的残疾人，有关部门应当优先核发营业执照，并在场地、信贷等方面给予照顾。”有的常委会组成人员建议增加“减免行政事业性费用”的规定。

修订草案第三十九条第四款规定：“国家采取措施，保障盲人按摩人员从业的合法权益。”有的常委会组成人员建议将“盲人按摩人员”的表述修改为“盲人医疗保健人员”。

四、关于社会保障

修订草案第四十八条第二款规定：“县级以上地方人民政府应当依法向残疾人家庭提供最低生活保障；对享受最低生活保障待遇后仍有特别困难的残疾人家庭，应当采取其他措施保障其基本生活。”有的常委会组成人员建议加大对残疾人的保障力度，使残疾人，特别是重残人员享受全额最低生活保障。

有的常委会组成人员建议加大对农村中的残疾人的保护力度，规定“生活在农村的残疾人享受的社会保障的水平不低于所在的市，具体办法由国务院或者地方人民政府规定”。有的常委会组成人员建议为农村中的残疾人颁发认证书，使其享受低保待遇。

五、关于文化生活和无障碍环境

修订草案第四十五条规定：“政府和社会促进残疾人与其他公民之间的相互理解和交流，宣传残疾人事业和扶助残疾人的事迹，弘扬残疾人自强不息的精神，倡导团结、友爱、互助的社会风尚。”有的常委会组成人员提出，这一条的规定不属于“文化生活”的内容，建议移入总则。

修订草案第五十条第三款规定，盲人持有效证件免费乘坐市内公共交通工具。有的常委会组成人员建议修改为：“二级以上视力的残疾人持有效证件在全国范围内免费乘坐公共交通工具。”

修订草案第五十八条规定：“盲人携带导盲犬出入公共场所，应当遵守有关规定。”有的常委会组成人员提出，我国没有对导盲犬进入公共场所的有关规定，建议修改为：“盲人可以携带导盲犬出入公共场所，具体办法由国务院有关部门规定。”

六、关于法律责任

修订草案第六十五条规定，违反本法规定，侵害残疾人的合法权益，其他法律、法规规定行政处罚的，从其规定。有的专门委员会委员建议将“规章”也作为行政处罚的依据，修改为：“其他法律、法规、规章规定行政处罚的，从其规定。”

有的常委会组成人员建议增加规定：“对占用和破坏残疾人无障碍设施的，责令其恢复重建；情节严重造成不良后果的，应由有关主管部门追究其法律和刑事责任。”

七、其他

1. 有的常委会组成人员建议将本法的名称修改为“残疾人权益保障法”。

2. 有的常委会组成人员提出，对残疾人的保障应建立在国家实际经济状况的基础上，能保障到什么程度，就规定到什么程度。如果规定得太多，实际上又做不到，则不利于法律的执行。建议本法在表述上要原则，要留出适当余地和空间。

3. 有的常委会组成人员提出，对残疾人的保障应突出平等、参与、共享、共担责任的立法理念。

4. 有的常委会组成人员建议对做出突出贡献的、自强自信自立的残疾人典型给予奖励、支持和宣传。

5. 有的常委会组成人员建议应有实施细则与本法配套实施，以保障法律的执行。

各地和中央有关部门、单位对残疾人保障法（修订草案）的意见

十届全国人大常委会第三十二次会议对残疾人保障法（修订草案）进行了初步审议。会后，全国人大常委会法制工作委员会将修订草案印发各省、自治区、直辖市、各较大市和经济特区的人大常委会，以及中央有关部门、社会团体、高等院校和研究机构等单位征求意见。大家普遍认为，为了进一步完善我国残疾人保障制度，促进我国残疾人事业的全面发展，实现社会公平正义，针对我国经济社会发展中出现的新情况和新问题，对现行残疾人保障法进行修订是必要的。修订草案体系比较完整，规范的内容比较全面，是切实可行的，彰显了与时俱进的立法精神，建议全国人大常委会修改完善后早日出台。同时，对修订草案也提出了一些修改意见和建议，现简报如下：

一、关于本法的名称

一些地方和单位建议修订草案将本法的名称修改为“残疾人权益保障法”，以着重强调对残疾人权益的保障和维护，符合我国立法强调保障人权的价值取向和国际残疾人立法的最新发展趋势；同时，也可与其他相关法律如妇女权益保障法、老年人权益保障法等法的名称表述方式相一致（天津、广州、华东政法）。

二、关于总则

1. 上海提出，我国已于2007年签署了联合国《残疾人权利公约》，建议修订草案在总则中参照公约关于“尊重隐私”的有关规定，增设有关“残疾人的隐私、家庭、家居和通信及其他形式的交流，不得受到任意或非法的干预，其荣誉和名誉也不得受到非法攻击”和“应当在与其他人平等的基础上保护残疾人的个人、健康和康复资料的隐私”的内容。

2. 修订草案第三条第三款中对禁止歧视残疾人作了规定。安徽、内蒙古提出，禁止歧视残疾人的表述不完整，因残疾而歧视其他人（主要是残疾人的亲属及有关的残疾人组织机构等）也应为法律所禁止。建议修订草案根据联合国《残疾人权利公约》对这一问题的表述，明确规定“禁止基于残疾的歧视”。

3. 修订草案第五条规定：“国家和社会对残疾军人、因公致残人员以及其他为维护国家和人民利益致残的人员实行特别保障，给予抚恤和优待。”中央军委法制局提出，为完整体现现行法律、法规已经作出的关于妥善安置残疾军人的规定，建议在本条最后增加“并妥善安置”的内容。民政部建议将“给予抚恤和优待”修改为“按照有关规定给予抚恤和优待。在同等条件下，保障其优先享有本法规定的残疾人权益”。

4. 修订草案第六条第三款规定：“县级以上人民政府负责残疾人工作的机构，负责组织、协调、指导、督促有关部门做好残疾人事业的工作。”国务院发展研究中心提出，这一规定本身是正确的，但责任主体不明确。由于政府行政序列中没有专门负责残疾人工作的机构，很多残疾人工作难以落实。建议由民政部牵头残疾人权益保护工作，将修订草案中的“县级以上人民政府负责残疾人工作的机构”均修改为“县级以上人民政府民政部门”。

5. 修订草案第十条规定了残疾人相关家庭成员的义务和职

责。无锡、邯郸建议修订草案明确规定残疾人的法定扶养人或者监护人未履行扶养义务或者监护职责,或者虐待、遗弃残疾人或对残疾人实施家庭暴力行为的法律责任。江西提出,修订草案中的“法定扶养人”的用语不准确,不是法律概念,其本意如果包括扶养人、抚养人和赡养人,建议予以明确规定。

6. 修订草案第十二条规定:“国家有计划地开展残疾预防工作,加强对残疾预防工作的领导,宣传、普及母婴保健和预防残疾的知识,建立健全出生缺陷早期发现和早期治疗机制,针对遗传、疾病、药物中毒、事故、灾害、环境污染和其他致残因素,组织和动员社会力量,采取措施,预防残疾的发生和发展,减轻残疾程度。”一些地方提出,本条有关专业术语和政府职能的表述不甚准确,建议研究修改(上海、北京、内蒙古、广州、沈阳)。

7. 修订草案第十四条、第十五条规定了残疾人或者残疾人组织在残疾人合法权益受到侵害时,有权要求有关部门和单位予以查处或者处理,最高人民法院、哈尔滨建议修订草案进一步明确有关部门应当予以书面答复,并增加查处和答复期限的规定。陕西、中国石油提出,这两条规定了残疾人权益受侵害时的救济途径,内容比较具体,放在总则中不合适,建议移至法律责任一章中予以规定。中编办和中央政策研究室建议将第十四条第三款“残疾人联合会或者相关残疾人组织对侵害特定残疾人群体利益的行为,有权要求有关部门依法查处”中的“特定残疾人群体利益”修改为“残疾人群体利益”。

三、关于康复

修订草案第二十条第二款规定了政府和社会采取多种形式进行技术培训、普及康复知识、传授康复方法。昆明建议修订草案明确具体的实施部门,以便于实际操作。

修订草案第二十一条规定:“政府有关部门应当组织和扶持残

疾人辅助器具的研制、生产、供应、维修服务。”中国石油建议将其中的“辅助器具”修改为“康复器械和辅助器具”。长春提出，修订草案应对国家鼓励和扶持无障碍交通工具的研制和开发作出规定。

浙江、济南提出，目前我国尚未建立康复技术人员继续教育制度和康复专业技术职称序列，直接影响了康复技术人员职业能力的提高和工作的积极性，进而制约康复事业的发展。建议修订草案对上述有关内容作出规定。

宁夏提出，社区卫生服务机构应当将残疾人康复纳入社区服务工作之中，在辖区内建立残疾人健康档案，根据个体需要提供相应的医疗卫生服务及康复工作，建议修订草案增加上述有关方面的规定。

四、关于教育

1. 修订草案第二十二条第三款规定：“政府、社会、学校应当采取有效措施，解决残疾儿童、少年就学存在的实际困难，帮助其完成义务教育。”中央政策研究室提出，这一款规定的受助对象的范围和应当与本条第四款规定的受助对象范围一致，建议将其中的“残疾儿童、少年”表述为“残疾儿童、少年和贫困残疾人家庭学生”。北京、辽宁提出，对国家和学校而言，解决残疾儿童、少年就学存在的实际困难，保障残疾儿童、少年完成义务教育应该是其职责所在，带有强制性；而对社会各方面的帮助只能是出于道德层面的倡导性规定；将“国家、社会、学校”一并作义务性规定，职责不明确，界定不合理，建议分类描述。

修订草案第二十二条第四款规定了各级人民政府对接受义务教育或者其他教育的残疾学生、贫困残疾人家庭的学生予以补助和资助。一些地方和单位提出，义务教育阶段的残疾学生属于特殊群体，应当特别照顾，对其补助的力度应更大一些（海南、青海、江西、济南、青岛、华东政法)。天津提出,残疾儿童的学前教育与健全儿童相比差距很大,多数贫困残疾人家庭无力承担子女的学前教育费用,建议修订草案明确规定对这部分儿童的学前教育给予资助。

2. 修订草案第二十七条第二款规定:“初级中等以下特殊教育机构和普通教育机构附设的特殊教育班,对不具有接受普通教育能力的残疾儿童、少年实施义务教育。”北京提出,残疾儿童、少年也都具有接受教育的能力,关键在于是否给其提供适当的条件和环境,出于对残疾儿童、少年的保护,应由其根据自身情况选择接受普通教育还是特殊教育,此处提“不具有接受普通教育能力”不妥,建议修改。

3. 修订草案第二十九条第一款对特殊教育师资的培养和培训作了规定。教育部建议将这一款修改为“国家支持高等学校开设特殊教育专业,培养和培训特殊教育师资。普通师范院校开设特殊教育课程或者讲授有关内容,使师范生掌握必要的特殊教育知识。”湖南主张对特殊教育师资的培养和培训实行免费制度。

修订草案第二十九条第二款的规定:“特殊教育教师和手语翻译,享受特殊教育津贴。”天津提出,这一款中的“特殊教育津贴”的与义务教育法第三十一条第三款规定的“特殊教育岗位补助津贴”表述不一致,建议将这一款修改为“特殊教育教师和手语翻译,享受特殊教育岗位补助津贴。”一些地方提出盲文翻译应与手语翻译一样享受特殊教育津贴(浙江、河北、广州、邯郸);还有一些地方建议将享受特殊教育津贴的人员范围扩大到从事特殊教育的教职工、随班就读教师或者专职残疾人工作者等(内蒙古、辽宁、广州、长春、沈阳)。

五、关于劳动就业

1. 修订草案第三十四条对用人单位应当按一定比例安排残疾

人就业作了规定。上海提出,根据立法法第八条的规定,对非国有资产的征收,属于只能制定法律的事项;而残疾人就业保障金的征收依据是国务院的残疾人就业条例,缺少法律依据。一些地方、部门和单位提出,修订草案应当对残疾人就业保障金制度作出明确规定(上海、贵州、辽宁、甘肃、海南、陕西、福建、长沙、沈阳、劳动和社会保障部、华东政法)。广电总局建议明确规定各级人民政府为保障残疾人按比例就业所应当采取的必要措施的内容。

广西、人民大学提出,国家机关、团体、国有企业事业单位在安排残疾人就业方面所担负的社会责任应当多于一般的非国有单位。政府部门在按照比例雇佣残疾人就业方面应起表率作用,修订草案应防止以缴纳就业保障金的形式推卸社会责任。

北京、湖北、长沙提出,按照比例安排残疾人就业是修订草案规定的强制性义务,建议修订草案法律责任一章中补充违反该项义务的罚则。

2. 修订草案第三十七条第三款和第四款规定:“政府采购,在同等条件下,应当优先购买残疾人福利性企业事业单位的产品或者服务。”“政府应当开发适合残疾人就业的公益性岗位。”上海提出,为了突出政府对残疾人福利性企业事业单位的扶持力度,建议修订草案第三十七条第三款明确规定每年的政府采购应当保证一定比例的资金用以购买残疾人福利性企业事业单位的产品或者服务,最低比例由各省级人民政府规定。同时,鉴于大部分残疾人的就业能力因其自身身体条件受到不同程度限制,而社区服务业以其低门槛、高需求的特点非常适合残疾人的安置性就业,政府应当通过制定相应的优惠政策和鼓励措施,引导残疾人从事社区服务业。为此建议将修订草案第三十七条第四款修改为:“各级人民政府应当开发适合残疾人就业的公益性岗位,在发展社区服务业的过程中,优先考虑安置残疾人就业。”

第三十七条第五款规定了从事个体工商业的残疾人可以享受

的优惠政策，一些地方和单位建议修订明确增加“依法给予税收优惠”、“免收管理类、登记类和证照类行政事业性收费”等内容（陕西、辽宁、海南、长沙、西安、无锡、沈阳、大同、中央政策研究室）。

全国总工会提出，修订草案第三十七条应增加规定，对于自主创业的残疾人，有关部门应当帮扶，符合有关条件的，可以享受税费减免、小额信贷待等优惠政策。

3. 修订草案第三十九条第二款规定了用人单位不得在“招用”、“劳动报酬”、“劳动保险”等方面歧视残疾人。一些地方提出，目前我国的劳动保障法律法规中已不再使用“劳动保险”这一概念，建议将这一款中的“劳动保险”修改为“社会保险”（湖北、福建、深圳、徐州、大连、无锡）。

修订草案第三十九第四款规定了保障盲人按摩人员从业的合法权益。陕西、西北政法提出，修订草案在此单独强调保障盲人按摩人员从业的合法权益有所局限，建议单列一条，增加一些需要特殊保护的残疾从业的行业。

4. 广西、南京、人民大学建议修订草案对残疾职工劳动关系解除作特殊保护规定。

六、关于文化生活

广电总局建议将第四十三条第（二）项中的“电视台开办手语节目，广播电台开办残疾人专题栏目，影视作品加配字幕，并酌情加配解说”修改为“电视台可以开办手语节目、广播电台可以开办残疾人专题栏目，影视作品加配相关字幕，并酌情加配解说”。

中央政策研究室提出，由于残疾人的身体条件，残疾人参与文化生活的地域范围受到限制，修订草案应当明确要求各级人民政府把丰富残疾人社区文化生活作为重点，加强社会文化设施建设。

七、关于社会保障

1. 修订草案第四十七条第三款规定：“对生活确有困难的残疾

人，按照国家有关规定给予社会保险补贴。"劳动和社会保障部建议将补贴对象明确为"实现就业的生活确有困难的残疾人"。全国总工会建议对吸纳40岁以上残疾人就业的用人单位，按照国家有关规定给予社会保险补贴。

2. 修订草案第四十八条第一款规定了各级人民政府对生活确有困难的残疾人，通过多种渠道给予生活、教育、住房和其他社会救助。上海、西北政法提出，医疗救助是一项基本的社会救助内容，对残疾人而言，医疗救助更具迫切性，建议在本款中增加有关医疗救助的明确规定。

修订草案第四十八条第二款对残疾人家庭依法享受最低生活保障作了规定。海南建议增加有关根据残疾人状况，适当提高低保补助水平的内容。

修订草案第四十八条第四款规定"对生活不能自理的残疾人，地方各级人民政府可以给予护理补贴"，北京提出，关于"生活不能自理"，卫生部门和民政部门的认定标准不统一，建议修订草案明确认定标准，以便于实施。

3. 浙江、安徽提出，福利彩票和体育彩票等公益性基金应当投入一定比例的资金用于残疾人事业，以体现其公益性，建议修订草案中增加规定："福利彩票等公益性基金应当加大对残疾人事业的投入。"广州建议修订草案对从福利彩票公益金中提取残疾人事业专项资金的比例、支出、使用和管理予以规范。

4. 浙江提出，残疾人合法权益受到侵害，不能得到赔偿或者赔偿不足而导致其生活困难的，修订草案应当明确规定对这部分残疾人政府有关部门应当给予救济。

5. 海南、云南建议修订草案将残疾人康复纳入城乡医疗保障体系，将贫困残疾人纳入医疗救助范围。

八、关于无障碍环境

1. 修订草案第五十条第三款对盲人免费乘坐市内公共交通工

具作了规定。一些地方和单位提出,公交免费只针对盲人的理由和依据不充分,建议修订草案适当扩大免费乘坐市内公共交通工具的残疾人的范围(云南、浙江、辽宁、福建、成都、长沙、哈尔滨、华东政法、西北政法、人民大学)。

修订草案第五十三条第四款规定了对无障碍设施应当及时维修和保护。一些地方和单位提出,目前,无障碍设施被非法占用和损毁的情况比较普遍,严重损害了残疾人的正常通行权益。建议修订草案禁止侵占和损坏无障碍设施的行为,明确维护和管理无障碍设施的责任人,对无障碍设施的管理及使用进行规范,并规定相应法律责任(上海、云南、河北、福建、湖南、内蒙古、广州、邯郸、人民大学、西南政法)。

2. 修订草案第五十五条第二款规定:“公共交通工具应当逐步达到无障碍设施的要求。有条件的公共停车场应当为残疾人设置专用停车位。”上海建议本款增加“城市公共交通应当为乘轮椅者提供无障碍乘车服务”的内容,天津和成都建议将上述规定中的“有条件的公共停车场应当为残疾人设置专用停车位”修改为“公共停车场应当为残疾人设置专用停车位”。云南、青岛建议修订草案对“有条件的公共停车场”作进一步明确界定。

3. 湖北、交通部提出,为了便于本法的宣传与贯彻,方便公众理解,建议修订草案对“无障碍”和“无障碍环境”等专门性概念予以界定。

九、关于法律责任

修订草案第六十二条规定了用人单位在职工的招用、聘用方面歧视残疾人的,由有关主管部门责令改正;残疾人劳动者可以依法向人民法院提出诉讼。上海提出,就业促进法第六十二条对于上述违法行为只规定了向人民法院提出诉讼一种救济方式,建议修订草案的救济方式与就业促进法的相统一。吉林和全国总工会建议上述规定中有关救济程序方面应增加仲裁的内容。

一些地方和单位提出，修订草案法律责任一章中的执法主体众多，有些条文规定的执法主体不够明确，实践中不易操作和执行，在一定程度上弱化了对残疾人权益的保护，建议研究修改（河北、辽宁、西安、沈阳、西南政法）。

一些地方提出，修订草案法律责任一章规定的应予处罚的违法行为与前面几章具体条文中的表述上下条文不相照应，建议研究修改（贵州、江西、宁波、邯郸）。

一些地方和单位提出，有关教育机构拒不接受符合入学条件的残疾人入学或者附加条件限制残疾人就学的情况时有发生，建议修订草案对拒不接受符合入学条件的残疾人入学或者附加条件限制残疾人就学的教育机构规定制裁措施，同时加强对残疾人受教育权被侵犯的司法救济（贵州、辽宁、最高人民法院、国家行政学院）。

一些地方和单位提出，为了加强对组织利用残疾人特别是胁迫、诱骗、利用残疾未成年人乞讨行为，建议修订草案增加对上述行为的禁止性规定，并规定相应的法律责任（云南、贵州、昆明、国家行政学院）。

十、其他

1. 一些地方和单位提出，修订草案中倡导、鼓励的内容过多，而刚性条款过少，建议对残疾人保障的一些制度和扶助措施作更具体的规定，以增加可操作性（湖南、内蒙古、浙江、沈阳、华东政法）。

2. 团中央提出，未成年人是一个严格的法律概念，修订草案有关条款中规定的“残疾儿童、少年”，指的是十八周岁以下残疾未成年人，建议将“残疾儿童、少年”修改为“残疾未成年人”。

3. 广西、沈阳提出，现行残疾人保障法对残疾人婚姻家庭和财产权利保护不足，建议修订草案根据残疾人的特殊性，对上述问题有针对性地加以规定。

4. 民政部提出，根据近期中央关于加强社会工作人才队伍建设的精神和社会工作者队伍建设的发展趋势等新情况，考虑到社会工作者在残疾人康复、特殊教育、劳动就业、社会适应、社会保障中具有独特的专业角色，发挥着重要作用，建议修订草案对社会工作者从事的残疾人保障工作作出规定。

5. 成都和徐州提出，维护残疾人的合法权益是残疾人联合会和其他残疾人组织及专门从事残疾工作的人员的应尽职责，建议修订草案对这一部分组织和人员的维护残疾人合法权益的职责作出相应规定。

6. 吉林提出，精神残疾的残疾人与其他群体的残疾人相比有其特殊性，建议修订草案对精神残疾者予以适当的照顾，如对于其中具有明显社会危害性的，可以规定对其实行免费救助和免费医疗。

有关部门、专家和残疾人代表对残疾人保障法(修订草案)的意见

2008 年 3 月 25 日,全国人大法律委员会、全国人大内务司法委员会、全国人大常委会法制工作委员会召开座谈会,听取有关部门、专家和残疾人代表对残疾人保障法(修订草案)的意见。大家普遍认为,针对残疾人保障工作出现的新情况、新问题,对残疾人保障法进行修订是必要的。修订草案总结了我国残疾人保障工作的成功经验,广泛听取了各方面的意见,起草得比较好。同时,还提出了一些修改意见,现简报如下:

一、关于总则

修订草案第二条第二款规定,残疾人包括视力残疾、听力残疾、言语残疾、肢体残疾、智力残疾、精神残疾、多重残疾和其他残疾的人。有的同志提出,“多重残疾”不应和其他的几种残疾一并表述,建议删去。

修订草案第三条第三款规定,禁止歧视、侮辱、侵害残疾人。有的同志提出,不仅残疾人本人会受到歧视,残疾人的亲属甚至工作单位有时也会受到不同程度的歧视。建议将“禁止歧视”修改为“禁止基于残疾的歧视”。

修订草案第八条第二款规定,国家鼓励社会组织和个人为残疾人提供捐助和服务。有的同志建议将“国家鼓励”修改为“国家

鼓励和扶持”。

修订草案第十二条规定，国家建立健全出生缺陷早期发现和早期治疗机制。有的同志提出，有些残疾不能作为疾病来治疗，例如智力残疾，只是一种心理状态，只能进行早期干预。建议将“早期治疗”修改为“早期干预”。有些同志建议增加规定：“国家建立新生儿残疾筛查制度，并对残疾儿童的早期治疗给予补贴。”

修订草案第十四条第一款、第三款规定，对侵害残疾人合法权益的行为，残疾人组织有权要求有关部门或者单位查处。有的同志建议明确规定：“有关部门或者单位应当依法查处，并在合理期限内予以书面答复。”

修订草案第十四条第二款规定，对于残疾人通过诉讼维护其合法权益需要帮助的，残疾人组织应当给予支持。有的同志建议将“诉讼”修改为“诉讼或者仲裁”。

修订草案第十五条第二款规定，对经济困难或者其他原因确需法律援助或者司法救助的残疾人，法律援助机构或者人民法院应当依法为其提供法律援助或者司法救助。有的同志建议增加规定：“有关部门应当告知残疾人，如需帮助可以申请法律援助或者司法救助；对已经接受法律援助的残疾人，人民法院应当直接为其提供司法救助。”

修订草案第十四条、第十五条规定了残疾人权利受到侵害时的救济渠道。有的同志提出，将这两条权利救济的规定放在总则中，从体例上讲不太合适，而且使得总则部分篇幅过长，建议予以调整。

二、关于康复

修订草案第十八条规定，各级政府鼓励和扶持社会力量兴办残疾人康复机构。有的同志提出，目前有些康复机构根本不具备资质，服务质量无法保证。建议增加规定：“康复机构及其服务人员，应当具备相应资质。”

修订草案第十九条规定，各级政府和有关部门应当根据需要有计划地在医疗机构设立康复医学科室，举办专门康复机构，开展残疾人康复工作。有的同志建议删去“根据需要”。

三、关于教育

修订草案第二十一条规定，有关部门应当组织和扶持残疾人辅助器具的研制、生产、供应、维修服务。有的同志建议政府对需要配置辅助器具的残疾人给予直接资助。

修订草案第二十二条第四款规定，各级政府对接受义务教育的残疾学生、贫困残疾人家庭的学生提供免费教科书。有的同志提出，目前我国已实行对农村接受义务教育的学生提供免费教科书的政策，残疾人家庭的学生，不论是否属于贫困家庭，都应当享受这一政策。建议将“贫困残疾人家庭”修改为“残疾人家庭”。

修订草案第二十五条规定，县级以上政府应当根据残疾人的数量、残疾类别和分布状况等，合理设置残疾人教育机构，并鼓励社会力量办学、捐资助学。有的同志提出，“残疾人教育机构”仅指开展残疾人教育的特殊学校，不能涵盖开展残疾人教育的普通学校，建议修改为“残疾人教育资源”。

修订草案第二十六条第二款规定，普通小学、初级中等学校，必须招收能适应其学习生活的残疾儿童、少年入学。有的同志建议增加规定：“教育行政部门应当提供相应教育经费补贴，保证教学质量。”

修订草案第二十七条第四款规定，提供特殊教育的机构应当具备适合残疾人学习、康复、生活特点的场所和设施。有的同志提出，提供特殊教育的机构包括开展特殊教育的普通学校，要求其具备适合残疾人的场所和设施，现阶段有一定困难。建议将“提供特殊教育的机构”修改为“提供特殊教育的专门机构”。

修订草案第二十九条规定，国家有计划地举办各级各类特殊教育师范院校、专业，在普通师范院校附设特殊教育班（部），培养、培训特殊教育师资。有的同志提出，在专门学校中培养特殊教育师资，对教师的全面发展不利。建议修改为"国家支持高等学校开设特殊教育专业，培养、培训特殊教育师资"。

四、关于劳动就业

修订草案第三十四条规定，国家推动各单位吸收残疾人就业。各单位应当按一定比例安排残疾人就业。有的同志提出，人民警察法明确规定，担任人民警察须身体健康。为使相关法律相衔接，建议增加规定："法律另有规定的除外。"有的同志建议将"国家推动各单位吸收残疾人就业"修改为"国家实行按比例安排残疾人就业制度"，并单列作为第一款。有的同志提出，国家机关有维护社会公平正义的义务，应当自觉遵守法律，发挥示范作用，积极吸收残疾人就业。有的同志建议明确规定："各单位安排残疾人就业的比例不低于1.5%，不能按比例安排残疾人就业的，应当缴纳残疾人就业保障金。"有的同志建议增加规定："国家建立残疾人就业保障金制度，具体办法由国务院主管部门会同中国残联研究制定。"

修订草案第三十七条规定，国家对安排残疾人就业的用人单位依法给予税收优惠，对福利性企事业单位予以扶持。有的同志建议明确规定："用人单位应当为残疾人缴纳国家规定的各种社会保险。未缴纳的，不享受税收优惠。"有的同志建议增加规定："对自主创业的残疾人，有关部门应当予以扶持；符合条件的应当给予税收减免，或者提供小额信贷。"有的同志建议对安置残疾人超过25%以上的福利性企事业单位，给予更多税收优惠和政策扶持。

修订草案第三十九条第四款规定，国家采取措施，保障盲人按摩人员从业的合法权益。有的同志提出，从事按摩是盲人最主要的就业渠道。但是按照现行的有关规定，盲人按摩人员无法取得执业医师资格。盲人按摩人员对此意见很大。建议将“盲人按摩人员”修改为“盲人医疗保健人员”，为盲人医疗保健人员取得执业资格提供法律依据。

五、关于文化生活

修订草案第四十三条第二项规定，电视台开办手语节目，广播电台开办残疾人专题节目，影视作品加配字幕，并酌情加配解说。有的同志提出，目前电视新闻节目大多没有字幕，给聋人了解国家大事造成不便。建议增加“电视新闻节目加配字幕”的规定。

六、关于社会保障

修订草案第四十七条第三款规定，对生活确有困难的残疾人，按照国家有关规定给予社会保险补贴。有的同志建议修改为“实现就业的残疾人，生活确有困难的，按照国家有关规定给予社会保险补贴”。

修订草案第四十八条第四款规定，对生活不能自理的残疾人，地方各级政府可以给予护理补贴。有的同志建议增加规定：“各级政府对重度残疾人给予生活补助。”有的同志建议将“生活不能自理的残疾人”修改为“生活不能自理的贫困残疾人”。

修订草案第五十条规定，政府和社会应当对盲人等残疾人给予照顾、扶助和优惠。有的同志提出，目前各地对“盲人”的界定不一致，导致一些非全盲的视力残疾人不能享受到应有的照顾、扶助和优惠。建议在表述上用“视力残疾人”代替“盲人”。另外，建议明确免费寄递的“盲人读物”包括盲人使用的有声读物。有的同志提出，残疾人不能像普通人那样完整享受电信、电视等服务的内容，让残疾人缴纳与普通人一样的费用不合理。

七、关于无障碍环境

修订草案第五十二条规定，国家和社会应当逐步完善无障碍设施，推进信息交流无障碍，为残疾人平等参与社会生活创造无障碍环境。有些同志提出，目前一些部门规定盲人不得开设银行、证券账户，聋人不得驾驶汽车等，对残疾人参与社会生活设置了人为障碍。无障碍环境的建设也包括软件方面的建设。政府和社会应当树立无障碍理念，提供无障碍服务，保障残疾人平等参与社会生活的权利。

修订草案第五十四条第四款规定，国家举办的各类升学考试、职业资格考试和任职考试，有条件的，应当为盲人提供盲文试卷、电子试卷或者由专门的工作人员予以协助。有些同志提出，目前考试作弊现象较为严重，为盲人提供电子试卷等应当在确保考试安全的前提下进行。

修订草案第五十五条第一款规定，公共服务机构和公共场所应当为残疾人提供语音和文字提示、手语、盲文等信息交流服务。有的同志提出，电子滚屏等无障碍设施给聋人带来了极大便利，但是现在仍有很多地方没有安装，有的地方虽然安装了，却被用来发布广告、口号，给聋人带来诸多不便。建议对电子滚屏等无障碍设施的设置和使用作进一步的规范。

修订草案第五十八条规定，盲人携带导盲犬出入公共场所，应当遵守国家有关规定。有的同志建议修改为“盲人可以携带导盲犬出入公共场所，具体办法由国务院制定”。有的同志建议增加规定：“国家和社会鼓励和扶持导盲犬的训养。”

八、关于法律责任

修订草案第六十一条规定，有关教育机构拒不招收符合条件的残疾儿童、少年、考生入学的，由有关部门责令改正，并对相关责任人给予处分。有的同志提出，对拒不改正的教育机构，应当规定相应的行政处罚。

有的同志建议增加规定：“残疾人的扶养人、监护人不履行法定义务的,应当承担相应的法律责任。”

有些同志提出,法律的每一个义务性条款,都应规定相应的法律责任。建议进一步强化违反本法的法律责任,加大处罚或处分力度,增强本法的强制力。

全国人大法律委员会
关于《中华人民共和国残疾人保障法（修订草案）》修改情况的汇报

全国人民代表大会常务委员会：

十届全国人大常委会第三十二次会议对残疾人保障法（修订草案）进行了初次审议。会后，法制工作委员会将修订草案印发各省（区、市）和中央有关部门征求意见。法律委员会、内务司法委员会和法制工作委员会联合召开座谈会，听取中央有关部门和残疾人代表的意见。普遍认为，修订草案总结了十七年来残疾人保障法实施的经验，适应残疾人事业发展的需要，修改得比较好。同时，也提出了一些修改意见。之后，法制工作委员会就有关问题同内务司法委员会和国务院法制办、民政部、中国残联等单位交换意见，共同研究。法律委员会于4月8日召开会议，根据常委会组成人员的审议意见和各方面的意见，对修订草案逐条进行了审议。内务司法委员会和国务院法制办、中国残联的负责同志和民政部的有关同志列席了会议。4月16日，法律委员会召开会议，再次进行了审议。法律委员会认为，为了维护残疾人的合法权益，发展残疾人事业，对残疾人保障法进行修订是必要的，修订草案的内容是基本可行的。同时，就几个问题修改情况汇报如下：

一、修订草案第三条第三款规定："禁止歧视、侮辱、侵害残疾人。禁止通过大众传播媒介或者其他方式贬低损害残疾人人格。"

有些常委委员、内务司法委员会和中国残联建议将上述规定中的“禁止歧视”修改为“禁止基于残疾的歧视”。主要理由是,我国政府已签署的联合国《残疾人权利公约》明确规定,“缔约国应当禁止一切基于残疾的歧视”,其内涵不限于教育、就业等歧视,还包括拒绝为残疾人提供合理便利等情形。法律委员会经同内务司法委员会和国务院法制办、民政部、中国残联研究,建议将这一款修改为:“禁止基于残疾的歧视。禁止侮辱、侵害残疾人。禁止通过大众传播媒介或者其他方式贬低损害残疾人人格。”(修订草案二次审议稿第三条第三款)

二、修订草案第六条第一款、第二款对县级以上人民政府应当将残疾人事业纳入国民经济和社会发展规划,并制定残疾人事业发展纲要和发展规划作出了规定。有些常委委员提出,根据最近国家对促进残疾人事业发展作出的决策,建议增加规定对残疾人事业建立稳定的经费保障机制和制定年度计划的内容。法律委员会经同内务司法委员会和国务院法制办、民政部、中国残联研究,建议将这两款修改为:“县级以上人民政府应当将残疾人事业纳入国民经济和社会发展规划,加强领导,综合协调,并将残疾人事业经费列入财政预算,建立稳定的经费保障机制。”“国务院制定中国残疾人事业发展纲要,县级以上地方人民政府根据中国残疾人事业发展纲要,制定本行政区域的残疾人事业发展规划和年度计划,使残疾人事业与经济、社会协调发展。”(修订草案二次审议稿第五条第一款、第二款)

三、有的常委委员、内务司法委员会和中国残联提出,为健全残疾儿童出生缺陷早期治疗机制,加强残疾儿童的康复工作,建议增加对残疾儿童及时进行早期治疗和康复的内容。法律委员会经同内务司法委员会和国务院法制办、民政部、中国残联研究,建议在修订草案第十七条中增加这方面的内容,规定:“优先开展残疾儿童抢救性治疗和康复。”(修订草案二次审议稿第十六条)

四、有的常委会组成人员提出，残疾人康复和服务需要科技支撑，应当提高自主创新能力，发展符合残疾人康复要求的科学技术。法律委员会经同内务司法委员会和国务院法制办、民政部、中国残联研究，建议在修订草案第十七条中增加这方面的内容，将有关规定修改为："发展符合康复要求的科学技术，提高自主创新能力，加强康复新技术的研究、开发和应用，为残疾人提供有效的康复服务。"（修订草案二次审议稿第十六条）

五、修订草案第三十四条对按一定比例安排残疾人就业作出了规定。有些常委委员和内务司法委员会提出，应明确规定国家实行按比例安排残疾人就业制度，用人单位如果达不到规定比例的，应缴纳残疾人就业保障金。法律委员会经同内务司法委员会和国务院法制办、民政部、中国残联研究，考虑到国务院《残疾人就业条例》已经对按比例安排残疾人就业制度作出了规定，规定了安排残疾人就业的最低比例，还对用人单位达不到规定比例应缴纳保障金的措施作了规定。本法可以对国家实行按比例安排残疾人就业制度作出原则规定，具体办法可以按照国务院的规定执行。据此，建议将这一条修改为："国家实行按比例安排残疾人就业制度。""国家机关、社会团体、企业事业单位、民办非企业单位应当按照规定的比例安排残疾人就业，并为其选择适当的工种和岗位。达不到规定比例的，按照国家有关规定履行保障残疾人就业义务。国家鼓励用人单位超过规定比例安排残疾人就业。""残疾人就业的具体办法由国务院规定。"（修订草案二次审议稿第三十三条）

六、有的常委委员提出，根据就业促进法的规定，对从事个体经营的残疾人除依法给予税收优惠外，还应免除行政事业性收费。法律委员会经同内务司法委员会和国务院法制办、民政部、中国残联研究，建议在修订草案第三十七条第一款中增加规定："国家对从事个体经营的残疾人，免除行政事业性收费。"（修订草案二次审议稿第三十六条第一款）

七、有些常委委员提出，针对有的地方发生的强迫残疾人劳动的违法行为，应在本法中作出明确的禁止性规定。法律委员会经同内务司法委员会和国务院法制办、民政部、中国残联研究，建议增加一条，规定："任何单位和个人不得以暴力、威胁或者非法限制人身自由的手段强迫残疾人劳动。"（修订草案二次审议稿第四十条）违反规定的，应承担相应的法律责任。（修订草案二次审议稿第六十七条）

此外，还对修订草案作了一些文字修改。

修订草案二次审议稿已按上述意见作了修改，法律委员会建议提请本次常委会继续审议。如果审议意见比较一致，也可以考虑本次常委会会议审议通过。

修订草案二次审议稿和以上汇报是否妥当，请审议。

全国人大法律委员会
2008 年 4 月 22 日

全国人大法律委员会关于《中华人民共和国残疾人保障法（修订草案）》审议结果的报告

委员长会议：

本次常委会会议于4月23日上午对残疾人保障法（修订草案二次审议稿）进行了分组审议。普遍认为，修订草案基本成熟，建议进一步修改后，提请本次会议通过；同时，也提出了一些修改意见。法律委员会于4月23日下午召开会议，对修订草案二次审议稿进行审议，内务司法委员会和国务院法制办、民政部、中国残联的负责同志列席了会议。法律委员会认为，修订草案二次审议稿是可行的，同时根据常委会组成人员的审议意见作了10处修改，主要是：完善草案第十一条的残疾人统计调查制度，修改为："开展残疾人状况的统计调查和分析。"（建议表决稿第十一条第二款）将草案第十六条中关于"提高自主创新能力"的表述修改为"鼓励自主创新"。（建议表决稿第十六条）在草案第二十条关于组织和扶持残疾人辅助器具的研制、生产、供应、维修服务的规定中，增加"康复器械"的内容。（建议表决稿第二十条）适应客观情况的变化，将草案第三十六条中"农副产品收购"的提法，修改为"农副产品销售"。（建议表决稿第三十六条第六款）将草案第四十一条中"满足残疾人精神文化生活的需要"的表述修改为"丰富残疾人精神文化生活"。（建议表决稿第四十一条第二款）

这里有两个问题需要说明：一是，有些常委会组成人员建议，将“残疾人保障法”的名称修改为“残疾人权益保障法”。法律委员会经同内务司法委员会和国务院法制办、民政部、中国残联研究认为，残疾人保障法实施十七年来，本法的名称已经得到普遍认同，这次是对残疾人保障法的修订，建议对法的名称不作修改。二是，有些常委会组成人员提出，草案第二条第一款中残疾人概念的范围过宽，建议研究修改。法律委员会经同内务司法委员会和国务院法制办、民政部、中国残联反复研究，认为1990年制定残疾人保障法时，残疾人的概念是吸收归纳了各方面的意见并经过反复考虑后形成的，已被社会所接受，实践中也没有产生问题。实践中如需要进一步细化，可以由国务院在所规定的残疾标准中予以明确。

在审议过程中，有些常委会组成人员还对残疾军人等人员的特别保障、鼓励残疾人自主择业、自主创业的优惠措施等提出了一些修改意见和建议。法律委员会经同内务司法委员会和国务院法制办、民政部、中国残联研究认为，有些问题在其他法律、法规中已有明确规定，如2004年国务院、中央军委发布施行的《军人抚恤优待条例》对残疾军人抚恤作了专章规定；国务院2007年发布施行的《残疾人就业条例》对残疾人从事个体经营自主创业的鼓励措施作了具体规定。还有些问题可以在本法实施后，由国务院及其有关部门在制定配套规定中进一步细化。

修订草案建议表决稿已按上述意见作了修改，法律委员会建议本次常委会会议审议通过。

修订草案建议表决稿和以上汇报是否妥当，请审议。

全国人大法律委员会

2008年4月23日

中华人民共和国劳动法

（1994年7月5日第八届全国人民代表大会常务委员会第八次会议通过　1994年7月5日中华人民共和国主席令第28号公布　自1995年1月1日起施行）

目　录

第一章 总 则

第一条 为了保护劳动者的合法权益,调整劳动关系,建立和维护适应社会主义市场经济的劳动制度,促进经济发展和社会进步,根据宪法,制定本法。

第二条 在中华人民共和国境内的企业、个体经济组织(以下统称用人单位)和与之形成劳动关系的劳动者,适用本法。

国家机关、事业组织、社会团体和与之建立劳动合同关系的劳动者,依照本法执行。

第三条 劳动者享有平等就业和选择职业的权利、取得劳动报酬的权利、休息休假的权利、获得劳动安全卫生保护的权利、接受职业技能培训的权利、享受社会保险和福利的权利、提请劳动争议处理的权利以及法律规定的其他劳动权利。

劳动者应当完成劳动任务,提高职业技能,执行劳动安全卫生规程,遵守劳动纪律和职业道德。

第四条 用人单位应当依法建立和完善规章制度,保障劳动者享有劳动权利和履行劳动义务。

第五条 国家采取各种措施,促进劳动就业,发展职业教育,制定劳动标准,调节社会收入,完善社会保险,协调劳动关系,逐步提高劳动者的生活水平。

第六条 国家提倡劳动者参加社会义务劳动,开展劳动竞赛和合理化建议活动,鼓励和保护劳动者进行科学研究、技术革新和发明创造,表彰和奖励劳动模范和先进工作者。

第七条 劳动者有权依法参加和组织工会。

工会代表和维护劳动者的合法权益,依法独立自主地开展活动。

第八条 劳动者依照法律规定,通过职工大会、职工代表大会或者其他形式,参与民主管理或者就保护劳动者合法权益与用人单位进行平等协商。

第九条 国务院劳动行政部门主管全国劳动工作。

县级以上地方人民政府劳动行政部门主管本行政区域内的劳动工作。

第二章 促 进 就 业

第十条 国家通过促进经济和社会发展，创造就业条件，扩大就业机会。

国家鼓励企业、事业组织、社会团体在法律、行政法规规定的范围内兴办产业或者拓展经营，增加就业。

国家支持劳动者自愿组织起来就业和从事个体经营实现就业。

第十一条 地方各级人民政府应当采取措施，发展多种类型的职业介绍机构，提供就业服务。

第十二条 劳动者就业，不因民族、种族、性别、宗教信仰不同而受歧视。

第十三条 妇女享有与男子平等的就业权利。在录用职工时，除国家规定的不适合妇女的工种或者岗位外，不得以性别为由拒绝录用妇女或者提高对妇女的录用标准。

第十四条 残疾人、少数民族人员、退出现役的军人的就业，法律、法规有特别规定的，从其规定。

第十五条 禁止用人单位招用未满十六周岁的未成年人。

文艺、体育和特种工艺单位招用未满十六周岁的未成年人，必须依照国家有关规定，履行审批手续，并保障其接受义务教育的权利。

第三章 劳动合同和集体合同

第十六条 劳动合同是劳动者与用人单位确立劳动关系、明确双方权利和义务的协议。

建立劳动关系应当订立劳动合同。

第十七条 订立和变更劳动合同,应当遵循平等自愿、协商一致的原则,不得违反法律、行政法规的规定。

劳动合同依法订立即具有法律约束力,当事人必须履行劳动合同规定的义务。

第十八条 下列劳动合同无效:

(一)违反法律、行政法规的劳动合同;

(二)采取欺诈、威胁等手段订立的劳动合同。

无效的劳动合同,从订立的时候起,就没有法律约束力。确认劳动合同部分无效的,如果不影响其余部分的效力,其余部分仍然有效。

劳动合同的无效,由劳动争议仲裁委员会或者人民法院确认。

第十九条 劳动合同应当以书面形式订立,并具备以下条款:

(一)劳动合同期限;

(二)工作内容;

(三)劳动保护和劳动条件;

(四)劳动报酬;

(五)劳动纪律;

(六)劳动合同终止的条件;

(七)违反劳动合同的责任。

劳动合同除前款规定的必备条款外,当事人可以协商约定其他内容。

第二十条 劳动合同的期限分为有固定期限、无固定期限和以完成一定的工作为期限。

劳动者在同一用人单位连续工作满十年以上,当事人双方同意续延劳动合同的,如果劳动者提出订立无固定期限的劳动合同,应当订立无固定期限的劳动合同。

第二十一条 劳动合同可以约定试用期。试用期最长不得超过六个月。

第二十二条 劳动合同当事人可以在劳动合同中约定保守用人单位商业秘密的有关事项。

第二十三条 劳动合同期满或者当事人约定的劳动合同终止条件出现,劳动合同即行终止。

第二十四条 经劳动合同当事人协商一致,劳动合同可以解除。

第二十五条 劳动者有下列情形之一的,用人单位可以解除劳动合同:

(一)在试用期间被证明不符合录用条件的;

(二)严重违反劳动纪律或者用人单位规章制度的;

(三)严重失职,营私舞弊,对用人单位利益造成重大损害的;

(四)被依法追究刑事责任的。

第二十六条 有下列情形之一的,用人单位可以解除劳动合同,但是应当提前三十日以书面形式通知劳动者本人:

(一)劳动者患病或者非因工负伤,医疗期满后,不能从事原工作也不能从事由用人单位另行安排的工作的;

(二)劳动者不能胜任工作,经过培训或者调整工作岗位,仍不能胜任工作的;

(三)劳动合同订立时所依据的客观情况发生重大变化,致使原劳动合同无法履行,经当事人协商不能就变更劳动合同达成协议的。

第二十七条 用人单位濒临破产进行法定整顿期间或者生产经营状况发生严重困难,确需裁减人员的,应当提前三十日向工会或者全体职工说明情况,听取工会或者职工的意见,经向劳动行政部门报告后,可以裁减人员。

用人单位依据本条规定裁减人员,在六个月内录用人员的,应当优先录用被裁减的人员。

第二十八条　用人单位依据本法第二十四条、第二十六条、第二十七条的规定解除劳动合同的，应当依照国家有关规定给予经济补偿。

第二十九条　劳动者有下列情形之一的，用人单位不得依据本法第二十六条、第二十七条的规定解除劳动合同：

（一）患职业病或者因工负伤并被确认丧失或者部分丧失劳动能力的；

（二）患病或者负伤，在规定的医疗期内的；

（三）女职工在孕期、产期、哺乳期内的；

（四）法律、行政法规规定的其他情形。

第三十条　用人单位解除劳动合同，工会认为不适当的，有权提出意见。如果用人单位违反法律、法规或者劳动合同，工会有权要求重新处理；劳动者申请仲裁或者提起诉讼的，工会应当依法给予支持和帮助。

第三十一条　劳动者解除劳动合同，应当提前三十日以书面形式通知用人单位。

第三十二条　有下列情形之一的，劳动者可以随时通知用人单位解除劳动合同：

（一）在试用期内的；

（二）用人单位以暴力、威胁或者非法限制人身自由的手段强迫劳动的；

（三）用人单位未按照劳动合同约定支付劳动报酬或者提供劳动条件的。

第三十三条　企业职工一方与企业可以就劳动报酬、工作时间、休息休假、劳动安全卫生、保险福利等事项，签订集体合同。集体合同草案应当提交职工代表大会或者全体职工讨论通过。

集体合同由工会代表职工与企业签订；没有建立工会的企业，

由职工推举的代表与企业签订。

第三十四条 集体合同签订后应当报送劳动行政部门;劳动行政部门自收到集体合同文本之日起十五日内未提出异议的,集体合同即行生效。

第三十五条 依法签订的集体合同对企业和企业全体职工具有约束力。职工个人与企业订立的劳动合同中劳动条件和劳动报酬等标准不得低于集体合同的规定。

第四章 工作时间和休息休假

第三十六条 国家实行劳动者每日工作时间不超过八小时、平均每周工作时间不超过四十四小时的工时制度。

第三十七条 对实行计件工作的劳动者,用人单位应当根据本法第三十六条规定的工时制度合理确定其劳动定额和计件报酬标准。

第三十八条 用人单位应当保证劳动者每周至少休息一日。

第三十九条 企业因生产特点不能实行本法第三十六条、第三十八条规定的,经劳动行政部门批准,可以实行其他工作和休息办法。

第四十条 用人单位在下列节日期间应当依法安排劳动者休假:

(一)元旦;

(二)春节;

(三)国际劳动节;

(四)国庆节;

(五)法律、法规规定的其他休假节日。

第四十一条 用人单位由于生产经营需要,经与工会和劳动者协商后可以延长工作时间,一般每日不得超过一小时;因特殊原因需要延长工作时间的,在保障劳动者身体健康的条件下延长工作时间每日不得超过三小时,但是每月不得超过三十六小时。

第四十二条　有下列情形之一的,延长工作时间不受本法第四十一条规定的限制:

(一)发生自然灾害、事故或者因其他原因,威胁劳动者生命健康和财产安全,需要紧急处理的;

(二)生产设备、交通运输线路、公共设施发生故障,影响生产和公众利益,必须及时抢修的;

(三)法律、行政法规规定的其他情形。

第四十三条　用人单位不得违反本法规定延长劳动者的工作时间。

第四十四条　有下列情形之一的,用人单位应当按照下列标准支付高于劳动者正常工作时间工资的工资报酬:

(一)安排劳动者延长工作时间的,支付不低于工资的百分之一百五十的工资报酬;

(二)休息日安排劳动者工作又不能安排补休的,支付不低于工资的百分之二百的工资报酬;

(三)法定休假日安排劳动者工作的,支付不低于工资的百分之三百的工资报酬。

第四十五条　国家实行带薪年休假制度。

劳动者连续工作一年以上的,享受带薪年休假。具体办法由国务院规定。

第五章　工　　资

第四十六条　工资分配应当遵循按劳分配原则,实行同工同酬。

工资水平在经济发展的基础上逐步提高。国家对工资总量实行宏观调控。

第四十七条　用人单位根据本单位的生产经营特点和经济效

益,依法自主确定本单位的工资分配方式和工资水平。

第四十八条 国家实行最低工资保障制度。最低工资的具体标准由省、自治区、直辖市人民政府规定,报国务院备案。

用人单位支付劳动者的工资不得低于当地最低工资标准。

第四十九条 确定和调整最低工资标准应当综合参考下列因素:

(一)劳动者本人及平均赡养人口的最低生活费用;

(二)社会平均工资水平;

(三)劳动生产率;

(四)就业状况;

(五)地区之间经济发展水平的差异。

第五十条 工资应当以货币形式按月支付给劳动者本人。不得克扣或者无故拖欠劳动者的工资。

第五十一条 劳动者在法定休假日和婚丧假期间以及依法参加社会活动期间,用人单位应当依法支付工资。

第六章 劳动安全卫生

第五十二条 用人单位必须建立、健全劳动安全卫生制度,严格执行国家劳动安全卫生规程和标准,对劳动者进行劳动安全卫生教育,防止劳动过程中的事故,减少职业危害。

第五十三条 劳动安全卫生设施必须符合国家规定的标准。

新建、改建、扩建工程的劳动安全卫生设施必须与主体工程同时设计、同时施工、同时投入生产和使用。

第五十四条 用人单位必须为劳动者提供符合国家规定的劳动安全卫生条件和必要的劳动防护用品,对从事有职业危害作业的劳动者应当定期进行健康检查。

第五十五条 从事特种作业的劳动者必须经过专门培训并取得特种作业资格。

第五十六条　劳动者在劳动过程中必须严格遵守安全操作规程。

劳动者对用人单位管理人员违章指挥、强令冒险作业，有权拒绝执行；对危害生命安全和身体健康的行为，有权提出批评、检举和控告。

第五十七条　国家建立伤亡事故和职业病统计报告和处理制度。县级以上各级人民政府劳动行政部门、有关部门和用人单位应当依法对劳动者在劳动过程中发生的伤亡事故和劳动者的职业病状况，进行统计、报告和处理。

第七章　女职工和未成年工特殊保护

第五十八条　国家对女职工和未成年工实行特殊劳动保护。

未成年工是指年满十六周岁未满十八周岁的劳动者。

第五十九条　禁止安排女职工从事矿山井下、国家规定的第四级体力劳动强度的劳动和其他禁忌从事的劳动。

第六十条　不得安排女职工在经期从事高处、低温、冷水作业和国家规定的第三级体力劳动强度的劳动。

第六十一条　不得安排女职工在怀孕期间从事国家规定的第三级体力劳动强度的劳动和孕期禁忌从事的劳动。对怀孕七个月以上的女职工，不得安排其延长工作时间和夜班劳动。

第六十二条　女职工生育享受不少于九十天的产假。

第六十三条　不得安排女职工在哺乳未满一周岁的婴儿期间从事国家规定的第三级体力劳动强度的劳动和哺乳期禁忌从事的其他劳动，不得安排其延长工作时间和夜班劳动。

第六十四条　不得安排未成年工从事矿山井下、有毒有害、国家规定的第四级体力劳动强度的劳动和其他禁忌从事的劳动。

第六十五条　用人单位应当对未成年工定期进行健康检查。

第八章 职 业 培 训

第六十六条 国家通过各种途径,采取各种措施,发展职业培训事业,开发劳动者的职业技能,提高劳动者素质,增强劳动者的就业能力和工作能力。

第六十七条 各级人民政府应当把发展职业培训纳入社会经济发展的规划,鼓励和支持有条件的企业、事业组织、社会团体和个人进行各种形式的职业培训。

第六十八条 用人单位应当建立职业培训制度,按照国家规定提取和使用职业培训经费,根据本单位实际,有计划地对劳动者进行职业培训。

从事技术工种的劳动者,上岗前必须经过培训。

第六十九条 国家确定职业分类,对规定的职业制定职业技能标准,实行职业资格证书制度,由经过政府批准的考核鉴定机构负责对劳动者实施职业技能考核鉴定。

第九章 社会保险和福利

第七十条 国家发展社会保险事业,建立社会保险制度,设立社会保险基金,使劳动者在年老、患病、工伤、失业、生育等情况下获得帮助和补偿。

第七十一条 社会保险水平应当与社会经济发展水平和社会承受能力相适应。

第七十二条 社会保险基金按照保险类型确定资金来源,逐步实行社会统筹。用人单位和劳动者必须依法参加社会保险,缴纳社会保险费。

第七十三条 劳动者在下列情形下,依法享受社会保险待遇:

(一)退休;

(二)患病、负伤;

(三)因工伤残或者患职业病;

(四)失业;

(五)生育。

劳动者死亡后,其遗属依法享受遗属津贴。

劳动者享受社会保险待遇的条件和标准由法律、法规规定。

劳动者享受的社会保险金必须按时足额支付。

第七十四条 社会保险基金经办机构依照法律规定收支、管理和运营社会保险基金,并负有使社会保险基金保值增值的责任。

社会保险基金监督机构依照法律规定,对社会保险基金的收支、管理和运营实施监督。

社会保险基金经办机构和社会保险基金监督机构的设立和职能由法律规定。

任何组织和个人不得挪用社会保险基金。

第七十五条 国家鼓励用人单位根据本单位实际情况为劳动者建立补充保险。

国家提倡劳动者个人进行储蓄性保险。

第七十六条 国家发展社会福利事业,兴建公共福利设施,为劳动者休息、休养和疗养提供条件。

用人单位应当创造条件,改善集体福利,提高劳动者的福利待遇。

第十章 劳动争议

第七十七条 用人单位与劳动者发生劳动争议,当事人可以依法申请调解、仲裁、提起诉讼,也可以协商解决。

调解原则适用于仲裁和诉讼程序。

第七十八条 解决劳动争议,应当根据合法、公正、及时处理的原则,依法维护劳动争议当事人的合法权益。

第七十九条 劳动争议发生后,当事人可以向本单位劳动争议调解委员会申请调解;调解不成,当事人一方要求仲裁的,可以向劳动争议仲裁委员会申请仲裁。当事人一方也可以直接向劳动争议仲裁委员会申请仲裁。对仲裁裁决不服的,可以向人民法院提起诉讼。

第八十条 在用人单位内,可以设立劳动争议调解委员会。劳动争议调解委员会由职工代表、用人单位代表和工会代表组成。劳动争议调解委员会主任由工会代表担任。

劳动争议经调解达成协议的,当事人应当履行。

第八十一条 劳动争议仲裁委员会由劳动行政部门代表、同级工会代表、用人单位方面的代表组成。劳动争议仲裁委员会主任由劳动行政部门代表担任。

第八十二条 提出仲裁要求的一方应当自劳动争议发生之日起六十日内向劳动争议仲裁委员会提出书面申请。仲裁裁决一般应在收到仲裁申请的六十日内作出。对仲裁裁决无异议的,当事人必须履行。

第八十三条 劳动争议当事人对仲裁裁决不服的,可以自收到仲裁裁决书之日起十五日内向人民法院提起诉讼。一方当事人在法定期限内不起诉又不履行仲裁裁决的,另一方当事人可以申请人民法院强制执行。

第八十四条 因签订集体合同发生争议,当事人协商解决不成的,当地人民政府劳动行政部门可以组织有关各方协调处理。

因履行集体合同发生争议,当事人协商解决不成的,可以向劳动争议仲裁委员会申请仲裁;对仲裁裁决不服的,可以自收到仲裁裁决书之日起十五日内向人民法院提起诉讼。

第十一章 监督检查

第八十五条 县级以上各级人民政府劳动行政部门依法对用人单位遵守劳动法律、法规的情况进行监督检查,对违反劳动法律、法规的行为有权制止，并责令改正。

第八十六条　县级以上各级人民政府劳动行政部门监督检查人员执行公务，有权进入用人单位了解执行劳动法律、法规的情况，查阅必要的资料，并对劳动场所进行检查。

县级以上各级人民政府劳动行政部门监督检查人员执行公务，必须出示证件，秉公执法并遵守有关规定。

第八十七条　县级以上各级人民政府有关部门在各自职责范围内，对用人单位遵守劳动法律、法规的情况进行监督。

第八十八条　各级工会依法维护劳动者的合法权益，对用人单位遵守劳动法律、法规的情况进行监督。

任何组织和个人对于违反劳动法律、法规的行为有权检举和控告。

第十二章　法 律 责 任

第八十九条　用人单位制定的劳动规章制度违反法律、法规规定的，由劳动行政部门给予警告，责令改正；对劳动者造成损害的，应当承担赔偿责任。

第九十条　用人单位违反本法规定，延长劳动者工作时间的，由劳动行政部门给予警告，责令改正，并可以处以罚款。

第九十一条　用人单位有下列侵害劳动者合法权益情形之一的，由劳动行政部门责令支付劳动者的工资报酬、经济补偿，并可以责令支付赔偿金：

（一）克扣或者无故拖欠劳动者工资的；

（二）拒不支付劳动者延长工作时间工资报酬的；

（三）低于当地最低工资标准支付劳动者工资的；

（四）解除劳动合同后，未依照本法规定给予劳动者经济补偿的。

第九十二条　用人单位的劳动安全设施和劳动卫生条件不符

合国家规定或者未向劳动者提供必要的劳动防护用品和劳动保护设施的,由劳动行政部门或者有关部门责令改正,可以处以罚款;情节严重的,提请县级以上人民政府决定责令停产整顿;对事故隐患不采取措施,致使发生重大事故,造成劳动者生命和财产损失的,对责任人员比照刑法第一百八十七条的规定追究刑事责任。

第九十三条 用人单位强令劳动者违章冒险作业,发生重大伤亡事故,造成严重后果的,对责任人员依法追究刑事责任。

第九十四条 用人单位非法招用未满十六周岁的未成年人的,由劳动行政部门责令改正,处以罚款;情节严重的,由工商行政管理部门吊销营业执照。

第九十五条 用人单位违反本法对女职工和未成年工的保护规定,侵害其合法权益的,由劳动行政部门责令改正,处以罚款;对女职工或者未成年工造成损害的,应当承担赔偿责任。

第九十六条 用人单位有下列行为之一,由公安机关对责任人员处以十五日以下拘留、罚款或者警告;构成犯罪的,对责任人员依法追究刑事责任:

(一)以暴力、威胁或者非法限制人身自由的手段强迫劳动的;

(二)侮辱、体罚、殴打、非法搜查和拘禁劳动者的。

第九十七条 由于用人单位的原因订立的无效合同,对劳动者造成损害的,应当承担赔偿责任。

第九十八条 用人单位违反本法规定的条件解除劳动合同或者故意拖延不订立劳动合同的,由劳动行政部门责令改正;对劳动者造成损害的,应当承担赔偿责任。

第九十九条 用人单位招用尚未解除劳动合同的劳动者,对原用人单位造成经济损失的,该用人单位应当依法承担连带赔偿责任。

第一百条 用人单位无故不缴纳社会保险费的,由劳动行政部门责令其限期缴纳;逾期不缴的,可以加收滞纳金。

第一百零一条　用人单位无理阻挠劳动行政部门、有关部门及其工作人员行使监督检查权，打击报复举报人员的，由劳动行政部门或者有关部门处以罚款；构成犯罪的，对责任人员依法追究刑事责任。

第一百零二条　劳动者违反本法规定的条件解除劳动合同或者违反劳动合同中约定的保密事项，对用人单位造成经济损失的，应当依法承担赔偿责任。

第一百零三条　劳动行政部门或者有关部门的工作人员滥用职权、玩忽职守、徇私舞弊，构成犯罪的，依法追究刑事责任；不构成犯罪的，给予行政处分。

第一百零四条　国家工作人员和社会保险基金经办机构的工作人员挪用社会保险基金构成犯罪的，依法追究刑事责任。

第一百零五条　违反本法规定侵害劳动者合法权益，其他法律、行政法规已规定处罚的，依照该法律、行政法规的规定处罚。

第十三章　附　　则

第一百零六条　省、自治区、直辖市人民政府根据本法和本地区的实际情况，规定劳动合同制度的实施步骤，报国务院备案。

第一百零七条　本法自 1995 年 1 月 1 日起施行。

中华人民共和国义务教育法

（1986年4月12日第六届全国人民代表大会第四次会议通过 2006年6月29日第十届全国人民代表大会常务委员会第二十二次会议修订）

目 录

第一章 总 则

第一条 为了保障适龄儿童、少年接受义务教育的权利，保证义务教育的实施，提高全民族素质，根据宪法和教育法，制定本法。

第二条 国家实行九年义务教育制度。

义务教育是国家统一实施的所有适龄儿童、少年必须接受的教育,是国家必须予以保障的公益性事业。

实施义务教育,不收学费、杂费。

国家建立义务教育经费保障机制,保证义务教育制度实施。

第三条 义务教育必须贯彻国家的教育方针,实施素质教育,提高教育质量,使适龄儿童、少年在品德、智力、体质等方面全面发展,为培养有理想、有道德、有文化、有纪律的社会主义建设者和接班人奠定基础。

第四条 凡具有中华人民共和国国籍的适龄儿童、少年,不分性别、民族、种族、家庭财产状况、宗教信仰等,依法享有平等接受义务教育的权利,并履行接受义务教育的义务。

第五条 各级人民政府及其有关部门应当履行本法规定的各项职责,保障适龄儿童、少年接受义务教育的权利。

适龄儿童、少年的父母或者其他法定监护人应当依法保证其按时入学接受并完成义务教育。

依法实施义务教育的学校应当按照规定标准完成教育教学任务,保证教育教学质量。

社会组织和个人应当为适龄儿童、少年接受义务教育创造良好的环境。

第六条 国务院和县级以上地方人民政府应当合理配置教育资源,促进义务教育均衡发展,改善薄弱学校的办学条件,并采取措施,保障农村地区、民族地区实施义务教育,保障家庭经济困难的和残疾的适龄儿童、少年接受义务教育。

国家组织和鼓励经济发达地区支援经济欠发达地区实施义务教育。

第七条 义务教育实行国务院领导,省、自治区、直辖市人民政府统筹规划实施,县级人民政府为主管理的体制。

县级以上人民政府教育行政部门具体负责义务教育实施工作;县级以上人民政府其他有关部门在各自的职责范围内负责义

务教育实施工作。

第八条 人民政府教育督导机构对义务教育工作执行法律法规情况、教育教学质量以及义务教育均衡发展状况等进行督导,督导报告向社会公布。

第九条 任何社会组织或者个人有权对违反本法的行为向有关国家机关提出检举或者控告。

发生违反本法的重大事件,妨碍义务教育实施,造成重大社会影响的,负有领导责任的人民政府或者人民政府教育行政部门负责人应当引咎辞职。

第十条 对在义务教育实施工作中做出突出贡献的社会组织和个人,各级人民政府及其有关部门按照有关规定给予表彰、奖励。

第二章 学 生

第十一条 凡年满六周岁的儿童,其父母或者其他法定监护人应当送其入学接受并完成义务教育;条件不具备的地区的儿童,可以推迟到七周岁。

适龄儿童、少年因身体状况需要延缓入学或者休学的,其父母或者其他法定监护人应当提出申请,由当地乡镇人民政府或者县级人民政府教育行政部门批准。

第十二条 适龄儿童、少年免试入学。地方各级人民政府应当保障适龄儿童、少年在户籍所在地学校就近入学。

父母或者其他法定监护人在非户籍所在地工作或者居住的适龄儿童、少年,在其父母或者其他法定监护人工作或者居住地接受义务教育的,当地人民政府应当为其提供平等接受义务教育的条件。具体办法由省、自治区、直辖市规定。

县级人民政府教育行政部门对本行政区域内的军人子女接受义务教育予以保障。

第十三条 县级人民政府教育行政部门和乡镇人民政府组织和督促适龄儿童、少年入学，帮助解决适龄儿童、少年接受义务教育的困难，采取措施防止适龄儿童、少年辍学。

居民委员会和村民委员会协助政府做好工作，督促适龄儿童、少年入学。

第十四条 禁止用人单位招用应当接受义务教育的适龄儿童、少年。

根据国家有关规定经批准招收适龄儿童、少年进行文艺、体育等专业训练的社会组织，应当保证所招收的适龄儿童、少年接受义务教育；自行实施义务教育的，应当经县级人民政府教育行政部门批准。

第三章 学 校

第十五条 县级以上地方人民政府根据本行政区域内居住的适龄儿童、少年的数量和分布状况等因素，按照国家有关规定，制定、调整学校设置规划。新建居民区需要设置学校的，应当与居民区的建设同步进行。

第十六条 学校建设，应当符合国家规定的办学标准，适应教育教学需要；应当符合国家规定的选址要求和建设标准，确保学生和教职工安全。

第十七条 县级人民政府根据需要设置寄宿制学校，保障居住分散的适龄儿童、少年入学接受义务教育。

第十八条 国务院教育行政部门和省、自治区、直辖市人民政府根据需要，在经济发达地区设置接收少数民族适龄儿童、少年的学校（班）。

第十九条 县级以上地方人民政府根据需要设置相应的实施特殊教育的学校（班），对视力残疾、听力语言残疾和智力残疾的适龄儿童、少年实施义务教育。特殊教育学校（班）应当具备适应残疾儿童、少年学习、康复、生活特点的场所和设施。

普通学校应当接收具有接受普通教育能力的残疾适龄儿童、少年随班就读，并为其学习、康复提供帮助。

第二十条 县级以上地方人民政府根据需要，为具有预防未成年人犯罪法规定的严重不良行为的适龄少年设置专门的学校实施义务教育。

第二十一条 对未完成义务教育的未成年犯和被采取强制性教育措施的未成年人应当进行义务教育，所需经费由人民政府予以保障。

第二十二条 县级以上人民政府及其教育行政部门应当促进学校均衡发展，缩小学校之间办学条件的差距，不得将学校分为重点学校和非重点学校。学校不得分设重点班和非重点班。

县级以上人民政府及其教育行政部门不得以任何名义改变或者变相改变公办学校的性质。

第二十三条 各级人民政府及其有关部门依法维护学校周边秩序，保护学生、教师、学校的合法权益，为学校提供安全保障。

第二十四条 学校应当建立、健全安全制度和应急机制，对学生进行安全教育，加强管理，及时消除隐患，预防发生事故。

县级以上地方人民政府定期对学校校舍安全进行检查；对需要维修、改造的，及时予以维修、改造。

学校不得聘用曾经因故意犯罪被依法剥夺政治权利或者其他不适合从事义务教育工作的人担任工作人员。

第二十五条 学校不得违反国家规定收取费用，不得以向学生推销或者变相推销商品、服务等方式谋取利益。

第二十六条 学校实行校长负责制。校长应当符合国家规定的任职条件。校长由县级人民政府教育行政部门依法聘任。

第二十七条 对违反学校管理制度的学生，学校应当予以批评教育，不得开除。

第四章 教 师

第二十八条 教师享有法律规定的权利,履行法律规定的义务,应当为人师表,忠诚于人民的教育事业。

全社会应当尊重教师。

第二十九条 教师在教育教学中应当平等对待学生,关注学生的个体差异,因材施教,促进学生的充分发展。

教师应当尊重学生的人格,不得歧视学生,不得对学生实施体罚、变相体罚或者其他侮辱人格尊严的行为,不得侵犯学生合法权益。

第三十条 教师应当取得国家规定的教师资格。

国家建立统一的义务教育教师职务制度。教师职务分为初级职务、中级职务和高级职务。

第三十一条 各级人民政府保障教师工资福利和社会保险待遇,改善教师工作和生活条件;完善农村教师工资经费保障机制。

教师的平均工资水平应当不低于当地公务员的平均工资水平。

特殊教育教师享有特殊岗位补助津贴。在民族地区和边远贫困地区工作的教师享有艰苦贫困地区补助津贴。

第三十二条 县级以上人民政府应当加强教师培养工作,采取措施发展教师教育。

县级人民政府教育行政部门应当均衡配置本行政区域内学校师资力量,组织校长、教师的培训和流动,加强对薄弱学校的建设。

第三十三条 国务院和地方各级人民政府鼓励和支持城市学校教师和高等学校毕业生到农村地区、民族地区从事义务教育工作。

国家鼓励高等学校毕业生以志愿者的方式到农村地区、民族地区缺乏教师的学校任教。县级人民政府教育行政部门依法认定其教师资格，其任教时间计入工龄。

第五章 教育教学

第三十四条 教育教学工作应当符合教育规律和学生身心发展特点，面向全体学生，教书育人，将德育、智育、体育、美育等有机统一在教育教学活动中，注重培养学生独立思考能力、创新能力和实践能力，促进学生全面发展。

第三十五条 国务院教育行政部门根据适龄儿童、少年身心发展的状况和实际情况，确定教学制度、教育教学内容和课程设置，改革考试制度，并改进高级中等学校招生办法，推进实施素质教育。

学校和教师按照确定的教育教学内容和课程设置开展教育教学活动，保证达到国家规定的基本质量要求。

国家鼓励学校和教师采用启发式教育等教育教学方法，提高教育教学质量。

第三十六条 学校应当把德育放在首位，寓德育于教育教学之中，开展与学生年龄相适应的社会实践活动，形成学校、家庭、社会相互配合的思想道德教育体系，促进学生养成良好的思想品德和行为习惯。

第三十七条 学校应当保证学生的课外活动时间，组织开展文化娱乐等课外活动。社会公共文化体育设施应当为学校开展课外活动提供便利。

第三十八条 教科书根据国家教育方针和课程标准编写，内容力求精简，精选必备的基础知识、基本技能，经济实用，保证质量。

国家机关工作人员和教科书审查人员，不得参与或者变相参与教科书的编写工作。

第三十九条 国家实行教科书审定制度。教科书的审定办法由国务院教育行政部门规定。

未经审定的教科书,不得出版、选用。

第四十条　教科书由国务院价格行政部门会同出版行政部门按照微利原则确定基准价。省、自治区、直辖市人民政府价格行政部门会同出版行政部门按照基准价确定零售价。

第四十一条　国家鼓励教科书循环使用。

第六章　经费保障

第四十二条　国家将义务教育全面纳入财政保障范围,义务教育经费由国务院和地方各级人民政府依照本法规定予以保障。

国务院和地方各级人民政府将义务教育经费纳入财政预算,按照教职工编制标准、工资标准和学校建设标准、学生人均公用经费标准等,及时足额拨付义务教育经费,确保学校的正常运转和校舍安全,确保教职工工资按照规定发放。

国务院和地方各级人民政府用于实施义务教育财政拨款的增长比例应当高于财政经常性收入的增长比例,保证按照在校学生人数平均的义务教育费用逐步增长,保证教职工工资和学生人均公用经费逐步增长。

第四十三条　学校的学生人均公用经费基本标准由国务院财政部门会同教育行政部门制定,并根据经济和社会发展状况适时调整。制定、调整学生人均公用经费基本标准,应当满足教育教学基本需要。

省、自治区、直辖市人民政府可以根据本行政区域的实际情况,制定不低于国家标准的学校学生人均公用经费标准。

特殊教育学校(班)学生人均公用经费标准应当高于普通学校学生人均公用经费标准。

第四十四条　义务教育经费投入实行国务院和地方各级人民政府根据职责共同负担,省、自治区、直辖市人民政府负责统筹落实的体制。农村义务教育所需经费,由各级人民政府根据国务院的规定分项目、按比例分担。

各级人民政府对家庭经济困难的适龄儿童、少年免费提供教科书并补助寄宿生生活费。

义务教育经费保障的具体办法由国务院规定。

第四十五条 地方各级人民政府在财政预算中将义务教育经费单列。

县级人民政府编制预算,除向农村地区学校和薄弱学校倾斜外,应当均衡安排义务教育经费。

第四十六条 国务院和省、自治区、直辖市人民政府规范财政转移支付制度,加大一般性转移支付规模和规范义务教育专项转移支付,支持和引导地方各级人民政府增加对义务教育的投入。地方各级人民政府确保将上级人民政府的义务教育转移支付资金按照规定用于义务教育。

第四十七条 国务院和县级以上地方人民政府根据实际需要,设立专项资金,扶持农村地区、民族地区实施义务教育。

第四十八条 国家鼓励社会组织和个人向义务教育捐赠,鼓励按照国家有关基金会管理的规定设立义务教育基金。

第四十九条 义务教育经费严格按照预算规定用于义务教育;任何组织和个人不得侵占、挪用义务教育经费,不得向学校非法收取或者摊派费用。

第五十条 县级以上人民政府建立健全义务教育经费的审计监督和统计公告制度。

第七章 法律责任

第五十一条 国务院有关部门和地方各级人民政府违反本法第六章的规定,未履行对义务教育经费保障职责的,由国务院或者上级地方人民政府责令限期改正;情节严重的,对直接负责的主管人员和其他直接责任人员依法给予行政处分。

第五十二条　县级以上地方人民政府有下列情形之一的，由上级人民政府责令限期改正；情节严重的，对直接负责的主管人员和其他直接责任人员依法给予行政处分：

（一）未按照国家有关规定制定、调整学校的设置规划的；

（二）学校建设不符合国家规定的办学标准、选址要求和建设标准的；

（三）未定期对学校校舍安全进行检查，并及时维修、改造的；

（四）未依照本法规定均衡安排义务教育经费的。

第五十三条　县级以上人民政府或者其教育行政部门有下列情形之一的，由上级人民政府或者其教育行政部门责令限期改正、通报批评；情节严重的，对直接负责的主管人员和其他直接责任人员依法给予行政处分：

（一）将学校分为重点学校和非重点学校的；

（二）改变或者变相改变公办学校性质的。

县级人民政府教育行政部门或者乡镇人民政府未采取措施组织适龄儿童、少年入学或者防止辍学的，依照前款规定追究法律责任。

第五十四条　有下列情形之一的，由上级人民政府或者上级人民政府教育行政部门、财政部门、价格行政部门和审计机关根据职责分工责令限期改正；情节严重的，对直接负责的主管人员和其他直接责任人员依法给予处分：

（一）侵占、挪用义务教育经费的；

（二）向学校非法收取或者摊派费用的。

第五十五条　学校或者教师在义务教育工作中违反教育法、教师法规定的，依照教育法、教师法的有关规定处罚。

第五十六条　学校违反国家规定收取费用的，由县级人民政府教育行政部门责令退还所收费用；对直接负责的主管人员和其他直接责任人员依法给予处分。

学校以向学生推销或者变相推销商品、服务等方式谋取利益的，由县级人民政府教育行政部门给予通报批评；有违法所得的，没收违法所得；对直接负责的主管人员和其他直接责任人员依法给予处分。

国家机关工作人员和教科书审查人员参与或者变相参与教科书编写的，由县级以上人民政府或者其教育行政部门根据职责权限责令限期改正，依法给予行政处分；有违法所得的，没收违法所得。

第五十七条 学校有下列情形之一的，由县级人民政府教育行政部门责令限期改正；情节严重的，对直接负责的主管人员和其他直接责任人员依法给予处分：

（一）拒绝接收具有接受普通教育能力的残疾适龄儿童、少年随班就读的；

（二）分设重点班和非重点班的；

（三）违反本法规定开除学生的；

（四）选用未经审定的教科书的。

第五十八条 适龄儿童、少年的父母或者其他法定监护人无正当理由未依照本法规定送适龄儿童、少年入学接受义务教育的，由当地乡镇人民政府或者县级人民政府教育行政部门给予批评教育，责令限期改正。

第五十九条 有下列情形之一的，依照有关法律、行政法规的规定予以处罚：

（一）胁迫或者诱骗应当接受义务教育的适龄儿童、少年失学、辍学的；

（二）非法招用应当接受义务教育的适龄儿童、少年的；

（三）出版未经依法审定的教科书的。

第六十条 违反本法规定，构成犯罪的，依法追究刑事责任。

第八章 附 则

第六十一条 对接受义务教育的适龄儿童、少年不收杂费的实施步骤，由国务院规定。

第六十二条 社会组织或者个人依法举办的民办学校实施义务教育的，依照民办教育促进法有关规定执行；民办教育促进法未作规定的，适用本法。

第六十三条 本法自2006年9月1日起施行。

残疾人就业条例

（2007年2月14日国务院第169次常务会议通过
2007年2月25日公布　自2007年5月1日起施行）

第一章　总　　则

第一条　为了促进残疾人就业，保障残疾人的劳动权利，根据《中华人民共和国残疾人保障法》和其他有关法律，制定本条例。

第二条　国家对残疾人就业实行集中就业与分散就业相结合的方针，促进残疾人就业。

县级以上人民政府应当将残疾人就业纳入国民经济和社会发展规划，并制定优惠政策和具体扶持保护措施，为残疾人就业创造条件。

第三条　机关、团体、企业、事业单位和民办非企业单位（以下统称用人单位）应当依照有关法律、本条例和其他有关行政法规的规定，履行扶持残疾人就业的责任和义务。

第四条　国家鼓励社会组织和个人通过多种渠道、多种形式，帮助、支持残疾人就业，鼓励残疾人通过应聘等多种形式就业。禁止在就业中歧视残疾人。

残疾人应当提高自身素质，增强就业能力。

第五条　各级人民政府应当加强对残疾人就业工作的统筹规

划，综合协调。县级以上人民政府负责残疾人工作的机构，负责组织、协调、指导、督促有关部门做好残疾人就业工作。

县级以上人民政府劳动保障、民政等有关部门在各自的职责范围内，做好残疾人就业工作。

第六条 中国残疾人联合会及其地方组织依照法律、法规或者接受政府委托，负责残疾人就业工作的具体组织实施与监督。

工会、共产主义青年团、妇女联合会，应当在各自的工作范围内，做好残疾人就业工作。

第七条 各级人民政府对在残疾人就业工作中做出显著成绩的单位和个人，给予表彰和奖励。

第二章 用人单位的责任

第八条 用人单位应当按照一定比例安排残疾人就业，并为其提供适当的工种、岗位。

用人单位安排残疾人就业的比例不得低于本单位在职职工总数的1.5%。具体比例由省、自治区、直辖市人民政府根据本地区的实际情况规定。

用人单位跨地区招用残疾人的，应当计入所安排的残疾人职工人数之内。

第九条 用人单位安排残疾人就业达不到其所在地省、自治区、直辖市人民政府规定比例的，应当缴纳残疾人就业保障金。

第十条 政府和社会依法兴办的残疾人福利企业、盲人按摩机构和其他福利性单位（以下统称集中使用残疾人的用人单位），应当集中安排残疾人就业。

集中使用残疾人的用人单位的资格认定，按照国家有关规定执行。

第十一条 集中使用残疾人的用人单位中从事全日制工作的残疾人职工，应当占本单位在职职工总数的25%以上。

第十二条 用人单位招用残疾人职工,应当依法与其签订劳动合同或者服务协议。

第十三条 用人单位应当为残疾人职工提供适合其身体状况的劳动条件和劳动保护,不得在晋职、晋级、评定职称、报酬、社会保险、生活福利等方面歧视残疾人职工。

第十四条 用人单位应当根据本单位残疾人职工的实际情况,对残疾人职工进行上岗、在岗、转岗等培训。

第三章 保障措施

第十五条 县级以上人民政府应当采取措施,拓宽残疾人就业渠道,开发适合残疾人就业的公益性岗位,保障残疾人就业。

县级以上地方人民政府发展社区服务事业,应当优先考虑残疾人就业。

第十六条 依法征收的残疾人就业保障金应当纳入财政预算,专项用于残疾人职业培训以及为残疾人提供就业服务和就业援助,任何组织或者个人不得贪污、挪用、截留或者私分。残疾人就业保障金征收、使用、管理的具体办法,由国务院财政部门会同国务院有关部门规定。

财政部门和审计机关应当依法加强对残疾人就业保障金使用情况的监督检查。

第十七条 国家对集中使用残疾人的用人单位依法给予税收优惠,并在生产、经营、技术、资金、物资、场地使用等方面给予扶持。

第十八条 县级以上地方人民政府及其有关部门应当确定适合残疾人生产、经营的产品、项目,优先安排集中使用残疾人的用人单位生产或者经营,并根据集中使用残疾人的用人单位的生产特点确定某些产品由其专产。

政府采购,在同等条件下,应当优先购买集中使用残疾人的用人单位的产品或者服务。

第十九条 国家鼓励扶持残疾人自主择业、自主创业。对残疾人从事个体经营的，应当依法给予税收优惠，有关部门应当在经营场地等方面给予照顾，并按照规定免收管理类、登记类和证照类的行政事业性收费。

国家对自主择业、自主创业的残疾人在一定期限内给予小额信贷等扶持。

第二十条 地方各级人民政府应当多方面筹集资金，组织和扶持农村残疾人从事种植业、养殖业、手工业和其他形式的生产劳动。

有关部门对从事农业生产劳动的农村残疾人，应当在生产服务、技术指导、农用物资供应、农副产品收购和信贷等方面给予帮助。

第四章 就业服务

第二十一条 各级人民政府和有关部门应当为就业困难的残疾人提供有针对性的就业援助服务，鼓励和扶持职业培训机构为残疾人提供职业培训，并组织残疾人定期开展职业技能竞赛。

第二十二条 中国残疾人联合会及其地方组织所属的残疾人就业服务机构应当免费为残疾人就业提供下列服务：

（一）发布残疾人就业信息；

（二）组织开展残疾人职业培训；

（三）为残疾人提供职业心理咨询、职业适应评估、职业康复训练、求职定向指导、职业介绍等服务；

（四）为残疾人自主择业提供必要的帮助；

（五）为用人单位安排残疾人就业提供必要的支持。

国家鼓励其他就业服务机构为残疾人就业提供免费服务。

第二十三条 受劳动保障部门的委托，残疾人就业服务机构可以进行残疾人失业登记、残疾人就业与失业统计；经所在地劳动保障部门批准，残疾人就业服务机构还可以进行残疾人职业技能鉴定。

第二十四条 残疾人职工与用人单位发生争议的，当地法律援助机构应当依法为其提供法律援助，各级残疾人联合会应当给予支持和帮助。

第五章 法律责任

第二十五条 违反本条例规定，有关行政主管部门及其工作人员滥用职权、玩忽职守、徇私舞弊，构成犯罪的，依法追究刑事责任；尚不构成犯罪的，依法给予处分。

第二十六条 违反本条例规定，贪污、挪用、截留、私分残疾人就业保障金，构成犯罪的，依法追究刑事责任；尚不构成犯罪的，对有关责任单位、直接负责的主管人员和其他直接责任人员依法给予处分或者处罚。

第二十七条 违反本条例规定，用人单位未按照规定缴纳残疾人就业保障金的，由财政部门给予警告，责令限期缴纳；逾期仍不缴纳的，除补缴欠缴数额外，还应当自欠缴之日起，按日加收5‰的滞纳金。

第二十八条 违反本条例规定，用人单位弄虚作假，虚报安排残疾人就业人数，骗取集中使用残疾人的用人单位享受的税收优惠待遇的，由税务机关依法处理。

第六章 附 则

第二十九条 本条例所称残疾人就业，是指符合法定就业年龄有就业要求的残疾人从事有报酬的劳动。

第三十条 本条例自2007年5月1日起施行。

残疾人教育条例

（1994年8月23日国务院办公厅）

第一章　总　　则

第一条　为了保障残疾人受教育的权利，发展残疾人教育事业，根据《中华人民共和国残疾人保障法》和国家有关教育的法律，制定本条例。

第二条　实施残疾人教育，应当贯彻国家的教育方针，并根据残疾人的身心特性和需要，全面提高其素质，为残疾人平等地参与社会生活创造条件。

第三条　残疾人教育是国家教育事业的组成部分。

发展残疾人教育事业，实行普及与提高相结合、以普及为重点的方针，着重发展义务教育和职业教育，积极开展学前教育，逐步发展高级中等以上教育。

残疾人教育应当根据残疾人的残疾类别和接受能力，采取普通教育方式或者特殊教育方式，充分发挥普通教育机构在实施残疾人教育中的作用。

第四条　各级人民政府应当加强对残疾人教育事业的领导，统筹规划和发展残疾人教育事业，逐步增加残疾人教育经费，改善办学条件。

第五条 国务院教育行政部门主管全国的残疾人教育工作。县级以上地方各级人民政府教育行政部门主管本行政区域内的残疾人教育工作。

县级以上各级人民政府其他有关部门在各自的职责范围内负责有关的残疾人教育工作。

第六条 中国残疾人联合会及其地方组织应当积极促进和开展残疾人教育工作。

第七条 幼儿教育机构、各级各类学校及其他教育机构应当依照国家有关法律、法规的规定，实施残疾人教育。

第八条 残疾人家庭应当帮助残疾人接受教育。

第九条 社会各界应当关心和支持残疾人教育事业。

第二章 学前教育

第十条 残疾幼儿的学前教育，通过下列机构实施：

（一）残疾幼儿教育机构；

（二）普通幼儿教育机构；

（三）残疾儿童福利机构；

（四）残疾儿童康复机构；

（五）普通小学的学前班和残疾儿童、少年特殊教育学校的学前班。

残疾儿童家庭应当对残疾儿童实施学前教育。

第十一条 残疾幼儿的教育应当与保育、康复结合实施。

第十二条 卫生保健机构、残疾幼儿的学前教育机构和家庭，应当注重对残疾幼儿的早期发现、早期康复和早期教育。

卫生保健机构、残疾幼儿的学前教育机构应当就残疾幼儿的早期发现、早期康复和早期教育提供咨询、指导。

第三章 义务教育

第十三条 地方各级人民政府应当将残疾儿童、少年实行义务教育纳入当地义务教育发展规划并统筹安排实施。

县级以上各级人民政府对实施义务教育的工作进行监督、指导、检查,应当包括对残疾儿童、少年实施义务教育工作的监督、指导、检查。

第十四条 适龄残疾儿童、少年的父母或者其他监护人,应当依法使其子女或者被监护人接受义务教育。

第十五条 残疾儿童、少年接受义务教育的入学年龄和年限,应当与当地儿童、少年接受义务教育的入学年龄和年限相同;必要时,其入学年龄和在校年龄可以适当提高。

第十六条 县级人民政府教育行政部门和卫生行政部门应当组织开展适龄残疾儿童、少年的就学咨询,对其残疾状况进行鉴定,并对其接受教育的形式提出意见。

第十七条 适龄残疾儿童、少年可以根据条件,通过下列形式接受义务教育:

(一)在普通学校随班就读;

(二)在普通学校、儿童福利机构或者其他机构附设的残疾儿童、少年特殊教育班就读;

(三)在残疾儿童、少年特殊教育学校就读。

地方各级人民政府应当逐步创造条件,对因身体条件不能到学校就读的适龄残疾儿童、少年,采取其他适当形式进行义务教育。

第十八条 对经济困难的残疾学生,应当酌情减免杂费和其他费用。

第十九条 残疾儿童、少年特殊教育学校(班)的教育工作,应当坚持思想教育、文化教育、劳动技能教育与身心补偿相结合;并根据学生残疾状况和补偿程度,实施分类教学,有条件的学校,实施个别教学。

第二十条 残疾儿童、少年特殊教育学校(班)的课程计划、教学大纲和教材，应当适合残疾儿童、少年的特点。

残疾儿童、少年特殊教育学校（班）的课程计划和教学大纲由国务院教育行政部门制订；教材由省级以上人民政府教育行政部门审定。

第二十一条 普通学校应当按照国家有关规定招收能适应普通班学习的适龄残疾儿童、少年就读，并根据其学习、康复的特殊需要对其提供帮助。有条件的学校，可以设立专门辅导教室。

县级人民政府教育行政部门应当加强对本行政区域内的残疾儿童、少年随班就读教学工作的指导。

随班就读残疾学生的义务教育，可以适用普通义务教育的课程计划、教学大纲和教材，但是对其学习要求可以有适度弹性。

第二十二条 实施义务教育的残疾儿童、少年特殊教育学校应当根据需要，在适当阶段对残疾学生进行劳动技能教育、职业教育和职业指导。

第四章 职业教育

第二十三条 各级人民政府应当将残疾人职业教育纳入职业教育发展的总体规划，建立残疾人职业教育体系，统筹安排实施。

第二十四条 残疾人职业教育，应当重点发展初等和中等职业教育，适当发展高等职业教育，开展以实用技术为主的中期、短期培训。

第二十五条 残疾人职业教育体系由普通职业教育机构和残疾人职业教育机构组成，以普通职业教育机构为主体。

县级以上地方各级人民政府应当根据需要，合理设置残疾人职业教育机构。

第二十六条 普通职业教育学校必须招收符合国家规定的录取标准的残疾人入学，普通职业培训机构应当积极招收残疾人入学。

第二十七条 残疾人职业教育学校和培训机构,应当根据社会需要和残疾人的身心特性合理设置专业,并根据教学需要和条件,发展校办企业,办好实习基地。

第二十八条 对经济困难的残疾学生,应当酌情减免学费和其他费用。

第五章 普通高级中等以上教育及成人教育

第二十九条 普通高级中等学校、高等院校、成人教育机构必须招收符合国家规定的录取标准的残疾考生入学,不得因其残疾而拒绝招收。

第三十条 设区的市以上地方各级人民政府根据需要,可以举办残疾人高级中等以上特殊教育学校(班),提高残疾人的受教育水平。

第三十一条 县级以上各级人民政府教育行政部门应当会同广播、电视部门,根据实际情况开设或者转播适合残疾人学习的专业、课程。

第三十二条 残疾人所在单位应当对本单位的残疾人开展文化知识教育和技术培训。

第三十三条 扫除文盲教育应当包括对年满 15 周岁以上的未丧失学习能力的文盲、半文盲残疾人实施的扫盲教育。

第三十四条 国家、社会鼓励和帮助残疾人自学成才。

第六章 教 师

第三十五条 各级人民政府应当重视从事残疾人教育的教师培养、培训工作,并采取措施逐步提高他们的地位和待遇,改善他们的工作环境和条件,鼓励教师终身从事残疾人教育事业。

第三十六条 从事残疾人教育的教师,应当热爱残疾人教育事业,具有社会主义的人道主义精神,关心残疾学生,并掌握残疾人教育的专业知识和技能。

第三十七条 国家实行残疾人教育教师资格证书制度，具体办法由国务院教育行政部门会同国务院其他有关行政部门制定。

第三十八条 残疾人特殊教育学校举办单位，应当依据残疾人特殊教育学校教师编制标准，为学校配备承担教学、康复等工作的教师。

残疾人特殊教育学校教师编制标准，由国务院教育行政部门会同国务院其他有关行政部门制定。

第三十九条 国务院教育行政部门和省、自治区、直辖市人民政府应当有计划地举办特殊教育师范院校、专业，或者在普通师范院校附设特殊教育师资班（部），培养残疾人教育教师。

第四十条 县级以上地方各级人民政府教育行政部门应当将残疾人教育师资的培训列入工作计划，并采取设立培训基地等形式，组织在职的残疾人教育教师的进修提高。

第四十一条 普通师范院校应当有计划地设置残疾人特殊教育必修课程或者选修课程，使学生掌握必要的残疾人特殊教育的基本知识和技能，以适应对随班就读的残疾学生的教育需要。

第四十二条 从事残疾人教育的教师、职工根据国家有关规定享受残疾人教育津贴及其他待遇。

第七章 物质条件保障

第四十三条 省、自治区、直辖市人民政府应当根据残疾人教育的特殊情况，依据国务院有关行政主管部门的指导性标准，制定本行政区域内残疾人学校的建设标准、经费开支标准、教学仪器设备配备标准等。

第四十四条 残疾人教育经费由各级人民政府负责筹措，予以保证，并随着教育事业费的增加而逐步增加。

县级以上各级人民政府可以根据需要，设立专项补助款，用于发展残疾人教育。

地方各级人民政府用于义务教育的财政拨款和征收的教育费附加,应当有一定比例用于发展残疾儿童、少年义务教育。

第四十五条　国家鼓励社会力量举办残疾人教育机构或者捐资助学。

第四十六条　县级以上地方各级人民政府对残疾人教育机构的设置,应当统筹规划、合理布局。

残疾人学校的设置,由教育行政部门按照国家有关规定审批。

第四十七条　残疾人教育机构的建设,应当适应残疾学生学习、康复和生活的特点。

普通学校应当根据实际情况,为残疾学生入学后的学习、生活提供便利和条件。

第四十八条　县级以上各级人民政府及其有关部门应当采取优惠政策和措施,支持研究、生产残疾人教育专用仪器设备、教具、学具及其他辅助用品,扶持残疾人教育机构兴办和发展校办企业或者福利企业。

第八章　奖励与处罚

第四十九条　有下列事迹之一的单位和个人,由各级人民政府或者其教育行政部门给予奖励:

(一)在残疾人教育教学、教学研究方面做出突出贡献的;

(二)为残疾人就学提供帮助,表现突出的;

(三)研究、生产残疾人教育专用仪器、设备、教具和学具,在提高残疾人教育质量方面取得显著成绩的;

(四)在残疾人学校建设中取得显著成绩的;

(五)为残疾人教育事业做出其他重大贡献的。

第五十条　有下列行为之一的,由有关部门对直接责任人员给予行政处分:

（一）拒绝招收按照国家有关规定应当招收的残疾人入学的；

（二）侮辱、体罚、殴打残疾学生的；

（三）侵占、克扣、挪用残疾人教育款项的。

有前款所列第（一）项行为的，由教育行政部门责令该学校招收残疾人入学。有前款所列第（二）项行为，违反《中华人民共和国治安管理处罚条例》的，由公安机关给予行政处罚。有前款所列第（二）项、第（三）项行为，构成犯罪的，依法追究刑事责任。

第九章　附　　则

第五十一条　省、自治区、直辖市人民政府可以依照本条例制定实施办法。

第五十二条　本条例自发布之日起施行。

残疾人权利公约

序　　言

本公约缔约国，

（一）回顾《联合国宪章》宣告的各项原则确认人类大家庭所有成员的固有尊严和价值以及平等和不可剥夺的权利，是世界自由、正义与和平的基础，

（二）确认联合国在《世界人权宣言》和国际人权公约中宣告并认定人人有权享有这些文书所载的一切权利和自由，不得有任何区别，

（三）重申一切人权和基本自由都是普遍、不可分割、相互依存和相互关联的，必须保障残疾人不受歧视地充分享有这些权利和自由，

（四）回顾《经济、社会、文化权利国际公约》、《公民及政治权利国际公约》、《消除一切形式种族歧视国际公约》、《消除对妇女一切形式歧视公约》、《禁止酷刑和其他残忍、不人道或有辱人格的待遇或处罚公约》、《儿童权利公约》和《保护所有移徙工人及其家庭成员权利国际公约》，

（五）确认残疾是一个演变中的概念，残疾是伤残者和阻碍他们在与其他人平等的基础上充分和切实地参与社会的各种态度和环境障碍相互作用所产生的结果，

（六）确认《关于残疾人的世界行动纲领》和《残疾人机会均等标准规则》所载原则和政策导则在影响国家、区域和国际各级推行、制定和评价进一步增加残疾人均等机会的政策、计划、方案和行动方面的重要性，

（七）强调必须使残疾问题成为相关可持续发展战略的重要组成部分，

（八）又确认因残疾而歧视任何人是对人的固有尊严和价值的侵犯，

（九）还确认残疾人的多样性，

（十）确认必须促进和保护所有残疾人的人权，包括需要加强支助的残疾人的人权，

（十一）关注尽管有上述各项文书和承诺，残疾人作为平等社会成员参与方面继续面临各种障碍，残疾人的人权在世界各地继续受到侵犯，

（十二）确认国际合作对改善各国残疾人，尤其是发展中国家残疾人的生活条件至关重要，

（十三）确认残疾人对其社区的全面福祉和多样性作出的和可能作出的宝贵贡献，并确认促进残疾人充分享有其人权和基本自由以及促进残疾人充分参与，将增强其归属感，大大推进整个社会的人的发展和社会经济发展以及除贫工作，

（十四）确认个人的自主和自立，包括自由作出自己的选择，对残疾人至关重要，

（十五）认为残疾人应有机会积极参与政策和方案的决策过程，包括与残疾人直接有关的政策和方案的决策过程，

（十六）关注因种族、肤色、性别、语言、宗教、政治或其他见解、民族本源、族裔、土著身份或社会出身、财产、出生、年龄或其他身份而受到多重或加重形式歧视的残疾人所面临的困难处境，

（十七）确认残疾妇女和残疾女孩在家庭内外往往面临更大的

风险,更易遭受暴力、伤害或凌虐、忽视或疏忽、虐待或剥削,

(十八)确认残疾儿童应在与其他儿童平等的基础上充分享有一切人权和基本自由,并回顾《儿童权利公约》缔约国为此目的承担的义务,

(十九)强调必须将两性平等观点纳入促进残疾人充分享有人权和基本自由的一切努力之中,

(二十)着重指出大多数残疾人生活贫困,确认在这方面亟需消除贫穷对残疾人的不利影响,

(二十一)铭记在恪守《联合国宪章》宗旨和原则并遵守适用的人权文书的基础上实现和平与安全,是充分保护残疾人,特别是在武装冲突和外国占领期间充分保护残疾人的必要条件,

(二十二)确认无障碍的物质、社会、经济和文化环境、医疗卫生和教育以及信息和交流,对残疾人能够充分享有一切人权和基本自由至关重要,

(二十三)认识到个人对他人和对本人所属社区负有义务,有责任努力促进和遵守《国际人权宪章》确认的权利,

(二十四)深信家庭是自然和基本的社会组合单元,有权获得社会和国家的保护,残疾人及其家庭成员应获得必要的保护和援助,使家庭能够为残疾人充分和平等地享有其权利作出贡献,

(二十五)深信一项促进和保护残疾人权利和尊严的全面综合国际公约将大有助于在发展中国家和发达国家改变残疾人在社会上的严重不利处境,促使残疾人有平等机会参与公民、政治、经济、社会和文化生活,

议定如下:

第一条　宗　　旨

本公约的宗旨是促进、保护和确保所有残疾人充分和平等地享有一切人权和基本自由,并促进对残疾人固有尊严的尊重。

残疾人包括肢体、精神、智力或感官有长期损伤的人，这些损伤与各种障碍相互作用，可能阻碍残疾人在与他人平等的基础上充分和切实地参与社会。

第二条　定　　义

为本公约的目的：

“交流”包括语言、字幕、盲文、触觉交流、大字本、无障碍多媒体以及书面语言、听力语言、浅白语言、朗读员和辅助或替代性交流方式、手段和模式，包括无障碍信息和通信技术；

“语言”包括口语和手语及其他形式的非语音语言；

“基于残疾的歧视”是指基于残疾而作出的任何区别、排斥或限制，其目的或效果是在政治、经济、社会、文化、公民或任何其他领域，损害或取消在与其他人平等的基础上，对一切人权和基本自由的认可、享有或行使。基于残疾的歧视包括一切形式的歧视，包括拒绝提供合理便利；

“合理便利”是指根据具体需要，在不造成过度或不当负担的情况下，进行必要和适当的修改和调整，以确保残疾人在与其他人平等的基础上享有或行使一切人权和基本自由；

“通用设计”是指尽最大可能让所有人可以使用，无需作出调整或特别设计的产品、环境、方案和服务设计。“通用设计”不排除在必要时为某些残疾人群体提供辅助用具。

第三条　一 般 原 则

本公约的原则是：

（一）尊重固有尊严和个人自主，包括自由作出自己的选择，以及个人的自立；

（二）不歧视；

（三）充分和切实地参与和融入社会；

（四）尊重差异，接受残疾人是人的多样性的一部分和人类的一份子；

（五）机会均等；

（六）无障碍；

（七）男女平等；

（八）尊重残疾儿童逐渐发展的能力并尊重残疾儿童保持其身份特性的权利。

第四条　一般义务

一、缔约国承诺确保并促进充分实现所有残疾人的一切人权和基本自由，使其不受任何基于残疾的歧视。为此目的，缔约国承诺：

（一）采取一切适当的立法、行政和其他措施实施本公约确认的权利；

（二）采取一切适当措施，包括立法，以修订或废止构成歧视残疾人的现行法律、法规、习惯和做法；

（三）在一切政策和方案中考虑保护和促进残疾人的人权；

（四）不实施任何与本公约不符的行为或做法，确保公共当局和机构遵循本公约的规定行事；

（五）采取一切适当措施，消除任何个人、组织或私营企业基于残疾的歧视；

（六）从事或促进研究和开发本公约第二条所界定的通用设计的货物、服务、设备和设施，以便仅需尽可能小的调整和最低的费用即可满足残疾人的具体需要，促进这些货物、服务、设备和设施的提供和使用，并在拟订标准和导则方面提倡通用设计；

（七）从事或促进研究和开发适合残疾人的新技术，并促进提供和使用这些新技术，包括信息和通信技术、助行器具、用品、辅助技术，优先考虑价格低廉的技术；

（八）向残疾人提供无障碍信息，介绍助行器具、用品和辅助技术，包括新技术，并介绍其他形式的协助、支助服务和设施；

（九）促进培训协助残疾人的专业人员和工作人员，使他们了解本公约确认的权利，以便更好地提供这些权利所保障的协助和服务。

二、关于经济、社会和文化权利，各缔约国承诺尽量利用现有资源并于必要时在国际合作框架内采取措施，以期逐步充分实现这些权利，但不妨碍本公约中依国际法立即适用的义务。

三、缔约国应当在为实施本公约而拟订和施行立法和政策时以及在涉及残疾人问题的其他决策过程中，通过代表残疾人的组织，与残疾人，包括残疾儿童，密切协商，使他们积极参与。

四、本公约的规定不影响任何缔约国法律或对该缔约国生效的国际法中任何更有利于实现残疾人权利的规定。对于根据法律、公约、法规或习惯而在本公约任何缔约国内获得承认或存在的任何人权和基本自由，不得以本公约未予承认或未予充分承认这些权利或自由为借口而加以限制或减损。

五、本公约的规定应当无任何限制或例外地适用于联邦制国家各组成部分。

第五条　平等和不歧视

一、缔约国确认，在法律面前，人人平等，有权不受任何歧视地享有法律给予的平等保护和平等权益。

二、缔约国应当禁止一切基于残疾的歧视，保证残疾人获得平等和有效的法律保护，使其不受基于任何原因的歧视。

三、为促进平等和消除歧视，缔约国应当采取一切适当步骤，确保提供合理便利。

四、为加速或实现残疾人事实上的平等而必须采取的具体措施，不得视为本公约所指的歧视。

第六条 残疾妇女

一、缔约国确认残疾妇女和残疾女孩受到多重歧视，在这方面，应当采取措施，确保她们充分和平等地享有一切人权和基本自由。

二、缔约国应当采取一切适当措施，确保妇女充分发展，地位得到提高，能力得到增强，目的是保证妇女能行使和享有本公约所规定的人权和基本自由。

第七条 残疾儿童

一、缔约国应当采取一切必要措施，确保残疾儿童在与其他儿童平等的基础上，充分享有一切人权和基本自由。

二、在一切关于残疾儿童的行动中，应当以儿童的最佳利益为一项首要考虑。

三、缔约国应当确保，残疾儿童有权在与其他儿童平等的基础上，就一切影响本人的事项自由表达意见，并获得适合其残疾状况和年龄的辅助手段以实现这项权利，残疾儿童的意见应当按其年龄和成熟程度适当予以考虑。

第八条 提高认识

一、缔约国承诺立即采取有效和适当的措施，以便：

（一）提高整个社会，包括家庭，对残疾人的认识，促进对残疾人权利和尊严的尊重；

（二）在生活的各个方面消除对残疾人的定见、偏见和有害做法，包括基于性别和年龄的定见、偏见和有害做法；

（三）提高对残疾人的能力和贡献的认识。

二、为此目的采取的措施包括：

（一）发起和持续进行有效的宣传运动，提高公众认识，以便：

1. 培养接受残疾人权利的态度；

2. 促进积极看待残疾人，提高社会对残疾人的了解；

3. 促进承认残疾人的技能、才华和能力以及他们对工作场所和劳动力市场的贡献；

（二）在各级教育系统中培养尊重残疾人权利的态度，包括从小在所有儿童中培养这种态度；

（三）鼓励所有媒体机构以符合本公约宗旨的方式报道残疾人；

（四）推行了解残疾人和残疾人权利的培训方案。

第九条 无 障 碍

一、为了使残疾人能够独立生活和充分参与生活的各个方面，缔约国应当采取适当措施，确保残疾人在与其他人平等的基础上，无障碍地进出物质环境，使用交通工具，利用信息和通信，包括信息和通信技术和系统，以及享用在城市和农村地区向公众开放或提供的其他设施和服务。这些措施应当包括查明和消除阻碍实现无障碍环境的因素，并除其他外，应当适用于：

（一）建筑、道路、交通和其他室内外设施，包括学校、住房、医疗设施和工作场所；

（二）信息、通信和其他服务，包括电子服务和应急服务。

二、缔约国还应当采取适当措施，以便：

（一）拟订和公布无障碍使用向公众开放或提供的设施和服务的最低标准和导则，并监测其实施情况；

（二）确保向公众开放或为公众提供设施和服务的私营实体在各个方面考虑为残疾人创造无障碍环境；

（三）就残疾人面临的无障碍问题向各有关方面提供培训；

（四）在向公众开放的建筑和其他设施中提供盲文标志及易读易懂的标志；

（五）提供各种形式的现场协助和中介，包括提供向导、朗读员和专业手语译员，以利向公众开放的建筑和其他设施的无障碍；

（六）促进向残疾人提供其他适当形式的协助和支助，以确保残疾人获得信息；

（七）促使残疾人有机会使用新的信息和通信技术和系统，包括因特网；

（八）促进在早期阶段设计、开发、生产、推行无障碍信息和通信技术和系统，以便能以最低成本使这些技术和系统无障碍。

第十条 生 命 权

缔约国重申人人享有固有的生命权，并应当采取一切必要措施，确保残疾人在与其他人平等的基础上切实享有这一权利。

第十一条 危难情况和人道主义紧急情况

缔约国应当依照国际法包括国际人道主义法和国际人权法规定的义务，采取一切必要措施，确保在危难情况下，包括在发生武装冲突、人道主义紧急情况和自然灾害时，残疾人获得保护和安全。

第十二条 在法律面前获得平等承认

一、缔约国重申残疾人享有在法律面前的人格在任何地方均获得承认的权利。

二、缔约国应当确认残疾人在生活的各方面在与其他人平等的基础上享有法律权利能力。

三、缔约国应当采取适当措施，便利残疾人获得他们在行使其法律权利能力时可能需要的协助。

四、缔约国应当确保，与行使法律权利能力有关的一切措施，均依照国际人权法提供适当和有效的防止滥用保障。这些保障应当确保与行使法律权利能力有关的措施尊重本人的权利、意愿和选择，无利益冲突和不当影响，适应本人情况，适用时间尽可能短，并定期由一个有资格、独立、公正的当局或司法机构复核。提供的保障应当与这些措施影响个人权益的程度相称。

五、在符合本条的规定的情况下，缔约国应当采取一切适当和有效的措施，确保残疾人享有平等权利拥有或继承财产，掌管自己的财务，有平等机会获得银行贷款、抵押贷款和其他形式的金融信贷，并应当确保残疾人的财产不被任意剥夺。

第十三条　获得司法保护

一、缔约国应当确保残疾人在与其他人平等的基础上有效获得司法保护，包括通过提供程序便利和适龄措施，以便利他们在所有法律诉讼程序中，包括在调查和其他初步阶段中，切实发挥其作为直接和间接参与方，包括其作为证人的作用。

二、为了协助确保残疾人有效获得司法保护，缔约国应当促进对司法领域工作人员，包括警察和监狱工作人员进行适当的培训。

第十四条　自由和人身安全

一、缔约国应当确保残疾人在与其他人平等的基础上：

（一）享有自由和人身安全的权利；

（二）不被非法或任意剥夺自由，任何对自由的剥夺均须符合法律规定，而且在任何情况下均不得以残疾作为剥夺自由的理由。

二、缔约国应当确保，在任何程序中被剥夺自由的残疾人，在与其他人平等的基础上，有权获得国际人权法规定的保障，并应当享有符合本公约宗旨和原则的待遇，包括提供合理便利的待遇。

第十五条　免于酷刑或残忍、不人道或有辱人格的待遇或处罚

一、不得对任何人实施酷刑或残忍、不人道或有辱人格的待遇

或处罚。特别是不得在未经本人自由同意的情况下,对任何人进行医学或科学试验。

二、缔约国应当采取一切有效的立法、行政、司法或其他措施,在与其他人平等的基础上,防止残疾人遭受酷刑或残忍、不人道或有辱人格的待遇或处罚。

第十六条 免于剥削、暴力和凌虐

一、缔约国应当采取一切适当的立法、行政、社会、教育和其他措施,保护残疾人在家庭内外免遭一切形式的剥削、暴力和凌虐,包括基于性别的剥削、暴力和凌虐。

二、缔约国还应当采取一切适当措施防止一切形式的剥削、暴力和凌虐,除其他外,确保向残疾人及其家属和照护人提供考虑到性别和年龄的适当协助和支助,包括提供信息和教育,说明如何避免、识别和报告剥削、暴力和凌虐事件。缔约国应当确保保护服务考虑到年龄、性别和残疾因素。

三、为了防止发生任何形式的剥削、暴力和凌虐,缔约国应当确保所有用于为残疾人服务的设施和方案受到独立当局的有效监测。

四、残疾人受到任何形式的剥削、暴力或凌虐时,缔约国应当采取一切适当措施,包括提供保护服务,促进被害人的身体、认知功能和心理的恢复、康复及回归社会。上述恢复措施和回归社会措施应当在有利于本人的健康、福祉、自尊、尊严和自主的环境中进行,并应当考虑到因性别和年龄而异的具体需要。

五、缔约国应当制定有效的立法和政策,包括以妇女和儿童为重点的立法和政策,确保查明、调查和酌情起诉对残疾人的剥削、暴力和凌虐事件。

第十七条 保护人身完整性

每个残疾人的身心完整性有权在与其他人平等的基础上获得

尊重。

第十八条 迁徙自由和国籍

一、缔约国应当确认残疾人在与其他人平等的基础上有权自由迁徙、自由选择居所和享有国籍，包括确保残疾人：

（一）有权获得和变更国籍，国籍不被任意剥夺或因残疾而被剥夺；

（二）不因残疾而被剥夺获得、拥有和使用国籍证件或其他身份证件的能力，或利用相关程序，如移民程序的能力，这些能力可能是便利行使迁徙自由权所必要的；

（三）可以自由离开任何国家，包括本国在内；

（四）不被任意剥夺或因残疾而被剥夺进入本国的权利。

二、残疾儿童出生后应当立即予以登记，从出生起即应当享有姓名权利，享有获得国籍的权利，并尽可能享有知悉父母并得到父母照顾的权利。

第十九条 独立生活和融入社区

本公约缔约国确认所有残疾人享有在社区中生活的平等权利以及与其他人同等的选择，并应当采取有效和适当的措施，以便利残疾人充分享有这项权利以及充分融入和参与社区，包括确保：

（一）残疾人有机会在与其他人平等的基础上选择居所，选择在何处、与何人一起生活，不被迫在特定的居住安排中生活；

（二）残疾人获得各种居家、住所和其他社区支助服务，包括必要的个人援助，以便在社区生活和融入社区，避免同社区隔绝或隔离；

（三）残疾人可以在平等基础上享用为公众提供的社区服务和设施，并确保这些服务和设施符合他们的需要。

第二十条　个人行动能力

缔约国应当采取有效措施，确保残疾人尽可能独立地享有个人行动能力，包括：

（一）便利残疾人按自己选择的方式和时间，以低廉费用享有个人行动能力；

（二）便利残疾人获得优质的助行器具、用品、辅助技术以及各种形式的现场协助和中介，包括以低廉费用提供这些服务；

（三）向残疾人和专门协助残疾人的工作人员提供行动技能培训；

（四）鼓励生产助行器具、用品和辅助技术的实体考虑残疾人行动能力的各个方面。

第二十一条　表达意见的自由和获得信息的机会

缔约国应当采取一切适当措施，包括下列措施，确保残疾人能够行使自由表达意见的权利，包括在与其他人平等的基础上，通过自行选择本公约第二条所界定的一切交流形式，寻求、接受、传递信息和思想的自由：

（一）以无障碍模式和适合不同类别残疾的技术，及时向残疾人提供公共信息，不另收费；

（二）在正式事务中允许和便利使用手语、盲文、辅助和替代性交流方式及残疾人选用的其他一切无障碍交流手段、方式和模式；

（三）敦促向公众提供服务，包括通过因特网提供服务的私营实体，以无障碍和残疾人可以使用的模式提供信息和服务；

（四）鼓励包括因特网信息提供商在内的大众媒体向残疾人提供无障碍服务；

（五）承认和推动手语的使用。

第二十二条 尊重隐私

一、残疾人，不论其居所地或居住安排为何，其隐私、家庭、家居和通信以及其他形式的交流，不得受到任意或非法的干预，其荣誉和名誉也不得受到非法攻击。残疾人有权获得法律的保护，不受这种干预或攻击。

二、缔约国应当在与其他人平等的基础上保护残疾人的个人、健康和康复资料的隐私。

第二十三条 尊重家居和家庭

一、缔约国应当采取有效和适当的措施，在涉及婚姻、家庭、生育和个人关系的一切事项中，在与其他人平等的基础上，消除对残疾人的歧视，以确保：

（一）所有适婚年龄的残疾人根据未婚配偶双方自由表示的充分同意结婚和建立家庭的权利获得承认；

（二）残疾人自由、负责任地决定子女人数和生育间隔，获得适龄信息、生殖教育和计划生育教育的权利获得承认，并提供必要手段使残疾人能够行使这些权利；

（三）残疾人，包括残疾儿童，在与其他人平等的基础上，保留其生育力。

二、如果本国立法中有监护、监管、托管和领养儿童或类似的制度，缔约国应当确保残疾人在这些方面的权利和责任；在任何情况下均应当以儿童的最佳利益为重。缔约国应当适当协助残疾人履行其养育子女的责任。

三、缔约国应当确保残疾儿童在家庭生活方面享有平等权利。为了实现这些权利，并为了防止隐藏、遗弃、忽视和隔离残疾儿童，缔约国应当承诺及早向残疾儿童及其家属提供全面的信息、服务和支助。

四、缔约国应当确保不违背儿童父母的意愿使子女与父母分离，除非主管当局依照适用的法律和程序，经司法复核断定这种分离确有必要，符合儿童本人的最佳利益。在任何情况下均不得以子女残疾或父母一方或双方残疾为理由，使子女与父母分离。

五、缔约国应当在近亲属不能照顾残疾儿童的情况下，尽一切努力在大家庭范围内提供替代性照顾，并在无法提供这种照顾时，在社区内提供家庭式照顾。

第二十四条　教　　育

一、缔约国确认残疾人享有受教育的权利。为了在不受歧视和机会均等的情况下实现这一权利，缔约国应当确保在各级教育实行包容性教育制度和终生学习，以便：

（一）充分开发人的潜力，培养自尊自重精神，加强对人权、基本自由和人的多样性的尊重；

（二）最充分地发展残疾人的个性、才华和创造力以及智能和体能；

（三）使所有残疾人能切实参与一个自由的社会。

二、为了实现这一权利，缔约国应当确保：

（一）残疾人不因残疾而被排拒于普通教育系统之外，残疾儿童不因残疾而被排拒于免费和义务初等教育或中等教育之外；

（二）残疾人可以在自己生活的社区内，在与其他人平等的基础上，获得包容性的优质免费初等教育和中等教育；

（三）提供合理便利以满足个人的需要；

（四）残疾人在普通教育系统中获得必要的支助，便利他们切实获得教育；

（五）按照有教无类的包容性目标，在最有利于发展学习和社交能力的环境中，提供适合个人情况的有效支助措施。

三、缔约国应当使残疾人能够学习生活和社交技能，便利他们充分和平等地参与教育和融入社区。为此目的，缔约国应当采取适当措施，包括：

（一）为学习盲文，替代文字，辅助和替代性交流方式、手段和模式，定向和行动技能提供便利，并为残疾人之间的相互支持和指导提供便利；

（二）为学习手语和宣传聋人的语言特性提供便利；

（三）确保以最适合个人情况的语文及交流方式和手段，在最有利于发展学习和社交能力的环境中，向盲、聋或聋盲人，特别是盲、聋或聋盲儿童提供教育。

四、为了帮助确保实现这项权利，缔约国应当采取适当措施，聘用有资格以手语和（或）盲文教学的教师，包括残疾教师，并对各级教育的专业人员和工作人员进行培训。这种培训应当包括对残疾的了解和学习使用适当的辅助和替代性交流方式、手段和模式、教育技巧和材料以协助残疾人。

五、缔约国应当确保，残疾人能够在不受歧视和与其他人平等的基础上，获得普通高等教育、职业培训、成人教育和终生学习。为此目的，缔约国应当确保向残疾人提供合理便利。

第二十五条　健　　康

缔约国确认，残疾人有权享有可达到的最高健康标准，不受基于残疾的歧视。缔约国应当采取一切适当措施，确保残疾人获得考虑到性别因素的医疗卫生服务，包括与健康有关的康复服务。缔约国尤其应当：

（一）向残疾人提供其他人享有的，在范围、质量和标准方面相同的免费或费用低廉的医疗保健服务和方案，包括在性健康和生殖健康及全民公共卫生方案方面；

（二）向残疾人提供残疾特需医疗卫生服务，包括酌情提供早期诊断和干预，并提供旨在尽量减轻残疾和预防残疾恶化的服务，包括向儿童和老年人提供这些服务；

(三)尽量就近在残疾人所在社区，包括在农村地区，提供这些医疗卫生服务；

(四)要求医护人员，包括在征得残疾人自由表示的知情同意基础上，向残疾人提供在质量上与其他人所得相同的护理，特别是通过提供培训和颁布公共和私营医疗保健服务职业道德标准，提高对残疾人人权、尊严、自主和需要的认识；

(五)在提供医疗保险和国家法律允许的人寿保险方面禁止歧视残疾人，这些保险应当以公平合理的方式提供；

(六)防止基于残疾而歧视性地拒绝提供医疗保健或医疗卫生服务，或拒绝提供食物和液体。

第二十六条 适应训练和康复

一、缔约国应当采取有效和适当的措施，包括通过残疾人相互支持，使残疾人能够实现和保持最大程度的自立，充分发挥和维持体能、智能、社会和职业能力，充分融入和参与生活的各个方面。为此目的，缔约国应当组织、加强和推广综合性适应训练和康复服务和方案，尤其是在医疗卫生、就业、教育和社会服务方面，这些服务和方案应当：

(一)根据对个人需要和体能的综合评估尽早开始；

(二)有助于残疾人参与和融入社区和社会的各个方面，属自愿性质，并尽量在残疾人所在社区，包括农村地区就近安排。

二、缔约国应当促进为从事适应训练和康复服务的专业人员和工作人员制订基础培训和进修培训计划。

三、在适应训练和康复方面，缔约国应当促进提供为残疾人设计的辅助用具和技术以及对这些用具和技术的了解和使用。

第二十七条 工作和就业

一、缔约国确认残疾人在与其他人平等的基础上享有工作权，包括有机会在开放、具有包容性和对残疾人不构成障碍的劳动力市场和工作环境中，为谋生自由选择或接受工作的权利。为保障和促进工作权的实现，包括在就业期间致残者的工作权的实现，缔约国应当采取适当步骤，包括通过立法，除其他外：

（一）在一切形式就业的一切事项上，包括在征聘、雇用和就业条件、继续就业、职业提升以及安全和健康的工作条件方面，禁止基于残疾的歧视；

（二）保护残疾人在与其他人平等的基础上享有公平和良好的工作条件，包括机会均等和同值工作同等报酬的权利，享有安全和健康的工作环境，包括不受搔扰的权利，并享有申诉的权利；

（三）确保残疾人能够在与其他人平等的基础上行使工会权；

（四）使残疾人能够切实参加一般技术和职业指导方案，获得职业介绍服务、职业培训和进修培训；

（五）在劳动力市场上促进残疾人的就业机会和职业提升机会，协助残疾人寻找、获得、保持和恢复工作；

（六）促进自营就业、创业经营、创建合作社和个体开业的机会；

（七）在公共部门雇用残疾人；

（八）以适当的政策和措施，其中可以包括平权行动方案、奖励和其他措施，促进私营部门雇用残疾人；

（九）确保在工作场所为残疾人提供合理便利；

（十）促进残疾人在开放劳动力市场上获得工作经验；

（十一）促进残疾人的职业和专业康复服务、保留工作和恢复工作方案。

二、缔约国应当确保残疾人不被奴役或驱役，并在与其他人平等的基础上受到保护，不被强迫或强制劳动。

第二十八条　适足的生活水平和社会保护

一、缔约国确认残疾人有权为自己及其家属获得适足的生活水平，包括适足的食物、衣物、住房，以及不断改善生活条件；缔约国应当采取适当步骤，保障和促进在不受基于残疾的歧视的情况下实现这项权利。

二、缔约国确认残疾人有权获得社会保护，并有权在不受基于残疾的歧视的情况下享有这项权利；缔约国应当采取适当步骤，保障和促进这项权利的实现，包括采取措施：

（一）确保残疾人平等地获得洁净供水，并且确保他们获得适当和价格低廉的服务、用具和其他协助，以满足与残疾有关的需要；

（二）确保残疾人，尤其是残疾妇女、女孩和老年人，可以利用社会保护方案和减贫方案；

（三）确保生活贫困的残疾人及其家属，在与残疾有关的费用支出，包括适足的培训、辅导、经济援助和临时护理方面，可以获得国家援助；

（四）确保残疾人可以参加公共住房方案；

（五）确保残疾人可以平等享受退休福利和参加退休方案。

第二十九条　参与政治和公共生活

缔约国应当保证残疾人享有政治权利，有机会在与其他人平等的基础上享受这些权利，并应当承诺：

（一）确保残疾人能够在与其他人平等的基础上，直接或通过其自由选择的代表，有效和充分地参与政治和公共生活，包括确保残疾人享有选举和被选举的权利和机会，除其他外，采取措施：

1. 确保投票程序、设施和材料适当、无障碍、易懂易用；

2. 保护残疾人的权利，使其可以在选举或公投中不受威吓地采用无记名方式投票、参选、在各级政府实际担任公职和履行一切公共职务，并酌情提供使用辅助技术和新技术的便利；

3. 保证残疾人作为选民能够自由表达意愿，并在必要时根据

残疾人的要求,为此目的允许残疾人自行选择的人协助投票;

（二）积极创造环境,使残疾人能够不受歧视地在与其他人平等的基础上有效和充分地参与处理公共事务,并鼓励残疾人参与公共事务,包括:

1. 参与涉及本国公共和政治生活的非政府组织和社团,参加政党的活动和管理;

2. 建立和加入残疾人组织,在国际、全国、地区和地方各级代表残疾人。

第三十条 参与文化生活、娱乐、休闲和体育活动

一、缔约国确认残疾人有权在与其他人平等的基础上参与文化生活,并应当采取一切适当措施,确保残疾人:

（一）获得以无障碍模式提供的文化材料;

（二）获得以无障碍模式提供的电视节目、电影、戏剧和其他文化活动;

（三）进出文化表演或文化服务场所,例如剧院、博物馆、电影院、图书馆、旅游服务场所,并尽可能地可以进出在本国文化中具有重要意义的纪念物和纪念地。

二、缔约国应当采取适当措施,使残疾人能够有机会为自身利益并为充实社会,发展和利用自己的创造、艺术和智力潜力。

三、缔约国应当采取一切适当步骤,依照国际法的规定,确保保护知识产权的法律不构成不合理或歧视性障碍,阻碍残疾人获得文化材料。

四、残疾人特有的文化和语言特性,包括手语和聋文化,应当有权在与其他人平等的基础上获得承认和支持。

五、为了使残疾人能够在与其他人平等的基础上参加娱乐、休闲和体育活动,缔约国应当采取适当措施,以便:

（一）鼓励和促进残疾人尽可能充分地参加各级主流体育

活动；

（二）确保残疾人有机会组织、发展和参加残疾人专项体育、娱乐活动，并为此鼓励在与其他人平等的基础上提供适当指导、训练和资源；

（三）确保残疾人可以使用体育、娱乐和旅游场所；

（四）确保残疾儿童享有与其他儿童一样的平等机会参加游戏、娱乐和休闲以及体育活动，包括在学校系统参加这类活动；

（五）确保残疾人可以获得娱乐、旅游、休闲和体育活动的组织人提供的服务。

第三十一条　统计和数据收集

一、缔约国承诺收集适当的信息，包括统计和研究数据，以便制定和实施政策，落实本公约。收集和维持这些信息的工作应当：

（一）遵行法定保障措施，包括保护数据的立法，实行保密和尊重残疾人的隐私；

（二）遵行保护人权和基本自由的国际公认规范以及收集和使用统计数据的道德原则。

二、依照本条规定收集的信息应当酌情分组，用于协助评估本公约规定的缔约国义务的履行情况，查明和清除残疾人在行使其权利时遇到的障碍。

三、缔约国应当负责传播这些统计数据，确保残疾人和其他人可以使用这些统计数据。

第三十二条　国 际 合 作

一、缔约国确认必须开展和促进国际合作，支持国家为实现本公约的宗旨和目的而作出的努力，并将为此在双边和多边的范围内采取适当和有效的措施，并酌情与相关国际和区域组织及民间社会，特别是与残疾人组织，合作采取这些措施。除其他外，这些措施可包括：

（一）确保包容和便利残疾人参与国际合作，包括国际发展方案；

（二）促进和支持能力建设，如交流和分享信息、经验、培训方案和最佳做法；

（三）促进研究方面的合作，便利科学技术知识的获取；

（四）酌情提供技术和经济援助，包括便利获取和分享无障碍技术和辅助技术以及通过技术转让提供这些援助。

二、本条的规定不妨害各缔约国履行其在本公约下承担的义务。

第三十三条　国家实施和监测

一、缔约国应当按照本国建制，在政府内指定一个或多个协调中心，负责有关实施本公约的事项，并应当适当考虑在政府内设立或指定一个协调机制，以便利在不同部门和不同级别采取有关行动。

二、缔约国应当按照本国法律制度和行政制度，酌情在国内维持、加强、指定或设立一个框架，包括一个或多个独立机制，以促进、保护和监测本公约的实施。在指定或建立这一机制时，缔约国应当考虑与保护和促进人权的国家机构的地位和运作有关的原则。

三、民间社会，特别是残疾人及其代表组织，应当获邀参加并充分参与监测进程。

第三十四条　残疾人权利委员会

一、应当设立一个残疾人权利委员会（以下称“委员会”），履行下文规定的职能。

二、在本公约生效时，委员会应当由十二名专家组成。在公约获得另外六十份批准书或加入书后,委员会应当增加六名成员,以足十八名成员之数。

三、委员会成员应当以个人身份任职,品德高尚,在本公约所涉领域具有公认的能力和经验。缔约国在提名候选人时,务请适当考虑本公约第四条第三款的规定。

四、委员会成员由缔约国选举,选举须顾及公平地域分配原则,各大文化和各主要法系的代表性,男女成员人数的均衡性以及残疾人专家的参加。

五、应当在缔约国会议上,根据缔约国提名的本国国民名单,以无记名投票选举委员会成员。这些会议以三分之二的缔约国构成法定人数,得票最多和获得出席并参加表决的缔约国代表的绝对多数票者,当选为委员会成员。

六、首次选举至迟应当在本公约生效之日后六个月内举行。每次选举,联合国秘书长至迟应当在选举之日前四个月函请缔约国在两个月内递交提名人选。秘书长随后应当按英文字母次序编制全体被提名人名单,注明提名缔约国,分送本公约缔约国。

七、当选的委员会成员任期四年,可以连选连任一次。但是,在第一次选举当选的成员中,六名成员的任期应当在两年后届满;本条第五款所述会议的主席应当在第一次选举后,立即抽签决定这六名成员。

八、委员会另外六名成员的选举应当依照本条的相关规定,在正常选举时举行。

九、如果委员会成员死亡或辞职或因任何其他理由而宣称无法继续履行其职责,提名该成员的缔约国应当指定一名具备本条相关规定所列资格并符合有关要求的专家,完成所余任期。

十、委员会应当自行制定议事规则。

十一、联合国秘书长应当为委员会有效履行本公约规定的职能提供必要的工作人员和便利,并应当召开委员会的首次会议。

十二、考虑到委员会责任重大，经联合国大会核准，本公约设立的委员会的成员，应当按大会所定条件，从联合国资源领取薪酬。

十三、委员会成员应当有权享有联合国特派专家根据《联合国特权和豁免公约》相关章节规定享有的便利、特权和豁免。

第三十五条　缔约国提交的报告

一、各缔约国在本公约对其生效后两年内，应当通过联合国秘书长，向委员会提交一份全面报告，说明为履行本公约规定的义务而采取的措施和在这方面取得的进展。

二、其后，缔约国至少应当每四年提交一次报告，并在委员会提出要求时另外提交报告。

三、委员会应当决定适用于报告内容的导则。

四、已经向委员会提交全面的初次报告的缔约国，在其后提交的报告中，不必重复以前提交的资料。缔约国在编写给委员会的报告时，务请采用公开、透明的程序，并适当考虑本公约第四条第三款的规定。

五、报告可以指出影响本公约所定义务履行程度的因素和困难。

第三十六条　报告的审议

一、委员会应当审议每一份报告，并在委员会认为适当时，对报告提出提议和一般建议，将其送交有关缔约国。缔约国可以自行决定向委员会提供任何资料作为回复。委员会可以请缔约国提供与实施本公约相关的进一步资料。

二、对于严重逾期未交报告的缔约国，委员会可以通知有关缔约国，如果在发出通知后的三个月内仍未提交报告，委员会必须根据手头的可靠资料，审查该缔约国实施本公约的情况。委员会应当邀请有关缔约国参加这项审查工作。如果缔约国作出回复，提交相关报告，则适用本条第一款的规定。

三、联合国秘书长应当向所有缔约国提供上述报告。

四、缔约国应当向国内公众广泛提供本国报告，并便利获取有关这些报告的提议和一般建议。

五、委员会应当在其认为适当时，把缔约国的报告转交联合国专门机构、基金和方案以及其他主管机构，以便处理报告中就技术咨询或协助提出的请求或表示的需要，同时附上委员会可能对这些请求或需要提出的意见和建议。

第三十七条　缔约国与委员会的合作

一、各缔约国应当与委员会合作，协助委员会成员履行其任务。

二、在与缔约国的关系方面，委员会应当适当考虑提高各国实施本公约的能力的途径和手段，包括为此开展国际合作。

第三十八条　委员会与其他机构的关系

为了促进本公约的有效实施和鼓励在本公约所涉领域开展国际合作：

（一）各专门机构和其他联合国机构应当有权派代表列席审议本公约中属于其职权范围的规定的实施情况。委员会可以在其认为适当时，邀请专门机构和其他主管机构就公约在各自职权范围所涉领域的实施情况提供专家咨询意见。委员会可以邀请专门机构和其他联合国机构提交报告，说明公约在其活动范围所涉领域的实施情况；

（二）委员会在履行任务时，应当酌情咨询各国际人权条约设立的其他相关机构的意见，以便确保各自的报告编写导则、提议和一般建议的一致性，避免在履行职能时出现重复和重叠。

第三十九条　委员会报告

委员会应当每两年一次向大会和经济及社会理事会提出关于其活动的报告，并可以在审查缔约国提交的报告和资料的基础上，提出提议和一般建议。这些提议和一般建议应当连同缔约国可能作出的任何评论，一并列入委员会报告。

第四十条　缔约国会议

一、缔约国应当定期举行缔约国会议，以审议与实施本公约有关的任何事项。

二、联合国秘书长至迟应当在本公约生效后六个月内召开缔约国会议。其后，秘书长应当每两年一次，或根据缔约国会议的决定，召开会议。

第四十一条　保　存　人

联合国秘书长为本公约的保存人。

第四十二条　签　　署

本公约自二〇〇七年三月三十日起在纽约联合国总部开放给所有国家和区域一体化组织签署。

第四十三条　同意接受约束

本公约应当经签署国批准和经签署区域一体化组织正式确认，并应当开放给任何没有签署公约的国家或区域一体化组织加入。

第四十四条　区域一体化组织

一、“区域一体化组织”是指由某一区域的主权国家组成的组织,其成员国已将本公约所涉事项方面的权限移交该组织。这些组织应当在其正式确认书或加入书中声明其有关本公约所涉事项的权限范围。此后,这些组织应当将其权限范围的任何重大变更通知保存人。

二、本公约提及"缔约国"之处,在上述组织的权限范围内,应当适用于这些组织。

三、为本公约第四十五条第一款和第四十七条第二款和第三款的目的,区域一体化组织交存的任何文书均不在计算之列。

四、区域经济一体化组织可以在缔约国会议上,对其权限范围内的事项行使表决权,其票数相当于已成为本公约缔约国的组织成员国的数目。如果区域一体化组织的任何成员国行使表决权,则该组织不得行使表决权,反之亦然。

第四十五条 生 效

一、本公约应当在第二十份批准书或加入书交存后的第三十天生效。

二、对于在第二十份批准书或加入书交存后批准、正式确认或加入的国家或区域一体化组织,本公约应当在该国或组织交存各自的批准书、正式确认书或加入书后的第三十天生效。

第四十六条 保 留

一、保留不得与本公约的目的和宗旨不符。

二、保留可随时撤回。

第四十七条 修 正

一、任何缔约国均可以对本公约提出修正案,提交联合国秘书长。秘书长应当将任何提议修正案通告缔约国,请缔约国通知是否赞成召开缔约国会议以审议提案并就提案作出决定。在上述通告发出之日后的四个月内,如果有至少三分之一的缔约国赞成召开缔约国会议,秘书长应当在联合国主持下召开会议。经出席并参加表决的缔约国三分之二多数通过的任何修正案应当由秘书长提交联合国大会核可,然后提交所有缔约国接受。

二、依照本条第一款的规定通过和核可的修正案,应当在交存的接受书数目达到修正案通过之日缔约国数目的三分之二后的第三十天生效。此后,修正案应当在任何缔约国交存其接受书后的第三十天对该国生效。修正案只对接受该项修正案的缔约国具有约束力。

三、经缔约国会议协商一致决定,依照本条第一款的规定通过和核可但仅涉及第三十四条、第三十八条、第三十九条和第四十条的修正案,应当在交存的接受书数目达到修正案通过之日缔约国数目的三分之二后的第三十天对所有缔约国生效。

第四十八条　退　　约

缔约国可以书面通知联合国秘书长退出本公约。退约应当在秘书长收到通知之日起一年后生效。

第四十九条　无障碍模式

应当以无障碍模式提供本公约文本。

第五十条　作 准 文 本

本公约的阿拉伯文、中文、英文、法文、俄文和西班牙文文本同等作准。

下列签署人经各自政府正式授权在本公约上签字,以昭信守。

后　　记

修订后的《中华人民共和国残疾人保障法》于2008年4月24日由十一届全国人大常委会第二次会议审议通过，将于2008年7月1日起施行。修订残疾人保障法，对于维护残疾人的合法权益，发展残疾人事业，保障残疾人平等地充分参与社会生活，共享社会物质文化成果，具有十分重要的意义。

为了配合对修订后的残疾人保障法的学习、宣传，我们编写了这本《中华人民共和国残疾人保障法释义》，本书由全国人大常委会法制工作委员会副主任信春鹰同志担任主编，全国人大常委会法制工作委员会行政法室主任李援、副主任张世诚同志担任副主编。黄薇、刘海涛、齐冰、黄海华、田林、张晓莹、李辉、曹阳、张涛等同志参加了撰稿。本书力求准确地解释每一条的内容，以帮助广大读者更好地学习和理解法律的规定。因时间和水平有限，书中如有不妥和疏漏之处，敬请批评指正。

作者

2008年4月